L4M

KT-407-571

…, prix des lecteurs
…, Grand Prix Gustave
… de Sang d'encre de Vienne).
… *avion sans elle* a reçu le prix Maison de la Presse en 2012, ainsi que le prix du Roman populaire, et s'est déjà vendu à plus de 850 000 exemplaires. Il est actuellement l'auteur français de romans policiers le plus vendu en France. Ses ouvrages, qui rencontrent un grand succès international, notamment en Allemagne, en Angleterre et aux États-Unis, sont traduits dans 31 pays. Les droits de plusieurs d'entre eux ont été vendus pour le cinéma et la télévision.

Il est aussi l'auteur, toujours aux Presses de la Cité, de *Ne lâche pas ma main* (2013), *N'oublier jamais* (2014) et *Maman a tort* (2015). *Gravé dans le sable*, paru en 2014, est la réédition du premier roman qu'il ait écrit, *Omaha crimes*, et le deuxième qu'il ait publié après *Code Lupin* (2006). Avec cet ouvrage, Michel Bussi avait obtenu le prix Sang d'encre de la ville de Vienne en 2007 et, en 2008, le prix littéraire du premier roman policier de la ville de Lens, le prix littéraire lycéen de la ville de Caen, le prix Octave Mirbeau de la ville de Trévières et le prix des lecteurs Ancres noires de la ville du Havre.

Son dernier roman, *Le Temps est assassin*, paraît en mai 20…

I… r sur :

NYMPHÉAS NOIRS

DU MÊME AUTEUR
CHEZ POCKET

UN AVION SANS ELLE
NYMPHÉAS NOIRS
NE LÂCHE PAS MA MAIN
N'OUBLIER JAMAIS
GRAVÉ DANS LE SABLE
MAMAN A TORT

MICHEL BUSSI

NYMPHÉAS NOIRS

PRESSES DE LA CITÉ

Pocket, une marque d'Univers Poche,
est un éditeur qui s'engage pour la préservation
de son environnement et qui utilise du papier fabriqué
à partir de bois provenant de forêts gérées
de manière responsable.

Le Code de la propriété intellectuelle n'autorisant, aux termes de l'article L. 122-5, 2° et 3° a, d'une part, que les « copies ou reproductions strictement réservées à l'usage privé du copiste et non destinées à une utilisation collective » et, d'autre part, que les analyses et les courtes citations dans un but d'exemple et d'illustration, « toute représentation ou reproduction intégrale ou partielle faite sans le consentement de l'auteur ou de ses ayants droit ou ayants cause est illicite » (art. L. 122-4).
Cette représentation ou reproduction, par quelque procédé que ce soit, constituerait donc une contrefaçon, sanctionnée par les articles L. 335-2 et suivants du Code de la propriété intellectuelle.

© Presses de la Cité, un département de place des éditeurs, 2010
ISBN 978-2-266-22237-2

À la mémoire de Jacky Lucas

« Avec Monet, nous ne voyons pas le monde réel,
mais nous en saisissons les apparences »,

F. Robert-Kempf, *L'Aurore*, 1908

« Non ! Non ! Pas de noir pour Monet, voyons !
Le noir n'est pas une couleur ! »

Georges Clemenceau,
au pied du cercueil de Claude Monet
(Michel de Decker, *Claude Monet*, 2009)

Dans les pages qui suivent, les descriptions de Giverny se veulent les plus exactes possible. Les lieux existent, qu'il s'agisse de l'hôtel Baudy, du ru de l'Epte, du moulin des Chennevières, de l'école de Giverny, de l'église Sainte-Radegonde et du cimetière, de la rue Claude-Monet, du chemin du Roy, de l'île aux Orties, et bien sûr de la maison rose de Monet ou de l'étang aux Nymphéas. Il en est de même pour les lieux voisins, tels le musée de Vernon, celui des Beaux-Arts de Rouen, le hameau de Cocherel.

Les informations sur Claude Monet sont authentiques, qu'elles concernent sa vie, ses œuvres ou ses héritiers. C'est aussi le cas pour celles qui évoquent d'autres peintres impressionnistes, notamment Theodore Robinson ou Eugène Murer.

Les vols d'œuvres d'art évoqués sont des faits divers réels...

Tout le reste, je l'ai imaginé.

Trois femmes vivaient dans un village.

La première était méchante, la deuxième était menteuse, la troisième était égoïste.

Leur village portait un joli nom de jardin. Giverny.

La première habitait dans un grand moulin au bord d'un ruisseau, sur le chemin du Roy ; la deuxième occupait un appartement mansardé au-dessus de l'école, rue Blanche-Hoschedé-Monet ; la troisième vivait chez sa mère, une petite maison dont la peinture aux murs se décollait, rue du Château-d'Eau.

Elles n'avaient pas non plus le même âge. Pas du tout. La première avait plus de quatre-vingts ans et était veuve. Ou presque. La deuxième avait trente-six ans et n'avait jamais trompé son mari. Pour l'instant. La troisième avait onze ans bientôt et tous les garçons de son école voulaient d'elle pour amoureuse. La première s'habillait toujours de noir, la deuxième se maquillait pour son amant, la troisième tressait ses cheveux pour qu'ils volent au vent.

Vous avez compris. Toutes les trois étaient assez différentes. Elles possédaient pourtant un point commun, un secret, en quelque sorte : toutes les trois rêvaient de partir. Oui, de quitter Giverny, ce si fameux village dont le seul nom donne envie à une foule de gens de traverser le monde entier juste pour s'y promener quelques heures.

Vous savez bien pourquoi. À cause des peintres impressionnistes.

La première, la plus vieille, possédait un joli tableau, la deuxième s'intéressait beaucoup aux artistes, la troisième, la plus jeune, savait bien peindre. Très bien, même.

C'est étrange, vouloir quitter Giverny. Vous ne trouvez pas ? Toutes les trois pensaient que le village était une prison, un grand et beau jardin, mais grillagé. Comme le parc d'un asile. Un trompe-l'œil. Un tableau dont il serait impossible de déborder du cadre. En réalité, la troisième, la plus jeune, cherchait un père. Ailleurs. La deuxième cherchait l'amour. La première, la plus vieille, savait des choses sur les deux autres.

Une fois pourtant, pendant treize jours, pendant treize jours seulement, les grilles du parc s'ouvrirent. Très précisément, du 13 mai au 25 mai 2010. Les grilles de Giverny se levèrent pour elles ! Pour elles seules, c'est ce qu'elles pensaient. Mais la règle était cruelle, une seule d'entre elles pouvait s'échapper. Les deux autres devaient mourir. C'était ainsi.

Ces treize jours défilèrent comme une parenthèse dans leur vie. Trop brève. Cruelle, aussi. Cette parenthèse s'ouvrit par un meurtre, le premier jour, et se termina par un autre, le dernier jour. Bizarrement, les policiers ne s'intéressèrent qu'à la deuxième femme, la plus belle ; la troisième, la plus innocente, dut enquêter toute seule. La première, la plus discrète, put tranquillement surveiller tout le monde. Et même tuer !

Cela dura treize jours. Le temps d'une évasion.

Trois femmes vivaient dans un village.

La troisième était la plus douée, la deuxième était la plus rusée, la première était la plus déterminée.

À votre avis, laquelle parvint à s'échapper ?

La troisième, la plus jeune, s'appelait Fanette Morelle ; la deuxième s'appelait Stéphanie Dupain ; la première, la plus vieille, c'était moi.

TABLEAU UN

Impressions

– PREMIER JOUR –

13 mai 2010

(Giverny)

Attroupement

– 1 –

L'eau claire de la rivière se colore de rose, par petits filets, comme l'éphémère teinte pastel d'un jet d'eau dans lequel on rince un pinceau.

— Non, Neptune !

Au fil du courant, la couleur se dilue, s'accroche au vert des herbes folles qui pendent des berges, à l'ocre des racines des peupliers, des saules. Un subtil dégradé délavé…

J'aime assez.

Sauf que le rouge ne vient pas d'une palette qu'un peintre aurait nettoyée dans la rivière, mais du crâne défoncé de Jérôme Morval. Salement défoncé, même. Le sang s'échappe d'une profonde entaille dans le haut de son crâne, nette, bien propre, lavée par le ru de l'Epte dans lequel sa tête est plongée.

Mon berger allemand s'approche, renifle. Je crie à nouveau, plus fermement cette fois :

— Non, Neptune ! Recule !

Je me doute qu'ils ne vont pas tarder à trouver le cadavre. Même s'il n'est que 6 heures du matin, un promeneur va sans doute passer, ou bien un peintre, un type qui fait son jogging, un ramasseur d'escargots… un passant, qui va tomber sur ce corps.

Je prends garde à ne pas m'avancer davantage. Je m'appuie sur ma canne. La terre devant moi est boueuse, il a beaucoup plu ces derniers jours, les bords du ru sont meubles. À quatre-vingt-quatre ans, je n'ai plus vraiment l'âge de jouer les naïades, même dans un ruisseau de rien du tout, de moins d'un mètre de large, dont la moitié du débit est détournée pour alimenter le bassin des jardins de Monet. D'ailleurs, il paraît que ce n'est plus le cas, qu'il existe un forage souterrain pour alimenter l'étang aux Nymphéas, maintenant.

— Allez, Neptune. On continue.

Je lève ma canne vers lui comme pour éviter qu'il ne colle sa truffe dans le trou béant de la veste grise de Jérôme Morval. La seconde plaie. Plein cœur.

— Bouge ! On ne va pas traîner là.

Je regarde une dernière fois le lavoir, juste en face, et je continue le long du chemin. Rien à dire, il est impeccablement entretenu. Les arbres les plus envahissants ont été sciés à la base. Les talus sont désherbés. Il faut dire, quelques milliers de touristes le fréquentent chaque jour, ce chemin. On y passerait une poussette, un handicapé en fauteuil, une vieille avec une canne. Moi !

— Allez, viens, Neptune.

Je tourne un peu plus loin, à l'endroit où le ru de l'Epte se scinde en deux bras fermés par un barrage et une cascade. De l'autre côté, on devine les jardins de Monet, les nymphéas, le pont japonais, les serres… C'est étrange, je suis née ici en 1926, l'année de la mort de Claude Monet. Pendant des années après la disparition de Monet, presque cinquante ans, ces jardins furent fermés, oubliés, abandonnés. Aujourd'hui, la roue a tourné et chaque année plusieurs dizaines de milliers de Japonais, d'Américains, de Russes ou d'Australiens traversent la planète rien que pour flâner dans Giverny. Les jardins de Monet sont devenus un temple sacré, une Mecque, une cathédrale… D'ailleurs, ces milliers de pèlerins ne vont pas tarder à débarquer.

Je consulte ma montre. 6 h 02. Encore quelques heures de répit.

J'avance.

Entre les peupliers et les immenses pétasites, la statue de Claude Monet me fixe avec un méchant regard de voisin courroucé, le menton mangé par sa barbe et le crâne caché par une coiffe qui ressemble vaguement à un chapeau de paille. Le socle d'ivoire indique que le buste a été inauguré en 2007. L'écriteau de bois planté à côté précise que le maître surveille « la prairie ». Sa prairie ! Les champs, du ru à l'Epte, de l'Epte à la Seine, les rangées de peupliers, les coteaux boisés ondulés comme des vagues molles. Les lieux magiques qu'il a peints. Inviolables… Vernis, exposés pour l'éternité !

C'est vrai, à 6 heures du matin, le site fait encore illusion. J'observe devant moi un horizon vierge fait de champs de blé, de maïs, de coquelicots. Mais je ne vais pas vous mentir. La prairie de Monet, en réalité, désormais, presque toute la journée, c'est un parking. Quatre parkings même, pour être précise, qui s'étalent autour d'une tige de bitume comme un nénuphar d'asphalte. Je peux bien me permettre de le dire, à mon âge. J'ai tellement vu le paysage se transformer, année après année. La campagne de Monet, aujourd'hui, c'est un décor d'hypermarché !

Neptune me suit quelques mètres puis part courir, droit devant, traverse le parking, pisse sur une barrière de bois, continue dans le champ, vers la confluence de l'Epte et de la Seine, ce bout de champ coincé entre deux rivières et curieusement baptisé l'île aux Orties.

Je soupire et je continue sur le chemin. À mon âge, je ne vais pas lui courir après. Je le regarde s'éloigner puis revenir, comme pour me narguer. J'hésite à l'appeler. Il est tôt. Il disparaît à nouveau dans le blé. Neptune passe son temps à cela, maintenant. Courir cent mètres devant moi ! Tous les habitants de Giverny connaissent ce chien, mais pas grand monde, je crois, ne sait qu'il est mien.

Je longe le parking et je me dirige vers le moulin des Chennevières. C'est là que j'habite. Je préfère rentrer avant la foule. Le moulin de Chennevières est de loin la plus belle bâtisse à proximité des jardins de Monet, la seule construite le long du ru, mais depuis qu'ils ont transformé la prairie en champs de tôles et de pneus, je m'y sens comme une espèce en voie de disparition mise en cage, que des curieux viennent observer, épier, photographier. Il n'y a que quatre ponts sur le ru pour passer du parking au village, dont l'un franchit le ruisseau juste devant chez moi. Je suis comme encerclée jusqu'à 18 heures. Ensuite, le village s'éteint à nouveau, la prairie est rendue aux saules et Claude Monet peut rouvrir ses yeux de bronze, sans tousser dans sa barbe aux parfums d'hydrocarbures.

Devant moi, le vent agite une forêt d'épis vert d'eau,

perlée du rouge de coquelicots épars. Si quelqu'un contemplait la scène, d'en face, le long de l'Epte, sûr qu'elle lui évoquerait un tableau impressionniste. L'harmonie des couleurs orangées au soleil levant, avec juste une touche de deuil, à peine un petit point noir, dans le fond.

Une vieille vêtue de sombre. Moi !

La note subtile de mélancolie.

Je crie encore :

— Neptune !

Je reste là longtemps, à savourer le calme éphémère, je ne sais pas combien de temps, plusieurs minutes au moins, jusqu'à ce qu'arrive un joggeur. Il passe devant moi, MP3 vissé dans les oreilles. Tee-shirt. Baskets. Il a surgi dans la prairie comme un anachronisme. Il est le premier de la journée à venir gâcher le tableau, tous les autres suivront. Je lui adresse juste un petit signe de tête, il me le rend et s'éloigne dans un grésillement de cigale électronique qui s'échappe de ses écouteurs. Je le vois tourner vers le buste de Monet, la petite cascade, le barrage. Je le devine revenir le long du ru, en prenant garde lui aussi d'éviter la boue sur le bord du chemin.

Je me pose sur un banc. J'attends la suite. Inéluctable.

Il n'y a toujours aucun autocar sur le parking de la prairie lorsque la camionnette de police se gare en catastrophe au bord du chemin du Roy, entre le lavoir et mon moulin. À vingt pas du corps noyé de Jérôme Morval.

Je me lève.

J'hésite à rappeler une dernière fois Neptune. Je

soupire. Après tout, il connaît le chemin. Le moulin des Chennevières est juste à côté. Je jette un dernier regard vers les flics qui descendent du véhicule et je m'éloigne. Je rentre chez moi. De la tour du moulin, au quatrième étage, derrière la fenêtre, on peut beaucoup mieux y observer tout ce qui se passe aux alentours.

Et beaucoup plus discrètement.

– 2 –

L'inspecteur Laurenç Sérénac a commencé par délimiter un périmètre de quelques mètres autour du cadavre, en fixant une large bande plastique orange aux branches des arbres au-dessus du ruisseau.

La scène du crime laisse présager une enquête compliquée. Sérénac se rassure en se disant qu'il a eu le bon réflexe quand le téléphone du commissariat de Vernon a sonné : venir avec trois autres collègues. Dans l'immédiat, la principale mission du premier, l'agent Louvel, est de garder à distance les badauds qui commencent à s'entasser le long du ru. C'en est même incroyable. Le véhicule de police a traversé un village désert et en quelques minutes on dirait que tous les habitants convergent en direction du lieu du meurtre. Car il s'agit bien d'un meurtre. Il n'y a pas besoin d'avoir suivi trois ans d'école de police à Toulouse pour en être certain. Sérénac observe à nouveau la plaie ouverte dans le cœur, le sommet du crâne ouvert et la tête plongée dans l'eau. L'agent Maury, à ce qu'il paraît le spécialiste scientifique le plus calé du commissariat de Vernon, est occupé à repérer avec précaution les traces de pas dans la terre, juste devant le cadavre, et à mouler des empreintes avec du plâtre à prise rapide. C'est Sérénac qui lui a donné l'ordre d'immortaliser le sol boueux avant même de s'avancer pour examiner le cadavre. Le type est mort, il ne va pas se sauver, pas même ressusciter. Pas question de piétiner la scène de crime avant d'avoir tout en photos et en sachets.

L'inspecteur Sylvio Bénavides surgit sur le pont. Il reprend son souffle. Quelques Givernois s'écartent pour le laisser passer. Sérénac lui a demandé de courir jusqu'au village de Giverny, juste au-dessus, avec à la main un cliché de la victime, afin de récupérer les premiers renseignements ; voire d'identifier l'homme assassiné. L'inspecteur Sérénac n'est pas en poste à Vernon depuis longtemps, mais il a vite compris que Sylvio Bénavides fait cela très bien, répondre à des ordres, avec zèle ; organiser les choses ; archiver avec minutie. L'adjoint idéal, en quelque sorte. Bénavides souffre peut-être d'un léger manque d'initiative… et encore, Sérénac a l'intuition qu'il s'agit plus d'un excès de timidité que d'un manque de compétence. Un type dévoué ! Enfin, dévoué… Dévoué à son métier de flic. Parce que, en réalité, Bénavides doit prendre son supérieur hiérarchique, l'inspecteur Laurenç Sérénac, tout fraîchement sorti de l'école de police de Toulouse, pour une sorte d'objet policier non identifié… Même si Sérénac a été bombardé patron du commissariat de Vernon depuis quatre mois, sans même le grade de commissaire, peut-on prendre au sérieux au nord de la Seine un flic qui n'a pas trente ans, qui parle aux truands comme aux collègues avec l'accent occitan et qui supervise déjà les scènes de crime avec un cynisme désabusé ?

Pas sûr, pense Sérénac. Les gens sont tellement stressés ici… Pas que dans la police. Partout ! Encore pire ici, à Vernon, cette grande banlieue parisienne maquillée en Normandie. Il connaît la carte de sa circonscription, la frontière avec l'Île-de-France passe à Giverny, à quelques centaines de mètres de là, de l'autre côté du cours principal de la rivière. Mais ici, on est normand, pas parisien. Et on y tient. Une sorte de snobisme. Un type lui a dit sérieusement que la frontière de l'Epte, ce petit ruisseau ridicule, entre la France et le royaume anglo-normand, au cours de l'histoire, a fait plus de morts que la Meuse ou le Rhin…

Les cons !

— Inspecteur…

— Appelle-moi Laurenç, bordel… Je t'ai déjà dit…

Sylvio Bénavides hésite. L'inspecteur Sérénac lui lance ça devant les agents Louvel et Maury, une quinzaine de badauds et un cadavre qui baigne dans son sang. Comme si c'était le moment de discuter sur le tutoiement.

— Heu. Oui. Heu, bon, patron… Je crois qu'il va falloir avancer sur des œufs… Je n'ai pas eu de mal à identifier la victime. Tout le monde la connaît, ici. C'est une huile, à ce qu'il paraît. Jérôme Morval. Un chirurgien ophtalmologue connu, son cabinet est situé avenue Prudhon à Paris, dans le XVIe. Il habite l'une des plus belles maisons du village, 71 rue Claude-Monet.

— Il habitait… précise Sérénac.

Sylvio encaisse. Il traîne la figure d'un type qui aurait tiré la conscription pour le front russe. D'un fonctionnaire muté chez les chtis… D'un flic nommé en Normandie… L'image fait sourire Sérénac. C'est lui, pas son adjoint, qui devrait faire la gueule.

— OK, Sylvio, fait Sérénac. Bon boulot. Pas la peine de stresser pour l'instant. On affinera le CV plus tard…

Sérénac décroche le ruban orange.

— Ludo, c'est bon pour les empreintes ? On peut approcher sans mettre les patins ?

Ludovic Maury confirme. Le policier s'éloigne en portant diverses moulures de plâtre pendant que l'inspecteur Sérénac enfonce ses pieds dans la boue des berges du ruisseau. Il s'accroche d'une main à la branche de frêne la plus proche et de l'autre désigne le corps inerte.

— Approche, Sylvio. Regarde. Tu ne le trouves pas curieux, le mode opératoire de ce crime ?

Bénavides s'avance. Louvel et Maury se retournent également, comme s'ils assistaient à l'examen d'admission de leur supérieur hiérarchique.

— Les garçons, observez la plaie, là, à travers la veste. Visiblement, Morval a été tué par une arme tranchante. Un couteau ou quelque chose de ressemblant. Plein cœur. Sang sec. Même sans l'avis des légistes, on peut émettre l'hypothèse que c'est la cause de la mort. Sauf que si on détaille les traces dans la boue, on s'aperçoit que le corps a été traîné sur quelques mètres jusqu'au bord de l'eau. Pourquoi se donner cette peine ? Pourquoi déplacer un cadavre ? Ensuite, le meurtrier a attrapé une pierre, ou un autre objet lourd de même taille, et s'est donné la peine de lui écraser le haut du crâne et la tempe. Là, encore, pour quelle fichue raison ?

Louvel lève presque une main timide.
— Morval n'était peut-être pas mort ?
— Mouais, fait la voix chantante de Sérénac. Vu la taille de la plaie au cœur, je n'y crois pas beaucoup… Et si Morval vivait encore, pourquoi ne pas planter un second coup de couteau sur place ? Pourquoi le transporter, puis lui défoncer le crâne ?
Sylvio Bénavides ne dit rien. Ludovic Maury observe le site. Il y a une pierre au bord du ru, de la taille d'un gros ballon de football, couverte de sang. Il a prélevé à sa surface tous les échantillons possibles. Il tente une réponse :
— Parce qu'il avait une pierre à proximité. Il a pris l'arme qu'il avait sous la main…
Les yeux de Sérénac brillent.
— Là, je ne suis pas d'accord avec toi, Ludo. Regardez bien la scène, les garçons. Il y a plus étrange encore. Regardez le ruisseau, sur vingt mètres. Qu'est-ce que vous voyez ?
L'inspecteur Bénavides et les deux agents suivent les berges des yeux, sans comprendre où Sérénac veut en venir.
— Il n'y a aucune autre pierre ! triomphe Sérénac. On ne trouve pas une seule autre pierre sur toute la longueur de la rivière. Et si on l'observe d'un peu près, cette pierre, il ne fait aucun doute qu'elle a été transportée, elle aussi. Pas de terre sèche collée à la roche, l'herbe écrasée sous elle est fraîche… Qu'est-ce qu'elle fiche là, alors, cette pierre providentielle ? L'assassin l'a apportée là, elle aussi, ça crève les yeux…
L'agent Louvel tente de faire reculer les Givernois vers la rive droite du ru, devant le pont, côté village. Le public ne semble pas déranger Sérénac.

— Les garçons, continue l'inspecteur, si je résume, nous sommes face au cas de figure suivant : Jérôme Morval est poignardé sur le chemin, un coup sans doute mortel. Puis son assassin le traîne jusqu'à la rivière. Six mètres plus loin. Ensuite, comme c'est un perfectionniste, il va dénicher une pierre dans les environs, un truc qui doit peser pas loin de vingt kilos, et revient écraser la cervelle de Morval... Et ce n'est pas encore fini... Observez la position du corps dans le ruisseau : la tête est presque entièrement noyée. Elle vous semble naturelle, cette position ?

— Vous venez de le dire, patron, répond Maury, presque agacé. L'assassin a frappé Morval avec la pierre, au bord de l'eau. Puis la victime glisse jusqu'au ruisseau...

— Comme par hasard, ironise l'inspecteur Sérénac. Un coup sur le crâne et la tête de Morval se retrouve au fond de l'eau... Non, les gars, je suis prêt à prendre les paris avec vous. Prenez la pierre et ratatinez la cervelle de Morval. Là, sur la berge. Pas une fois sur mille la tête du cadavre ne se retrouvera au fond de l'eau, impeccablement immergée dans dix centimètres de profondeur... Messieurs, je crois que la solution est bien plus simple. On a affaire, en quelque sorte, à un triple meurtre sur la même personne. Un, je te bute. Deux, je te fracasse la tête. Trois, je te noie dans l'eau...

Un rictus s'accroche à ses lèvres.

— On a affaire à un motivé. Un obstiné. Très très en colère contre Jérôme Morval.

Laurenç Sérénac se retourne vers Sylvio Bénavides en souriant.

— Vouloir le tuer trois fois, c'est pas très sympa

pour notre ophtalmo, mais à la limite, ça vaut mieux que tuer une fois trois personnes différentes, non ?

Sérénac cligne de l'œil vers un inspecteur Bénavides de plus en plus gêné.

— Je ne voudrais pas semer la panique dans le village, continue-t-il, mais rien dans cette scène de crime ne me semble être dû au hasard. Je ne sais pas pourquoi, on dirait presque une composition, un tableau mis en scène. Comme si chaque détail avait été choisi. Ce lieu précis, à Giverny. Le déroulement des événements. Le couteau, la pierre, la noyade…

— Une vengeance ? suggère Bénavides. Une sorte de rituel ? C'est ce que vous pensez ?

— J'en sais rien, répond Sérénac. On verra bien… Pour l'instant, ça semble n'avoir aucun sens, mais ce qui est certain, c'est que cela en a un pour l'assassin…

Louvel repousse mollement les badauds sur le pont. Sylvio Bénavides demeure toujours muet, concentré, comme s'il cherchait à faire le tri dans le flot de paroles de Sérénac, entre le bon sens et la provocation.

Soudain, une ombre brune surgit du bosquet de peupliers de la prairie, passe sous le ruban orange et piétine la boue des berges. L'agent Maury tente sans succès de la retenir.

Un berger allemand !

Le chien, joyeux, se frotte au jean de Sérénac.

— Tiens, fait l'inspecteur, notre premier témoin spontané…

Il se retourne vers les Givernois sur le pont.

— Quelqu'un connaît ce chien ?

— Oui, répond sans hésiter un type assez âgé en tenue de peintre, pantalon de velours et veste en tweed.

C'est Neptune. Le chien du village. Tout le monde le croise, ici. Il court après les gosses du village. Les touristes. Il fait partie du paysage, pour ainsi dire…

— Viens là, mon gros, fait Sérénac en s'accroupissant à la hauteur de Neptune. Alors, c'est toi, notre premier témoin ? Dis-moi, tu l'as vu, l'assassin ? Tu le connais ? Tu passeras me voir tout à l'heure pour la déposition. Là, on a encore un peu de travail.

L'inspecteur brise une branche de saule et la lance quelques mètres plus loin. Neptune répond au jeu. S'éloigne, revient. Sylvio Bénavides observe avec étonnement le manège de son supérieur.

Enfin, Sérénac se relève. Il prend un long moment pour détailler les alentours : le lavoir en brique et torchis, juste en face du ru ; le pont sur le ruisseau et, juste derrière, cette étrange bâtisse biscornue à colombages, dominée par une sorte de tour de quatre étages, dont on peut lire le nom gravé sur le mur, *MOULIN DES CHENNEVIÈRES*. Il ne faudra rien négliger, note-t-il dans un coin de sa tête, on devra faire le tour de tous les témoins potentiels, même si le meurtre a sans doute été commis aux alentours de 6 heures du matin.

— Michel, fais reculer le public. Ludo, file-moi des gants en plastique, on va lui faire les poches, à notre ophtalmo, quitte à se mouiller les pieds si on ne veut pas déplacer le corps.

Sérénac fait valser ses baskets, ses chaussettes, relève son jean jusqu'à mi-mollet, enfile les gants que lui tend l'agent Maury et descend pieds nus dans le ruisseau. Sa main gauche maintient l'équilibre du corps de Morval, pendant que l'autre fouille dans sa veste. Il extirpe un portefeuille de cuir, qu'il tend à Bénavides. Son adjoint l'ouvre et vérifie les pièces d'identité.

Aucun doute, c'est bien Jérôme Morval.

La main continue d'explorer les poches du cadavre. Mouchoirs. Clés de voiture. Tout passe de main gantée en main gantée et finit dans des sachets transparents.

— Bordel. Qu'est-ce que…

Les doigts de Sérénac extirpent de la poche extérieure de la veste du cadavre un carton froissé. L'inspecteur baisse les yeux. Il s'agit d'une simple carte postale. L'illustration représente les « Nymphéas » de Monet, une étude en bleu : une reproduction comme il s'en vend des millions dans le monde. Sérénac retourne la carte.

Le texte est court, inscrit en lettres d'imprimerie.

ONZE ANS. BON ANNIVERSAIRE.

Juste en dessous de ces quatre mots, une mince bande de papier a été découpée puis collée sur la carte. Dix mots, cette fois : *Le crime de rêver je consens qu'on l'instaure.*

Bordel…

L'eau du ruisseau glace soudain les chevilles de l'inspecteur, comme deux menottes d'acier. Sérénac crie aux badauds installés en face, tassés autour du lavoir normand comme s'ils attendaient le bus :

— Il avait des gosses, Morval ? Disons, un gosse de onze ans ?

Le peintre en velours et tweed est à nouveau le plus rapide à répondre :

— Non, monsieur le commissaire. Certainement pas !

Bordel…

La carte d'anniversaire passe dans les mains de l'inspecteur Bénavides. Sérénac lève la tête, observe. Le lavoir. Le pont. Le moulin. Le village de Giverny qui se réveille. Les jardins de Monet, qu'on devine un peu plus loin. La prairie et les peupliers.

Les nuages qui s'accrochent aux coteaux boisés.

Ces dix mots qui s'accrochent à ses pensées.

Le crime de rêver je consens qu'on l'instaure.

Il a soudain la conviction que quelque chose n'est pas à sa place dans ce paysage de carte postale impressionniste.

– 3 –

Du haut de la tour du moulin des Chennevières, je regarde les flics. Celui qui porte un pantalon de jean, le chef, a encore les pieds dans l'eau, les trois autres sont sur la berge, entourés par cette foule stupide, près d'une trentaine de personnes maintenant, qui ne ratent rien de la scène, comme au théâtre, au théâtre de rue. Au théâtre de ru, d'ailleurs, si je veux être vraiment précise.

Je souris pour moi-même. C'est idiot, vous ne pensez pas, de se faire des jeux de mots à soi-même ? Et moi, suis-je moins stupide que ces badauds parce que je suis au balcon ? À la meilleure place, croyez-moi. Voir sans être vue.

J'hésite. Je ris aussi parce que j'hésite. Nerveusement.

Que dois-je faire ?

Les flics sont en train de sortir de la camionnette blanche un grand étui de plastique, sans doute pour fourrer le cadavre dedans. La question continue de me trotter dans la tête. Que dois-je faire ? Dois-je me rendre à la police ? Dois-je dire tout ce que je sais aux flics du commissariat de Vernon ?

Les flics seront-ils capables de croire le délire d'une vieille folle ? La solution n'est-elle pas plutôt de me taire et d'attendre ? Attendre quelques jours, seulement quelques jours. Observer, jouer à la petite souris, histoire de voir comment les événements évoluent. Et puis il faudra bien aussi que je parle à la veuve de Jérôme Morval, Patricia, oui cela, bien entendu, je dois le faire.

Mais parler aux flics, par contre…

En bas, près du ruisseau, les trois agents se sont penchés et traînent jusqu'au sac le cadavre de Jérôme Morval, comme un gros morceau de viande décongelée, dégoulinant de flotte et de sang. Ils peinent, les pauvres. Ils me donnent l'impression de pêcheurs amateurs qui ont harponné un poisson trop gros. Le quatrième flic, toujours dans l'eau, les observe. D'où je suis, on dirait même qu'il se marre. Allez, d'après ce que je peux voir, au minimum il sourit.

Après tout, je me torture peut-être la cervelle pour rien, si je parle à Patricia Morval, tout le monde risque d'être au courant, c'est certain. Surtout les flics. Elle est bavarde, la veuve… Tandis que moi, je ne suis pas encore veuve, pas tout à fait.

Je ferme les yeux, peut-être une minute. À peine.

J'ai pris ma décision.

Non, je ne vais pas parler aux flics ! Je vais me transformer en souris noire, invisible. Pendant quelques jours au moins. Après tout, si les flics veulent me trouver, ils le peuvent, à mon âge, je ne cours pas bien vite. Ils n'ont qu'à suivre Neptune… J'ouvre les yeux et je regarde mon chien. Il est couché à quelques dizaines de mètres des policiers, dans les fougères, lui non plus ne rate rien de la scène du crime.

Oui, c'est décidé, je vais attendre quelques jours, le temps d'être veuve au moins. C'est la norme, non ? Le minimum de décence. Ensuite, il sera toujours temps d'improviser, d'agir, au bon moment. Selon les circonstances… J'ai lu il y a longtemps un roman policier assez incroyable. Ça se passait dans un manoir anglais, ou quelque chose comme ça. Toute l'intrigue était expliquée à travers les yeux d'un chat. Oui, vous m'avez bien entendue, d'un chat ! Le chat était témoin de tout et forcément personne ne lui prêtait attention. C'est lui qui, à sa façon, menait l'enquête ! Il écoutait, observait, fouinait. Le roman était même suffisamment bien fichu pour qu'on puisse penser qu'au final, c'était le chat l'assassin. Bon, je ne vais pas gâcher votre plaisir, je ne vous dévoile pas la fin, vous le lirez, ce bouquin, si vous en avez l'occasion… C'était juste pour vous expliquer ce que j'ai l'intention de faire : devenir un témoin de cette affaire aussi insoupçonnable que le chat de mon manoir.

Je tourne à nouveau la tête vers la rivière.

Le cadavre de Morval a presque disparu, avalé par le sac plastique ; on dirait un anaconda repu ; seul un morceau de tête dépasse encore entre deux mâchoires crantées d'une fermeture Éclair pas complètement tirée. Les trois flics sur la berge semblent souffler. D'en haut, on dirait qu'ils n'attendent qu'un geste de leur patron pour sortir une cigarette.

– DEUXIÈME JOUR –

14 mai 2010

(Moulin des Chennevières)

Tutoiement

– 4 –

Ils m'emmerdent, à l'hôpital, avec tous ces papiers. J'entasse comme je peux sur la table de la salle des imprimés de différentes couleurs. Des ordonnances, des certificats d'assurance-maladie, de mariage, de domicile, d'examens. Je glisse tout ça dans des enveloppes de papier kraft. Certaines pour l'hôpital. Pas toutes. J'irai peser et envoyer l'ensemble à la poste de Vernon. Je range les papiers inutiles dans une chemise blanche. Je n'ai pas tout rempli, je n'ai pas tout compris, je demanderai aux infirmières. Elles me connaissent maintenant. J'ai passé l'après-midi d'hier et une bonne partie de la soirée là-bas.

Chambre 126, à jouer la presque veuve qui s'inquiète pour son mari qui va partir ; à écouter les propos rassurants des médecins, des infirmières. Leurs mensonges.

Il est foutu, mon mari ! J'en suis consciente. S'ils savaient ce que je peux m'en foutre !

Que ça se termine ! Voilà tout ce que je demande.

Avant de sortir, j'avance jusqu'au miroir en or écaillé, à gauche de la porte d'entrée. Je regarde mon visage fripé, ridé, froid. Mort. J'enfile une large écharpe noire autour de mes cheveux noués. Presque un tchador. Les vieilles ici sont condamnées au voile, personne ne veut les voir. C'est comme ça. Même à Giverny. Surtout à Giverny, le village de la lumière et des couleurs. Les vieilles sont condamnées à l'ombre, au noir, à la nuit. Inutiles. Invisibles. Elles passent. On les oublie.

Ça m'arrange !

Je me retourne une dernière fois avant de descendre l'escalier de mon donjon. C'est le plus souvent ainsi qu'on appelle la tour du moulin des Chennevières, à Giverny. Le donjon. Je vérifie machinalement que rien ne traîne et dans la même pensée je maudis ma stupidité. Plus personne ne pénètre jamais ici. Plus personne ne viendra, jamais, et pourtant, le moindre objet pas à sa place me ronge les sangs. Une sorte de trouble obsessionnel du comportement, comme ils disent dans les reportages. Un toc, qui en plus n'emmerde personne, à part moi.

Dans le coin le plus sombre, un détail m'agace. J'ai l'impression que le tableau est un peu décalé par rapport à la poutre. Je traverse lentement la salle. J'appuie sur le coin en bas à droite du cadre, pour le redresser légèrement.

Mes « Nymphéas ».

En noir.

J'ai accroché le tableau à l'endroit exact où l'on ne peut l'apercevoir d'aucune fenêtre, si tant est que quelqu'un puisse voir par la fenêtre du quatrième étage d'une tourelle normande construite au milieu d'un moulin.

Mon antre…

Le tableau est pendu dans le coin le moins éclairé, dans un angle mort, c'est le cas de le dire. L'obscurité rend plus sinistres encore les taches sombres qui glissent sur l'eau grise.

Les fleurs du deuil.

Les plus tristes qui aient jamais été peintes…

Je descends avec difficulté l'escalier. Je sors. Neptune attendait dans la cour du moulin. Je l'écarte de ma canne avant qu'il ne saute sur ma robe : ce chien n'arrive pas à comprendre que je contrôle de moins en moins mon équilibre. Je passe de longues minutes à fermer les trois lourdes serrures, à glisser mon trousseau de clés dans mon sac, à vérifier une fois encore que chaque serrure est bien bloquée.

Je me retourne, enfin. Dans la cour du moulin, le grand cerisier perd ses dernières fleurs. C'est un cerisier centenaire, à ce qu'il paraît. On dit qu'il aurait connu Monet ! Cela plaît beaucoup, à Giverny, les cerisiers. Le long du parking du musée d'Art américain, qui depuis un an est devenu le musée des Impressionnismes, ils en ont planté toute une série. Des cerisiers japonais, d'après ce que j'ai entendu. Ils sont plus petits, comme des arbres nains. Je trouve cela un peu bizarre, ces nouveaux arbres exotiques, comme s'il n'y en avait pas déjà assez dans le village. Mais que voulez-vous, c'est comme cela. Il paraît que les touristes américains adorent le rose des fleurs de cerisier au printemps. Si on me demandait mon avis, je dirais que la terre du parking et les voitures recouvertes de pétales roses, je trouve que cela fait, disons, un peu trop Barbie. Mais on ne me le demande pas, mon avis.

Je serre les enveloppes contre ma poitrine pour que Neptune ne les abîme pas. Je remonte péniblement la rue du Colombier. Je prends mon temps, je souffle à l'ombre du porche d'une chambre d'hôtes couvert de lierre. L'autocar pour Vernon ne passe que dans deux heures. J'ai le temps, tout mon temps pour jouer les petites souris noires.

Je tourne rue Claude-Monet. Les roses trémières et les iris orangés percent le goudron comme du chiendent, le long des façades de pierre. C'est tout le cachet de Giverny. Je continue à mon rythme d'octogénaire. Comme d'habitude, Neptune est déjà loin devant. Je finis par atteindre l'hôtel Baudy. Les vitres de l'établissement le plus célèbre de Giverny sont occultées par des affiches d'expositions, de galeries ou de festivals. Les carreaux sont d'ailleurs exactement de la taille des affiches. C'est étrange, si on y pense, je me suis toujours demandé si c'était une coïncidence, si on adaptait la dimension de toutes les affiches à celle des vitres de l'hôtel, ou si, au contraire, l'architecte de l'hôtel Baudy était un visionnaire qui dès le dix-neuvième siècle, en dessinant ses fenêtres, avait prévu la taille standard des futurs placards publicitaires.

Mais je suppose qu'une telle énigme ne vous passionne guère… Quelques dizaines de visiteurs sont attablés en face, sur les chaises de fer vertes, sous des parasols orange, à la recherche de la même émotion que la colonie de peintres américains qui débarqua dans cet hôtel, il y a plus d'un siècle. C'est bizarre aussi, quand on y réfléchit. Ces peintres américains, au siècle dernier, venaient ici, dans ce minuscule village de Normandie, rechercher le calme et la concentration. Tout l'inverse du Giverny d'aujourd'hui. Je ne comprends rien, je crois, au Giverny d'aujourd'hui.

Je m'installe à une table libre et je commande un café noir. C'est une nouvelle serveuse qui me l'apporte, une saisonnière. Elle est habillée court et porte un petit gilet genre impressionniste, avec des nymphéas mauves dans le dos.

Porter des nymphéas mauves dans le dos, c'est bizarre aussi, non ?

Moi qui ai vu ce village se transformer depuis tout ce temps, j'ai parfois l'impression que Giverny est devenu un grand parc d'attractions. Un parc d'impressions, plutôt. Ils ont inventé le concept, je crois ! Je reste là à soupirer comme une méchante vieille qui bougonne toute seule et qui ne comprend plus rien à rien. Je détaille autour de moi la foule mélangée. Un couple d'amoureux lit à quatre mains le même Guide vert. Trois gamins de moins de cinq ans se chamaillent dans le gravier et leurs parents doivent penser qu'ils seraient bien mieux au bord d'une piscine que d'un étang à crapauds. Une Américaine fanée tente de commander son café liégeois dans un français hollywoodien.

Ils sont là.

Les deux sont attablés, à trois tables de moi. Quinze mètres. Je les reconnais, bien entendu. Je les ai vus de ma fenêtre du moulin, derrière mes rideaux. L'inspecteur qui faisait trempette dans le ru devant le cadavre de Jérôme Morval et son adjoint timide.

Forcément, ils regardent plutôt dans l'autre sens, vers la petite serveuse. Pas dans la direction d'une vieille souris noire.

– 5 –

À travers les lunettes de soleil de l'inspecteur Sérénac, la façade de l'hôtel Baudy prend presque une teinte sépia, style Belle Époque, et les jambes de la jolie serveuse qui traverse la rue se cuivrent de la couleur d'un croissant doré.

— OK, Sylvio. Tu me supervises à nouveau toutes les recherches le long du ru. Bien entendu, tout est parti au labo, les empreintes de pieds, la pierre, le corps de Morval… Mais on a peut-être oublié quelque chose. Je n'en sais rien, le lavoir, les arbres, le pont. Tu verras sur place. Tu fais le tour et tu regardes si tu trouves des témoins. Moi, de mon côté, je n'ai pas le choix, il faut que j'aille rendre visite à la veuve, Patricia Morval… Tu peux me briefer un peu sur ce Jérôme Morval ?

— Oui, Laur… Heu, patron.

Sylvio Bénavides sort de sous la table un dossier. Sérénac suit la serveuse des yeux.

— Tu prends un truc ? Un pastis ? Un blanc ?

— Heu non, non. Rien.

— Même pas un café ?

— Non. Non. Vous en faites pas…

Bénavides tergiverse.

— Allez, un thé…

Laurenç Sérénac lève une main autoritaire.

— Mademoiselle ? Un thé et un verre de blanc. Un gaillac, vous avez ?

Il se retourne vers son adjoint.

— C'est si difficile que ça de me tutoyer ? Sylvio, j'ai quoi ? Sept ans, dix ans de plus que toi ? On a le même grade. C'est pas parce que je dirige depuis quatre mois le commissariat de Vernon qu'il faut me servir du « vous ». Dans le Sud, même les bleus tutoient les commissaires…

— Dans le Nord, faut savoir attendre… Ça viendra, patron. Vous verrez…

— T'as sûrement raison. On va dire qu'il faut que je m'acclimate… même si putain, ça me fait drôle que mon adjoint m'appelle « patron ».

Sylvio tord ses doigts, comme s'il hésitait à contredire son supérieur.

— Si vous me permettez, je ne suis pas certain que ce soit une question de rapport nord-sud. Tenez, pour vous expliquer, mon père est à la retraite maintenant, mais entre le Portugal et la France, toute sa vie, il a construit des maisons pour des patrons plus jeunes que lui qui le tutoyaient et qu'il vouvoyait. D'après moi, ce serait plutôt une histoire, je ne sais pas, de cravate ou de bleu de travail, de mains manucurées ou de mains pleines de cambouis, vous voyez ce que je veux dire ?

Laurenç Sérénac ouvre les bras, écartant les pans de son blouson de cuir sur son tee-shirt gris.

— Sylvio, tu vois une cravate, là ? On est inspecteurs, tous les deux, putain…

Il rit franchement.

— Après tout, comme tu dis, le tutoiement, ça viendra avec le temps… Cela dit, pour le reste, change rien, j'aime bien ton côté portugais seconde génération qui se la joue modeste. Bon alors, ce Morval ?

Sylvio baisse la tête et lit studieusement ses notes.

— Jérôme Morval est un enfant du village qui a bien tracé sa route. Il a vécu à Giverny, mais sa famille a déménagé pour Paris lorsqu'il était encore gamin. Papa Morval était lui aussi médecin, généraliste, mais sans grande fortune. Jérôme Morval s'est marié assez jeune avec une dénommée Patricia Chéron. Ils n'avaient pas vingt-cinq ans. Le reste est une belle réussite. Le petit Jérôme suit des études de médecine, spécialité ophtalmologie, il ouvre tout d'abord un cabinet à Asnières, avec cinq autres collègues, puis, lorsque papa Morval meurt, il investit son pécule pour acheter seul son cabinet de chirurgien ophtalmologue dans le XVIe arrondissement. Apparemment, ça fonctionne plutôt bien. D'après ce que j'ai compris, il serait un spécialiste réputé de la cataracte et en conséquence il aurait une clientèle plutôt âgée. Il y a dix ans, retour au bercail, il achète une des plus belles maisons de Giverny, entre l'hôtel Baudy et l'église…

— Pas d'enfants ?

La serveuse dépose leur commande et s'éloigne. Sérénac coupe son adjoint juste avant qu'il ne réponde :

— Mignonne, la fille. Hein ? Jolis compas dorés sous sa jupe, non ?

L'inspecteur Bénavides hésite entre un soupir lassé et un sourire gêné.

— Oui… Non… Enfin, je veux dire, pour les Morval. Ils n'ont jamais eu d'enfants.

— Bon… Des ennemis ?

— Morval menait une vie de notable assez limitée. Pas de politique. Pas de responsabilités dans des associations ou des trucs dans le genre… Pas vraiment de réseaux d'amis… Par contre, il avait…

Sérénac se retourne brusquement.

— Tiens ! Bonjour, toi…

Bénavides sent la forme poilue se faufiler sous la

table. Il soupire franchement, cette fois. Sérénac tend sa main, Neptune vient s'y frotter.

— Mon seul témoin pour l'instant, chuchote Laurenç Sérénac. Salut, Neptune !

Le chien reconnaît son nom. Il se colle à la jambe de l'inspecteur et lorgne avec envie le sucre dans la soucoupe de la tasse de thé de Sylvio. Sérénac lève son doigt vers le chien.

— Sage, hein. On écoute bien l'inspecteur Bénavides. Il n'arrive pas à placer deux phrases de suite. Alors, Sylvio, tu disais ?

Sylvio se concentre sur ses notes et poursuit d'un ton monocorde :

— Jérôme Morval avait deux passions. Dévorantes, comme on dit. Auxquelles il consacrait tout son temps.

Sérénac caresse Neptune.

— On progresse…

— Deux passions, donc… Pour faire court, la peinture et les femmes. Côté peinture, nous avons apparemment affaire à un vrai collectionneur, un autodidacte plutôt doué, avec une forte préférence pour l'impressionnisme, bien entendu. Et une lubie, d'après ce qu'on m'a dit. Jérôme Morval rêvait de posséder un Monet ! Et si possible pas n'importe lequel. Dénicher un « Nymphéas ». Voilà ce qu'il avait dans la tête, notre ophtalmologiste…

Sérénac siffle à l'oreille du chien :

— Rien que ça… Un Monet ! Même si son cabinet faisait recouvrer la vue à toutes les bourgeoises du XVIe, un « Nymphéas », ça me semble très au-dessus des moyens de notre bon docteur Morval… Deux passions, tu disais… Côté face, les toiles impressionnistes. Et le côté pile, les femmes ?

— Rumeurs… Rumeurs… Même si Morval ne se cachait qu'à moitié. Ses voisins et ses collègues m'ont surtout parlé de la situation de sa femme, Patricia. Mariée jeune. Dépendante financièrement de son mari. Divorce impossible. Condamnée à fermer les yeux, patron, si vous voyez ce que je veux dire…

Laurenç Sérénac vide son verre de blanc.

— Si ça, c'est un gaillac… lâche-t-il en grimaçant. Je vois ce que tu veux dire, mon Sylvio, et finalement, il commence à bien me plaire, ce médecin. Tu as déjà pu récupérer quelques noms de maîtresses ou de cocus au potentiel de criminels ?

Sylvio pose le thé dans sa soucoupe. Neptune le regarde avec des yeux mouillés.

— Pas encore… Mais apparemment, côté maîtresses, Jérôme Morval avait également sa quête, son obsession…

— Ah ? Une citadelle imprenable ?

— On peut dire ça comme ça… Tenez-vous bien, patron, il s'agit de l'institutrice du village. La plus belle fille du coin, à ce qu'il paraît, il s'était mis en tête de l'accrocher à son tableau de chasse.

— Et alors ?

— Et alors, je n'en sais pas plus. C'est juste ce que j'ai tiré d'une conversation avec ses collègues, sa secrétaire et trois galeristes avec lesquels il travaillait souvent… C'est la version de Morval…

— Mariée, l'institutrice ?

— Oui. À un mari particulièrement jaloux, à ce qu'il paraît…

Sérénac se retourne vers Neptune.

— On progresse, mon gros. Il est fort, Sylvio, hein ?

Il a l'air un peu coincé comme ça, mais en vrai, c'est un crack, il possède un cerveau d'ordinateur.

Il se lève. Neptune décampe plus loin dans la rue.

— Sylvio, j'espère que tu n'as pas oublié tes bottes et ton filet pour barboter dans le ru de l'Epte. Moi, je vais porter mes condoléances à la veuve de Morval… 71 rue Claude-Monet, c'est bien ça ?

— Oui. Vous ne pouvez pas vous tromper. Giverny est un tout petit village construit à flanc de coteau. Il se résume à deux longues rues parallèles, la rue Claude-Monet, qui traverse tout le village, et le chemin du Roy, c'est-à-dire la route départementale en fond de vallée qui longe le ru. On peut y ajouter une série de petites ruelles qui grimpent assez raide entre les deux rues principales, et c'est tout.

Les jambes de la serveuse traversent la rue Claude-Monet et se dirigent vers le comptoir du bar. Les roses trémières lèchent les murs de l'hôtel Baudy, briques et terre cuite, telles des flammes pastel au fond d'une cheminée ensoleillée. Sérénac trouve la scène jolie.

– 6 –

Sylvio n'avait pas tort, le 71 de la rue Claude-Monet est sans conteste la plus belle maison de la rue. Volets jaunes, vigne vierge qui dévore la moitié de la façade, mélange savant de pierres de taille et de colombages, géraniums qui dégoulinent des fenêtres et débordent d'immenses pots de terre : une façade impressionniste par excellence. Patricia Morval doit avoir la main verte, ou au moins savoir diriger une petite armée de jardiniers compétents. Ça ne doit pas manquer, à Giverny.

Une cloche de cuivre pend à une chaîne devant un portail en bois. Sérénac l'agite. À peine quelques secondes plus tard, Patricia Morval apparaît derrière la porte de chêne. Visiblement, elle l'attendait. Le policier pousse le portail pendant qu'elle s'efface pour le laisser entrer.

L'inspecteur Sérénac apprécie toujours ce moment précis dans une enquête. *La première impression*. Ces quelques instants de psychologie pure à saisir sur le vif. À qui a-t-il affaire ? À une amoureuse désespérée ou à une bourgeoise sèche et indifférente ? À une amante foudroyée par le destin ou à une veuve joyeuse ? Riche, maintenant. Libre, enfin. Vengée des frasques de son mari. Feint-elle ou non la douleur du deuil ? Dans l'instant, il n'est pas facile de se faire une idée, les yeux de Patricia Morval sont dissimulés derrière de grosses lunettes de verre épais qui délavent des pupilles rougies…

Sérénac pénètre dans le couloir. Il s'agit en fait d'un immense vestibule, étroit et profond. Il s'arrête soudain, stupéfait. Recouvrant la totalité des deux murs, sur une longueur de plus de cinq mètres, deux immenses tableaux de nymphéas sont reproduits dans une variation plutôt rare, dans les tons rouge et or, sans ciel ni branches de saule. D'après ce qu'en connaît Sérénac, il s'agit sans doute de la reproduction d'une toile de Monet produite pendant les dernières années de sa vie, les séries finales, après 1920. Ce n'est pas très difficile de le déduire, Monet a suivi une logique créatrice simple : resserrer progressivement son regard, éliminer le décor, le centrer sur un seul point de l'étang, quelques mètres carrés, comme pour parvenir à le traverser. Sérénac avance dans cet étrange décor. Le couloir cherche sans doute à évoquer les murs de l'Orangerie, même si on est loin ici des cent mètres de linéaires de « Nymphéas » exposés dans le musée parisien.

Sérénac entre dans une salle. Le décor intérieur est classique, un peu trop chargé de bibelots hétéroclites. L'attention du visiteur est surtout attirée par les tableaux exposés. Une dizaine. Des originaux. Pour ce qu'en sait Sérénac, il y a quelques noms qui commencent à représenter une valeur réelle, à la fois artistique et financière. Un Grebonval, un Van Muylder, un Gabar... Apparemment, Morval avait bon goût et le sens de l'investissement. L'inspecteur se dit que si sa veuve parvient à mettre à distance les vautours qui humeront l'odeur du vernis, elle sera pour longtemps à l'abri du besoin.

Il s'assoit. Patricia ne reste pas en place. Elle déplace nerveusement des objets parfaitement rangés. Son tailleur pourpre contraste avec une peau laiteuse assez terne. Sérénac lui donnerait une quarantaine d'années, peut-être moins. Elle n'est pas vraiment jolie, mais une sorte de raideur, de maintien, lui confère un certain charme. Plus classique que classe, dirait le policier. Une séduction minimale, mais entretenue.

— Inspecteur, êtes-vous absolument certain qu'il s'agisse d'un meurtre ?

Elle a dit ça d'une voix piquante, un peu désagréable.

Elle enchaîne :

— On m'a déjà raconté la scène. Un accident n'est-il pas envisageable ? Une chute sur une pierre, un silex, Jérôme se noie...

— Pourquoi pas, madame. Tout est possible, il faut

attendre le rapport des médecins légistes. Mais dans l'état actuel de l'enquête, je dois vous l'avouer, l'assassinat est la piste privilégiée. De très loin…

Patricia Morval torture entre ses doigts une petite statue de Diane chasseresse posée sur le buffet. Un bronze. Sérénac reprend la direction de l'entretien. Il pose les questions, Patricia Morval répond presque par onomatopées, rarement plus de trois mots, souvent les mêmes, en variant à peine le ton. Haut dans les aigus.

— Aucun ennemi ?

— Non, non, non.

— Vous n'avez rien remarqué de particulier ces derniers jours ?

— Non, non.

— Votre maison semble immense ; votre mari habitait ici ?

— Oui… Oui. Oui et non…

Sérénac ne lui laisse pas le choix, cette fois-ci, il ne comprend pas la nuance.

— Il faut m'en dire davantage, madame Morval.

Patricia Morval découpe avec lenteur les syllabes, comme si elle les comptait.

— Jérôme était rarement là en semaine. Il possédait un appartement à côté de son cabinet, dans le XVIe. Boulevard Suchet.

L'inspecteur note l'adresse tout en se faisant la réflexion que c'est à deux pas du musée Marmottan. Sûrement pas une coïncidence.

— Votre mari dormait souvent ailleurs ?

Un silence.

— Oui.

Les doigts nerveux de Patricia Morval recomposent un bouquet de fleurs fraîchement cueillies dans un long vase aux motifs japonais. Une image tenace vient à l'esprit de Laurenç Sérénac : ces fleurs vont pourrir sur leur tige. La mort va figer ce salon. La poussière du temps va recouvrir cette harmonie de couleurs.

— Vous n'aviez pas d'enfants ?

— Non.

Un temps.

— Votre mari non plus ? Seul, je veux dire ?

Patricia Morval compense son hésitation par un timbre de voix qui baisse d'une octave.

— Non.

Sérénac prend son temps. Il sort une photocopie de la carte des « Nymphéas » trouvée dans la poche de Jérôme Morval, la retourne et la tend à la veuve. Patricia Morval est contrainte de lire les quatre mots dactylographiés : *ONZE ANS. BON ANNIVERSAIRE.*

— On a trouvé cette carte dans la poche de votre mari, précise l'inspecteur. Peut-être avez-vous un cousin ? Des enfants d'amis ? N'importe quel enfant auquel votre mari aurait pu destiner cette carte d'anniversaire ?

— Non, je ne vois pas. Vraiment.

Sérénac laisse néanmoins le temps de la réflexion à Patricia Morval avant de relancer :

— Et cette citation ?

Leurs yeux glissent sur la carte et lisent les étranges mots qui suivent. *Le crime de rêver je consens qu'on l'instaure.*

— Aucune idée ! Je suis désolée, inspecteur…

Elle semble sincèrement indifférente. Sérénac pose la carte sur la table.

— C'est une photocopie, vous pouvez la garder,

nous avons l'original. Je vous laisse réfléchir... Si quelque chose vous revient...

Patricia Morval s'agite de moins en moins dans la pièce, comme une mouche qui a compris qu'elle ne pourrait pas s'échapper de son bocal de verre. Sérénac continue :

— Votre mari a-t-il déjà eu des ennuis, d'un point de vue professionnel je veux dire ? Je ne sais pas, une opération chirurgicale qui aurait mal tourné ? Un client mécontent ? Une plainte ?

La mouche redevient soudainement agressive.

— Non ! Jamais. Qu'est-ce que vous insinuez ?

— Rien. Rien. Je vous assure.

Son regard embrasse les tableaux aux murs.

— Votre mari avait un goût certain pour la peinture. Vous pensez qu'il aurait pu être impliqué dans, comment dire, une sorte de trafic, un recel, même à son insu ?

— Que voulez-vous dire ?

La voix de la veuve monte à nouveau dans les aigus, plus désagréable encore. C'est classique, pense l'inspecteur. Patricia Morval s'enferme dans un déni d'assassinat. Admettre le meurtre de son mari, c'est admettre que quelqu'un pouvait le haïr assez pour le tuer... C'est admettre la culpabilité de son mari, en quelque sorte. Sérénac a appris tout cela, il doit mettre en lumière la face sombre de la victime sans pour autant braquer la veuve.

— Je ne veux rien dire, rien de précis. Je vous assure, madame Morval. Je cherche simplement une piste. On m'a parlé de son... disons, de sa quête... Posséder une toile de Monet... C'était...

— Parfaitement exact, inspecteur. C'était un rêve.

Jérôme est reconnu comme l'un des meilleurs connaisseurs de Claude Monet. Oui, un rêve. Posséder un Monet. Il a travaillé dur pour cela. Il était un chirurgien surdoué. Il l'aurait mérité. C'était quelqu'un de passionné. Pas n'importe quelle toile, inspecteur. Un « Nymphéas ». Je ne sais pas si vous pouvez comprendre, mais voilà ce qu'il recherchait. Une toile peinte ici, à Giverny. Son village.

Profitant de la tirade de la veuve, le cerveau de Sérénac s'agite. *La première impression !* Depuis quelques minutes qu'il converse avec Patricia Morval, il commence à se faire une idée sur la nature de ce deuil. Et contre toute attente, cette impression penche de plus en plus vers le versant de la passion enflammée, celui de l'amour foudroyé, plutôt que vers le versant fané, à l'ombre, celui de l'indifférence de la femme délaissée.

— Je suis désolé de vous ennuyer ainsi, madame Morval. Mais nous visons le même but, découvrir le meurtrier de votre mari. Je vais devoir vous poser des questions… plus personnelles.

Patricia Morval semble se figer dans la pose du nu peint par Gabar, sur le mur opposé.

— Votre mari ne vous a pas toujours été, disons… fidèle. Pensez-vous que…

Sérénac perçoit l'émoi de Patricia. Comme si en elle des larmes intimes tentaient d'éteindre l'incendie dans son ventre.

Elle le coupe :

— Nous nous sommes connus très jeunes, mon mari et moi. Il m'a fait la cour longtemps, très longtemps, à moi et à d'autres. J'ai mis beaucoup d'années avant de lui céder. Jeune, il n'était pas ce genre de garçon qui fait rêver les filles. Je ne sais pas si vous voyez ce que je veux vous expliquer. Il était sans doute un peu trop sérieux, un peu trop ennuyeux. Il… il manquait de confiance avec le sexe opposé. Ces choses-là se sentent. Ensuite, avec le temps il est devenu beaucoup plus sûr de lui, beaucoup plus séduisant aussi, beaucoup plus intéressant. Je pense, inspecteur, que j'y suis pour beaucoup. Il est devenu plus riche, également. Jérôme, à l'âge adulte, avait quelques revanches à prendre sur les femmes… Sur les femmes, monsieur l'inspecteur. Pas sur moi. Je ne sais pas si vous pouvez comprendre.

Je l'espère, pense Sérénac tout en se disant qu'il lui faudrait des noms, des faits, des dates.

Plus tard…

Patricia Morval insiste :

— J'attends de vous du tact, inspecteur… Giverny est un petit village d'à peine quelques centaines d'habitants. Ne tuez pas Jérôme une seconde fois. Ne le salissez pas. Il ne méritait pas ça. Surtout pas ça.

Laurenç Sérénac hoche la tête dans une posture rassurante.

Les premières impressions… Il s'est désormais forgé sa conviction. Oui, Patricia Morval aimait son Jérôme. Non, elle ne l'aurait pas tué pour son argent.

Mais par amour, va savoir…

Un dernier détail le frappe, ce sont les fleurs dans le vase japonais qui l'ont convaincu : le temps s'est arrêté dans cette maison. La pendule s'est brisée hier ! Dans ce salon, chaque centimètre carré transpire encore des passions de Jérôme Morval. De lui seul. Et tout restera ainsi, pour l'éternité. Les tableaux ne seront plus jamais décrochés. Les livres dans les rayons de la bibliothèque plus jamais ouverts. Tout demeurera inerte, comme un musée désert en hommage à un type que tout le monde a déjà oublié. Un amateur d'art qui ne léguera rien. Un amateur de femmes que sans doute aucune ne pleurera. À l'exception de la sienne, celle qu'il délaissait.

Une vie à accumuler des reproductions. Sans descendance.

La lumière de la rue Claude-Monet saute au visage de l'inspecteur. Il attend moins de trois minutes, Sylvio surgit au bout de la rue, sans bottes aux pieds mais le bas de pantalon souillé de terre. Ça amuse Sérénac. Sylvio Bénavides est un chic type. Sans doute beaucoup plus malin que son côté méticuleux ne veut le laisser paraître. Derrière ses lunettes de soleil, Laurenç Sérénac prend le temps de détailler la fine silhouette de son adjoint dont l'ombre s'allonge sur le mur des maisons. Sylvio n'est pas à proprement parler maigre. Étroit serait plus exact, puisque paradoxalement un embonpoint naissant se devine sous sa chemise à carreaux boutonnée jusqu'au cou et serrée dans son pantalon de toile beige. Sylvio serait plus large de profil que de face, s'amuse Laurenç. Un cylindre ! Cela ne le rend pas laid, bien au contraire. Cela lui donne une sorte de fragilité, une taille de jeune tronc d'arbre, lisse et souple, comme capable de plier sans jamais rompre.

Sylvio s'approche, le sourire aux lèvres. En définitive, ce que Laurenç aime le moins chez son adjoint, du moins physiquement, c'est cette manie qu'il a de plaquer ses cheveux courts et raides à l'arrière, ou sur le côté, en une raie de séminariste. À tous les coups, une simple coupe à la brosse suffirait à le métamorphoser. Sylvio Bénavides s'arrête devant lui et pose ses deux mains sur ses hanches.

— Alors, patron… La veuve ?

— Très veuve ! Très très veuve. Et ton boulot d'expertise ?

— Rien de neuf… J'ai discuté avec quelques voisins qui dormaient le matin du meurtre et qui ne savent rien. Pour les autres indices, on verra. Tout est sous verre et plastique… On rentre au bercail ?

Sérénac consulte sa montre. Il est 16 h 30.

— Oui… Enfin, toi seulement. Moi, j'ai un rendez-vous à ne pas manquer…

Il précise, devant l'attitude étonnée de son adjoint :

— Je ne voudrais pas manquer la sortie des classes.

Sylvio Bénavides pense avoir compris.

— À la recherche d'un enfant de onze ans qui fêterait bientôt son anniversaire ?

Sérénac cligne un œil complice vers Sylvio.

— On va dire ça… Et puis aussi un peu pour découvrir ce joyau de l'impressionnisme, cette institutrice aussi convoitée par Jérôme Morval qu'une toile de Monet.

– 7 –

J'attends l'autocar sous les tilleuls de la petite place de la mairie et de l'école. C'est le coin le plus ombragé du village, juste quelques mètres au-dessus de la rue Claude-Monet. Je suis quasiment seule. Vraiment, ce village est devenu étrange : quelques mètres, un simple bout de rue suffisent pour passer de la cohue des files d'attente des musées ou des galeries de peinture prises d'assaut aux ruelles désertes d'un village de campagne.

L'arrêt de bus est devant l'école, ou presque. Les enfants jouent dans la cour, derrière le grillage. Neptune se tient un peu plus loin, sous un tilleul, il attend avec impatience qu'on libère les enfants en cage. Il adore ça, Neptune, courir derrière les gosses.

Juste en face de l'école communale, ils ont installé l'atelier de l'Art Gallery Academy. La devise est peinte en énorme sur le mur : *OBSERVATION AVEC IMAGINATION*. Tout un programme ! À longueur de journée, un régiment de retraités claudicants, coiffés de canotiers ou de panamas, quitte la galerie et se disperse dans le village. À la recherche de l'inspiration divine ! Ils sont impossibles à rater dans le bourg, avec leur badge rouge et leur caddie de grand-mère pour pousser leur chevalet.

Vous ne trouvez pas cela ridicule, vous ? Il faudra un jour qu'on m'explique pourquoi le foin d'ici, les oiseaux dans les arbres ou l'eau de la rivière n'ont pas la même couleur qu'ailleurs dans le monde.

Ça me dépasse. Je dois être trop stupide pour comprendre, je dois avoir vécu ici trop longtemps. C'est sûrement cela, comme quand on vit trop longtemps à côté d'un très bel homme. En tous les cas, ces envahisseurs-là ne repartent pas comme les autres à 18 heures, avec les autocars. Ils traînent jusqu'à la nuit tombante, dorment sur place, sortent à l'aube. Ils sont américains, pour la plupart. Je ne suis peut-être qu'une vieille qui observe tout ce cirque à travers sa cataracte, mais vous ne m'empêcherez pas de penser qu'un tel défilé de vieux peintres devant l'école, ça finit par influencer les enfants du village, ça finit par leur mettre des idées dans la tête ? Vous n'êtes pas d'accord ?

L'inspecteur a repéré Neptune sous le tilleul. Décidément, ils ne se quittent plus, ces deux-là ! Il le taquine dans un mélange de lutte joyeuse et de caresses. Moi, je reste en retrait sur mon banc, comme une statue d'ébène. Ça peut peut-être vous paraître étrange qu'une vieille femme comme moi se balade comme ça en plein Giverny et que personne ou presque ne la remarque. Encore moins les flics. Je vais vous dire, faites l'expérience. Installez-vous au coin d'une rue, n'importe laquelle, un boulevard parisien, la place de l'église d'un village, ce que vous voulez, juste un endroit où il y a du monde. Arrêtez-vous quoi, dix minutes, et comptez les gens qui passent. Vous serez sidérés par le nombre de personnes âgées. À tous les coups, elles seront plus nombreuses que les autres. D'abord parce que c'est comme ça, on nous en rabâche les oreilles, il y a de plus en plus de vieux dans le monde. Ensuite parce que les personnes âgées n'ont que ça à faire, de traîner dans la rue. Et puis enfin surtout parce qu'on ne les remarque pas, c'est comme ça. On va se retourner sur le nombril à l'air d'une fille, on va se pousser devant le cadre sup qui presse le pas ou la bande de jeunes qui occupe tout le trottoir, on va laisser traîner l'œil sur la poussette, le bébé dedans et la maman derrière. Mais un vieux ou une vieille… Ils sont invisibles. Justement parce qu'ils passent si lentement qu'ils font presque partie du décor, comme un arbre ou un réverbère. Si vous ne me croyez pas, faites l'essai. Arrêtez-vous, rien que dix minutes. Vous verrez.

Enfin, pour en revenir à notre affaire, et puisque j'ai le privilège de voir sans être vue, je peux vous l'avouer, il faut bien reconnaître qu'il a un charme fou, ce jeune flic, avec son cuir coupé court, ce jean moulant, cette barbe naissante, ses cheveux fous et blonds comme un champ de blé après l'orage. On peut comprendre qu'il s'intéresse davantage aux institutrices mélancoliques qu'aux vieilles folles du village.

– 8 –

Après une longue dernière caresse, Laurenç Sérénac laisse Neptune et marche vers l'école. Lorsqu'il parvient à dix mètres de la porte, une vingtaine d'enfants passent devant lui en criant, tous âges confondus. Comme s'il les faisait fuir.

Les fauves sont libérés.

Une fillette d'une dizaine d'années court en tête, couettes au vent. Neptune lui emboîte le pas, comme mû par un ressort. Tous suivent, dévalent la rue Blanche-Hoschedé-Monet et se dispersent rue Claude-Monet. Aussi soudainement qu'elle s'est animée, la place de la mairie redevient silencieuse. L'inspecteur avance encore de quelques mètres.

Longtemps après, Laurenç Sérénac repensera à ce miracle. Toute sa vie. Il pèsera chaque son, les cris des enfants qui s'évanouissent, le bruit du vent dans les tilleuls ; chaque odeur, chaque éclat de lumière, la blancheur des pierres de la mairie, le volubilis agrippé le long de la rampe des sept marches sur le perron…

Il ne s'y attendait pas. Il ne s'attendait à rien.

Longtemps après, il comprendra que c'est un contraste qui l'a foudroyé, un infime contraste, à peine quelques secondes. Stéphanie Dupain se tenait devant la porte de l'école et ne l'avait pas vu. Un instant, Laurenç attrapa son regard envolé vers les enfants qui s'enfuyaient en riant, comme s'ils emportaient dans leur cartable les rêves de leur maîtresse.

Une mélancolie légère, comme un papillon fragile.

Puis, juste après, Stéphanie aperçoit le visiteur. Immédiatement, le sourire s'affiche, les yeux mauves pétillent.

— Monsieur ?

Stéphanie Dupain offre à l'inconnu sa fraîcheur. Une immense bouffée de fraîcheur, jetée aux quatre vents, aux paysages des artistes, à la contemplation des touristes, aux rires des gosses sur les bords de l'Epte. Dont elle ne garde rien pour elle. Don absolu.

Oui, c'est ce contraste qui troubla à ce point Laurenç Sérénac. Cette mélancolie polie. Dissimulée. Comme s'il avait entr'aperçu, l'espace d'un instant, la caverne d'un trésor et qu'il n'aurait plus d'autre obsession que d'en retrouver l'entrée.

Il bredouille, souriant à son tour :

— Inspecteur Laurenç Sérénac, du commissariat de Vernon.

Elle tend une main fine.

— Stéphanie Dupain. Unique institutrice de l'unique classe du village…

Ses yeux rient.

Elle est jolie. Plus que cela, même. Ses yeux pastel aux teintes de nymphéas épousent toutes les nuances de bleu et mauve, selon le soleil. Ses lèvres rose pâle paraissent maquillées à la craie. Sa petite robe légère dévoile des épaules nues presque blanches. Une peau de faïence. Un chignon un peu fou emprisonne ses longs cheveux châtain clair.

Une fantaisie retenue.

Jérôme Morval avait décidément un goût sûr, pas seulement pour la peinture.

— Entrez. Je vous en prie.

La douceur de l'école contraste avec la chaleur de la rue. Lorsque Laurenç pénètre dans la petite classe et observe la vingtaine de chaises derrière les tables, il ressent une sorte de trouble agréable face à cette intimité soudaine. Son regard glisse sur d'immenses cartes exposées au mur. La France, l'Europe, le monde. De jolies cartes, délicieusement anciennes. Les yeux de l'inspecteur s'arrêtent soudain sur une affiche, près du bureau.

Concours Peintres en herbe
International Young Painters Challenge
Fondation Robinson
Brooklyn Art School and Pennsylvania Academy of the Fine Arts in Philadelphia

L'entrée en matière lui semble idéale.

— Vos enfants posent leur candidature ?

Les yeux de Stéphanie brillent.

— Oui. Tous les ans ! C'est presque une tradition ici. Theodore Robinson a été l'un des premiers peintres américains à venir peindre à Giverny avec Claude Monet. Il était le plus fidèle hôte de l'hôtel Baudy ! Il est ensuite devenu un professeur d'art réputé aux États-Unis... C'est la moindre des choses que les enfants de Giverny participent aujourd'hui au concours de sa fondation, vous ne trouvez pas ?

Sérénac hoche la tête.

— Et que gagnent les lauréats ?

— Quelques milliers de dollars, tout de même... Et surtout un stage de plusieurs semaines dans une école d'art prestigieuse... New York, Tokyo, Saint-Pétersbourg... Ils changent chaque année...

— Impressionnant... Un enfant de Giverny a-t-il déjà gagné ?

Stéphanie Dupain rit franchement tout en donnant une tape sur l'épaule de Laurenç Sérénac.

Sans malice. Il frissonne.

— Non, vous pensez... Des milliers d'écoles dans le monde participent au concours. Mais il faut bien essayer, non ? Vous savez, les enfants de Claude Monet eux-mêmes, Michel et Jean, se sont assis sur les bancs de cette école !

— Theodore Robinson, lui, n'est jamais revenu en Normandie, je crois...

Stéphanie Dupain dévisage l'inspecteur, stupéfaite. Elle ouvre de grands yeux, où l'inspecteur croit percevoir un soupçon d'admiration :

— Il y a des cours d'histoire de l'art, à l'école de police ?

— Non... Mais on peut être flic et aimer la peinture, non ?

Elle rougit.

— Touchée, inspecteur...

Ses pommettes de porcelaine se teintent d'un rose de fleurs sauvages, marbré de taches de rousseur. Ses yeux lilas inondent la pièce.

— Vous avez tout à fait raison, inspecteur, Theodore Robinson est mort à quarante-trois ans d'une crise d'asthme, à New York, à peine deux mois après avoir écrit à son ami Claude Monet pour préparer son retour à Giverny… Il n'a jamais revu la France. Ses héritiers ont créé une fondation et ce concours international de peinture, quelques années après sa mort, en 1896. Mais je vous ennuie, inspecteur. Je suppose que vous n'êtes pas venu pour que je vous fasse classe…

— J'adorerais, pourtant.

Sérénac a lancé cela uniquement pour qu'elle rougisse encore. C'est gagné, au-delà de ses espérances.

L'inspecteur insiste :

— Et vous, Stéphanie. Vous peignez ?

Une nouvelle fois, les doigts de la jeune femme se perdent en l'air et se posent presque sur la poitrine de l'inspecteur. Le policier s'oblige à ne voir dans ce geste qu'un réflexe d'institutrice habituée à se pencher vers ses enfants, à leur parler dans les yeux, à les toucher.

Innocente incendiaire ?

Sérénac espère qu'il ne rougit pas autant qu'elle.

— Non, non. Je ne peins pas. Je n'ai… Je n'ai aucun talent.

Un bref instant, un nuage glisse devant l'éclat de ses iris.

— Et vous ? Vous n'avez pas l'accent vernonnais ! Tout comme votre prénom, Laurenç. Ce n'est pas fréquent, par ici.

— Bien vu… Laurenç correspond à Laurent, en occitan… Pour être plus précis, mon patois personnel serait même l'albigeois… Je viens d'être muté.

— Bienvenue, alors ! Albi ? Votre goût pour la

peinture vient donc de Toulouse-Lautrec ? Chacun son peintre !

Ils sourient.

— En partie… Vous avez raison. Lautrec est aux Albigeois ce que Monet est aux Normands…

— Savez-vous ce que Lautrec disait de Monet ?

— Je vais vous décevoir, mais je vous avoue que je ne savais même pas qu'ils se connaissaient.

— Si ! Mais Lautrec traitait les impressionnistes de brutes. Il qualifia même Claude Monet de con, oui, il a employé ce mot-là, « con », parce qu'il gâchait son immense talent à peindre des paysages plutôt que des êtres humains !

— Encore heureux que Lautrec soit mort avant de voir Monet se transformer en ermite et ne plus peindre que des nénuphars pendant trente ans…

Stéphanie rit franchement.

— C'est une façon de voir les choses. En réalité, on peut plutôt considérer que Lautrec et Monet firent le choix de deux destins opposés… Pour Toulouse-Lautrec, une vie éphémère de débauche à traquer la luxure de l'âme humaine, pour Monet, une longue vie contemplative vouée à la nature.

— Complémentaires plus qu'opposés, non ? Il faut vraiment choisir ? On ne peut pas avoir les deux ?

Le sourire de Stéphanie l'affole.

— Je suis incorrigible, inspecteur. Vous n'êtes pas venu parler peinture avec moi, je suppose. Vous enquêtez sur l'assassinat de Jérôme Morval, c'est cela ?

Elle se hisse avec souplesse sur le bureau, presque à la hauteur du torse de Sérénac. Elle croise les jambes avec naturel. Le tissu de coton glisse jusqu'à mi-cuisse. Laurenç Sérénac suffoque.

— Quel rapport avec moi ? susurre la voix innocente de l'institutrice.

– 9 –

L'autocar s'est garé juste devant la place de la mairie. Derrière le volant, c'est une conductrice. Elle n'a même pas une allure de garçon manqué ou de chauffeur routier, non, c'est juste une petite bonne femme qui pourrait aussi bien être infirmière, ou secrétaire. Je ne sais pas si vous avez remarqué, mais de plus en plus, ce sont des femmes qui conduisent ces immenses bahuts. Surtout à la campagne. Avant, jamais on n'en voyait, des filles conductrices de bus. C'est sûrement parce que dans les villages il n'y a plus que les vieux et les gosses pour prendre les transports en commun, oui, c'est sûrement pour cela que ce n'est plus un métier d'homme, chauffeur de car.

Je lève péniblement ma jambe jusqu'au marchepied de l'autocar. Je paye la fille, qui me rend ma monnaie avec un geste assuré de caissière. Je m'installe à l'avant. Le véhicule est à moitié plein, mais je sais d'expérience que nombre de touristes vont monter à la sortie de Giverny ; la plupart descendent à la gare de Vernon. Ensuite, il n'y a pas d'arrêt juste devant l'hôpital de Vernon, mais, en général, les chauffeurs ont pitié de mes pauvres jambes et me déposent avant l'arrêt. Vous comprenez maintenant, les femmes conduisent les cars car elles acceptent ce genre de choses.

Je pense à Neptune. Hier, j'ai pris un taxi pour rentrer de Vernon. Ça m'a coûté très exactement trente-quatre euros ! Une sacrée somme, vous ne trouvez pas, pour moins de dix kilomètres ? Tarif de nuit qu'il m'a dit, le type derrière le volant de son Renault Espace. Ils en profitent, forcément, ils savent bien qu'il n'y a plus aucun autocar pour Giverny après vingt et une heures. D'ailleurs, en passant, vous remarquerez que ce sont toujours des hommes qui sont au volant des taxis, jamais des femmes. Si ça se trouve, ils doivent tourner toute la nuit autour de l'hôpital, comme des vautours, juste pour guetter la sortie des vieilles veuves qui n'ont jamais appris à conduire. Dans ces moments-là, ils se doutent qu'on ne va pas marchander ! Enfin… Je dis ça mais peut-être que je serai bien contente d'en trouver un, tout à l'heure. Parce que ce soir, d'après ce qu'ont dit les médecins, ça pourrait bien être le dernier. Alors, ça risque de durer une bonne partie de la nuit.

Ça m'embête vraiment de laisser Neptune traîner dehors.

– 10 –

Dans la salle de classe de l'école de Giverny, l'inspecteur Laurenç Sérénac tente de ne pas aimanter son regard à la peau nue des jambes de l'institutrice. Il fouille avec maladresse dans sa poche pendant que Stéphanie Dupain l'observe avec candeur, comme si la pose qu'elle adoptait, assise sur le bureau les cuisses croisées, était la plus naturelle du monde. Habituellement, raisonne Laurenç Sérénac, aucun enfant de sa classe ne doit y voir de malice. Habituellement…

— Alors, demande à nouveau l'institutrice. Quel rapport avec moi ?

Les doigts de l'inspecteur finissent par extirper une photocopie de la carte postale aux « Nymphéas ».

ONZE ANS. BON ANNIVERSAIRE.

Il tend la carte.

— On a retrouvé ceci dans la poche de Jérôme Morval.

Stéphanie Dupain décrypte la phrase avec attention. Lorsque l'institutrice se penche et se tourne un peu de profil, le rayon de soleil par la fenêtre se reflète sur le papier blanc et éclaire son visage, dans une pose de liseuse baignée d'un halo de lumière suggérant Fragonard. Degas. Vermeer. L'espace d'un instant, une étrange impression effleure Sérénac : aucun des gestes de la jeune femme n'est spontané, la grâce de chaque mouvement est trop parfaite, elle est calculée, étudiée. *Elle pose, pour lui.* Stéphanie Dupain se redresse avec élégance, ses lèvres de craie s'ouvrent doucement et libèrent un souffle invisible qui disperse en poussière les ridicules suspicions du policier.

— Les Morval n'avaient pas d'enfants… Alors vous avez pensé à l'école…

— Oui… C'est là tout le mystère. Y a-t-il des enfants de onze ans dans votre classe ?

— Plusieurs, bien entendu. J'accueille à peu près tous les âges, de six à onze ans. Mais à ma connaissance aucun ne fêtera son anniversaire dans les jours ou les semaines qui viennent.

— Vous pourrez nous dresser une liste précise ? Avec l'adresse des parents, les dates de naissance, enfin, tout ce qui peut être utile…

— Cela peut avoir un rapport avec l'assassinat ?

— Cela peut… ou pas… Nous tâtonnons, pour

l'instant. Nous suivons différentes pistes. Tenez, à tout hasard, est-ce que cette phrase vous dit quelque chose ?

Sérénac guide le regard de Stéphanie vers le bas de la carte postale. Elle fronce légèrement les sourcils dans un effort de concentration. Il adore chacune de ses attitudes.

Elle lit encore. Les paupières battent, la bouche tremble, la nuque se courbe. Une femme qui lit a toujours le fantasme de l'inspecteur. Comment pourrait-elle se jouer de lui ? Comment pourrait-elle le savoir ?

Le crime de rêver je consens qu'on l'instaure.

— Alors… ça ne vous dit rien ? balbutie Sérénac.

Stéphanie Dupain se lève brusquement. Elle marche vers la bibliothèque, se penche puis se retourne, tout sourire. Elle lui tend un livre blanc. Laurenç a l'impression que la poitrine de l'institutrice bat à se rompre sous la robe de toile, pareille à un moineau tremblant qui n'ose pas franchir la porte ouverte de la cage. L'instant suivant, Sérénac se demande pourquoi lui vient cette image stupide. Il tente de se concentrer sur l'ouvrage.

— Louis Aragon, lance la voix claire de Stéphanie. Désolée, inspecteur, je vais à nouveau devoir vous faire un cours…

Laurenç pousse un cahier et s'assoit sur une table d'écolier.

— Je vous ai dit. J'adore…

Elle rit encore.

— Vous n'êtes pas aussi calé en poésie qu'en peinture, inspecteur. La phrase de la carte postale est extraite d'un poème de Louis Aragon.

— Vous êtes incroyable…

— Non, non, je n'ai aucun mérite. Tout d'abord,

Louis Aragon était un habitué de Giverny, un des seuls artistes à avoir continué à venir résider au village après le décès de Claude Monet, en 1926. Et ensuite parce que cet extrait est tiré d'un poème célèbre d'Aragon, le premier à avoir été censuré, en 1942, par Vichy. Je suis encore désolée pour la leçon, inspecteur, mais lorsque je vous dirai le titre du poème, vous comprendrez pourquoi c'est une tradition dans le village de le faire apprendre chaque année aux enfants de l'école…

— « Impressions » ? tente Sérénac.

— Perdu. Vous y étiez presque. Aragon a baptisé son poème « Nymphée ».

Laurenç Sérénac essaye de trier les informations, de les mettre en ordre.

— Si je vous suis bien, Jérôme Morval, logiquement, devait lui aussi connaître l'origine de ces vers étranges…

Il reste un instant pensif, hésitant sur l'attitude à adopter.

— Je vous remercie. On aurait pu mettre des jours avant de trouver ça. Même si, pour l'instant, je ne vois guère à quoi cela nous avance…

L'inspecteur pivote vers l'institutrice. Elle est debout devant lui, leurs visages sont presque à la même hauteur, distants d'une trentaine de centimètres.

— Stéphanie… Vous permettez que je vous appelle Stéphanie ? Vous connaissiez Jérôme Morval ?

Les yeux mauves se posent sur lui. Il hésite à peine, il plonge.

— C'est minuscule, Giverny, fait Stéphanie. Quelques centaines d'habitants…

L'inspecteur a déjà entendu ça !

— Ce n'est pas une réponse, Stéphanie…

Un silence. Vingt centimètres les séparent.

— Oui… je le connaissais.

La surface mauve d'iris est inondée de lumière. L'inspecteur surnage. Il doit insister. Ou sombrer. Tout son cynisme de pacotille ne lui est d'aucune utilité.

— Il… il existe des rumeurs.

— Ne soyez pas gêné, inspecteur. Je suis au courant, bien entendu. Les rumeurs… Jérôme Morval était un homme à femmes, c'est bien comme cela que l'on dit ? Non, je ne vais pas prétendre qu'il n'a pas essayé de m'approcher… Mais…

La surface de ses yeux nymphéas se trouble. Une légère brise.

— Je suis mariée, inspecteur Sérénac. Je suis l'institutrice de ce village. Morval en est le médecin, en quelque sorte. Il serait ridicule de vous orienter vers de telles pistes folles… Il ne s'est jamais rien passé entre Jérôme Morval et moi. Dans les villages comme le nôtre, il y a toujours des personnes pour vous épier, pour colporter des mensonges, inventer des secrets…

— Au temps pour moi. Excusez-moi si j'ai été impertinent…

Elle lui sourit, là, juste devant sa bouche, et soudain elle disparaît à nouveau vers la bibliothèque.

— Tenez, inspecteur. Puisque vous avez le cœur artiste…

Laurenç constate, stupéfait, que Stéphanie lui tend un nouveau livre.

— Pour votre culture personnelle. *Aurélien*, le plus beau roman de Louis Aragon. Les scènes les plus importantes se déroulent à Giverny. Du chapitre 60 au chapitre 64. Je suis certaine que vous allez adorer.

— Mer… merci…

L'inspecteur ne trouve rien d'autre à dire et peste intérieurement contre son mutisme. Stéphanie l'a pris au dépourvu. Que vient faire Aragon dans toute cette histoire ? Il sent que quelque chose lui échappe, comme un dérapage, une perte de contrôle. Il saisit le livre avec une assurance forcée, le colle contre sa cuisse, le bras ballant, puis tend la main à Stéphanie. L'institutrice la serre.

Un peu trop fort.

Un peu trop longtemps.

Une seconde ou deux. Juste le temps que coure son imagination. Cette main dans la sienne semble s'y accrocher, semble crier : « Ne me lâchez pas. Ne m'abandonnez pas. Vous êtes mon seul espoir, Laurenç. Ne me laissez pas tomber tout au fond. »

Stéphanie lui sourit. Ses yeux scintillent.

Il a dû rêver, bien entendu. Il devient fou. Il s'emmêle les pinceaux dès sa première enquête normande.

Cette femme ne dissimule rien…

Elle est belle, tout simplement. Elle appartient à un autre.

Normal !

Il bafouille, en reculant :

— Stéphanie, vous… penserez à me préparer la liste des enfants. J'enverrai demain un agent la chercher…

Ils savent tous les deux qu'il n'enverra aucun agent, qu'il reviendra lui-même, et qu'elle l'espère aussi.

– 11 –

L'autocar de Vernon tourne rue Claude-Monet et se dirige vers l'église, dans la portion du village où le flux de touristes est moins dense. Si l'on peut dire… J'adore traverser ainsi le village en car, assise à l'avant devant un écran panoramique qui défile. Je dépasse les galeries de peinture Demarez et Kandy, l'agence Immo-Prestige, la chambre d'hôtes du Clos-Fleuri, l'hôtel Baudy. L'autocar rattrape un groupe d'enfants qui marchent dans la rue, cartable sur le dos. Les gosses se poussent sur le côté au coup de klaxon de la chauffeuse, en écrasant sans scrupules roses trémières et iris. Deux autres gamins courent, un peu plus loin, et détalent dans le champ en face de l'hôtel Baudy. Je les reconnais, ils sont toujours ensemble, ces deux-là. Paul et Fanette. J'aperçois aussi Neptune, il court à côté d'eux, dans le foin. Ce chien ne lâche pas les gosses, surtout Fanette, la gamine aux couettes.

Je vais vous dire, je deviens gâteuse, je crois. Je me fais un sang d'encre pour mon vieux chien alors qu'il se débrouille très bien sans moi avec les gamins du village.

Tout au bout de la rue, je repère le prochain arrêt du car. Je ne peux pas m'empêcher de soupirer. C'est l'exode ! Plus d'une vingtaine de passagers attendent, équipés de valises à roulettes, de sacs à dos, de duvets et, bien entendu, de grandes toiles encadrées dans du papier kraft.

– 12 –

Fanette tient la main de Paul. Ils sont cachés derrière la botte de foin, dans le grand champ qui sépare le chemin du Roy de la rue Claude-Monet, à la hauteur de l'hôtel Baudy.

— Chut, Neptune. Dégage ! Tu vas nous faire repérer…

Le chien regarde les deux enfants de onze ans et ne comprend pas. Il a de la paille plein les poils.

— Va-t'en ! Idiot !

Paul rigole franchement. Sa large chemise est ouverte. Il a jeté son sac d'école à côté de lui.

J'aime bien le rire de Paul, pense Fanette.

— Les voilà ! s'exclame soudain la fillette. Au bout de la rue ! Viens…

Ils détalent. Paul a tout juste le temps d'attraper son sac. Leurs pas résonnent dans la rue Claude-Monet.

— Paul, plus vite ! crie encore Fanette en attrapant la main du garçon.

Ses couettes volent dans le vent.

— Là !

Elle tourne brusquement à la hauteur de l'église Sainte-Radegonde, grimpe sans ralentir l'allée de gravier, puis se couche derrière l'épaisse haie verte. Cette fois-ci, Neptune ne les a pas suivis, il renifle le fossé de l'autre côté de la route et urine sur les maisons basses. À cause de la pente du coteau, on dirait presque qu'elles sont enterrées. Paul étouffe un fou rire.

— Chut, Paul. Ils ne vont pas tarder à passer. Toi aussi, tu vas nous faire repérer.

Paul se recule un peu. Il s'assoit sur la tombe

blanche derrière lui. Une fesse sur la plaque dédiée à Claude Monet, une autre sur celle dédiée à sa seconde femme, Alice.

— Fais gaffe, Paul ! T'assois pas sur la tombe de Monet…

— Désolé…

— Pas grave !

J'aime trop Paul aussi, quand je le dispute et qu'il s'excuse en faisant son timide.

Alors que Fanette pouffe à son tour, Paul s'avance, sans parvenir à éviter de prendre appui sur les autres plaques du caveau, celles des autres membres de la famille Monet.

Fanette guette à travers les branches. Elle entend des pas.

Ce sont eux !

Camille, Vincent et Mary.

Vincent arrive le premier. Il scrute les alentours avec une concentration d'Indien. Il observe Neptune d'un air méfiant, puis crie :

— Faaanette ! T'es ooùùù ?

Paul pouffe encore. Fanette pose sa main sur sa bouche.

Camille parvient à son tour à la hauteur de l'église. Il est plus petit que Vincent. Ses bras potelés et son ventre débordent de sa chemise ouverte. Essoufflé. Le petit gros de la bande, comme il y en a toujours un.

— Tu les as vus ?

— Non ! Ils ont dû aller plus loin…

Les deux garçons continuent leur route. Vincent crie, plus fort encore :

— Faaanette ! T'es ooùùù ?

La voix stridente de Mary résonne un peu plus loin :

— Vous pourriez m'attendre !

Camille et Vincent sont déjà partis depuis près d'une minute lorsque Mary s'arrête à l'église. La fillette est plutôt grande pour sa dizaine d'années. Ses yeux pleurent sous ses lunettes.

— Les garçons, attendez-moi ! On s'en fout de Fanette ! Attendez-moi !

Elle tourne la tête vers les tombes, Fanette en un réflexe se couche sur Paul. Mary n'a rien vu, elle finit par continuer tout droit, rue Claude-Monet, traînant de rage ses sandalettes sur le goudron.

Ouf…

Fanette se relève, tout sourire. Elle resserre ses couettes. Paul donne des pichenettes aux gravillons tombés sur son pantalon.

— Pourquoi tu ne veux pas les voir ? demande le garçon.

— Ils m'énervent ! Ils ne t'énervent pas, toi ?

— Bah. Si, un peu…

— Ah… Tu vois. Attends. Camille, il n'arrête pas de ramener sa science, « Et patati, et patata, je suis le premier de la classe, écoutez-moi »… Vincent, c'est encore pire, ras-le-bol qu'il me colle autant ! Lourd, lourd, lourd ! Il me laisse pas un mètre pour respirer. Quant à Mary, je ne te fais pas un dessin. À part chialer, fayoter avec la maîtresse et dire du mal de moi…

— Elle est jalouse, dit doucement Paul. Et moi ? Je ne te colle pas trop, moi ?

Fanette lui chatouille la joue avec une feuille de buis.

Toi, Paul, c'est pas pareil. Je ne sais pas pourquoi, mais ce n'est pas pareil.

— Idiot. Tu sais bien que c'est toi que je préfère. Pour toujours…

Paul ferme ses paupières, goûte le plaisir. Fanette ajoute :

— D'habitude, au moins. Mais pas aujourd'hui !

Elle se relève et vérifie si le terrain est libre. Paul roule des yeux.

— Quoi ? Tu me lâches, moi aussi ?

— Ouais. J'ai mon rendez-vous. Top secret !

— Avec qui ?

— Top secret, je te dis ! Tu ne me suis pas, hein. Y a que Neptune qui a le droit…

Paul tortille ses doigts, ses mains, ses bras, comme s'il cherchait à dissimuler une peur intense.

C'est à cause de ce meurtre. Tout le monde ne parle que de ça dans le village depuis ce matin ! Les flics se baladent dans les rues. Comme s'il y avait du danger aussi pour nous...

Fanette insiste :

— Promis ?

Paul le regrette mais il le jure :

— Promis !

– TROISIÈME JOUR –

15 mai 2010

(Hôpital de Vernon)

Raisonnement

– 13 –

Le réveil fluorescent au-dessus du lit indique 1 h 32. Je n'arrive pas à dormir. La dernière infirmière que j'ai vue est passée depuis plus d'une heure, maintenant. Elle doit croire que je dors. Dormir. Vous voulez rire ! Comment dormir dans des fauteuils aussi inconfortables ?

J'observe le goutte-à-goutte qui tombe de la poire molle. Ils peuvent le maintenir combien de temps comme cela encore, sous perfusion.

Des jours ? Des mois ? Des années ?

Lui non plus ne dort pas. Il a perdu l'usage de la parole hier, du moins c'est ce qu'ont dit les médecins. Il ne peut pas non plus bouger ses muscles, mais il garde les yeux ouverts. Selon les infirmières, il comprend tout. Elles me l'ont répété cent fois, si je lui parle, si je lui fais la lecture, il m'entendra : « C'est important pour le moral de votre mari. »

Il y a une pile de revues sur la table de nuit. Quand

les infirmières sont là, je fais vaguement semblant de lire à haute voix. Mais aussitôt qu'elles sortent je me tais.

Puisque soi-disant il comprend tout, il comprendra…

Je regarde à nouveau le goutte-à-goutte. Elles servent à quoi, ces perfusions ? Les infirmières m'ont expliqué qu'elles le maintenaient en vie, mais j'ai oublié les détails.

Les minutes passent. Je m'inquiète pour Neptune, aussi. Mon pauvre chien tout seul à Giverny. Je ne vais tout de même pas rester là toute la nuit.

Les infirmières étaient pessimistes. Il n'a pas dû cligner de l'œil depuis dix minutes. Il continue de me dévisager fixement. Ça me rend folle.

2 h 12.

Une infirmière est repassée. Elle m'a dit d'essayer de dormir. J'ai fait semblant de l'écouter.

J'ai pris ma décision.

J'attends encore un peu, j'écoute, pour être certaine qu'il n'y a aucun bruit dans le couloir. Je me lève. J'attends encore puis, les doigts tremblants, je débranche les perfusions. Une à une. Il y en a trois.

Il me regarde avec des yeux fous. Il a compris. Ce coup-là, au moins, c'est certain, il a compris.

Il s'attendait à quoi ?

J'attends.

Combien de temps ? Quinze minute ? Trente minutes ? J'ai pris une revue sur la chaise. *Normandie Magazine*. Ils évoquent la grande opération de rassemblement de tableaux, cet été, « Normandie impressionniste ». Tout le monde ne parlera que de cela dans le coin à partir du mois de juin. Je lis, ostensiblement.

En silence ! Comme si je m'en foutais, qu'il crève, à côté. D'ailleurs, c'est le cas.

De temps en temps, je l'observe par-dessus le journal. Il me dévisage avec des yeux exorbités. Je le fixe quelques instants, puis je me replonge dans ma lecture. Son visage se déforme un peu plus à chaque fois. C'est assez horrible, vous pouvez me croire.

Vers 3 heures du matin, j'ai l'impression qu'il est vraiment mort. Les yeux de mon mari sont toujours ouverts, mais figés.

Je me lève, je commence à rebrancher les goutte-à-goutte, comme si de rien n'était. Et puis non, à bien y réfléchir, je les débranche à nouveau. Je tire la sonnette d'alarme.

L'infirmière accourt. Professionnelle.

Je prends un air paniqué. Pas trop, tout de même. J'explique que je m'étais endormie, que je l'ai trouvé comme ça, quand je me suis réveillée, en sursaut.

L'infirmière détaille les tubes décrochés. Elle a l'air embêtée, comme si c'était de sa faute.

J'espère qu'elle n'aura pas d'ennuis. Ce n'est pas moi qui lui ferai des histoires, en tout cas !

Elle court chercher un médecin.

Je ressens un sentiment bizarre. Entre colère, encore, et liberté.

Et ce doute.

Que faire maintenant ?

Aller tout raconter à la police ou continuer à jouer les souris noires dans les ruelles de Giverny ?

– 14 –

Les cinq photographies sont étalées sur le bureau du commissariat. Laurenç Sérénac tient une enveloppe de papier kraft marron entre ses mains.

— Nom de Dieu, fait Sylvio Bénavides, qui a bien pu envoyer ça ?

— On ne sait pas… On a trouvé l'enveloppe au courrier de ce matin. Elle a été postée d'une boîte aux lettres à Vernon. Hier soir.

— Juste des photos. Il n'y avait aucune lettre, aucun mot, rien ?

— Aucune explication, non. Mais c'est on ne peut plus limpide. Nous avons affaire à une sorte de compilation des maîtresses de Jérôme Morval. Un best of… Je t'en prie, Sylvio, jette un œil, moi j'ai déjà eu le temps d'admirer…

Sylvio Bénavides hausse les épaules puis se penche sur les cinq clichés : Jérôme Morval est présent sur chaque photographie, mais il est à chaque fois accompagné d'une femme différente… Aucune n'est la sienne. Jérôme Morval derrière un bureau, appuyé sur les genoux d'une fille qu'il embrasse à pleine bouche et qui pourrait bien être une secrétaire de son cabinet. Jérôme Morval sur un divan de discothèque, la main sur le sein d'une fille en robe à paillettes. Jérôme Morval torse nu, allongé à côté d'une fille à la peau blanche, sur une plage de sable dont le décor derrière rappelle l'Irlande. Jérôme Morval debout dans un salon décoré de peintures qui ressemble au sien, pendant qu'une fille en jupe, à genoux, tourne le dos au photographe, mais pas à l'ophtalmologue. Jérôme Morval qui marche sur un chemin de terre, au-dessus de Giverny, on reconnaît le clocher de l'église Sainte-Radegonde… main dans la main avec Stéphanie Dupain.

Sylvio Bénavides siffle.

— Rien à dire. Du travail de pro !

Sérénac sourit.

— Je trouve aussi. Il assurait sacrément, l'ophtalmo, et pourtant, il n'avait pas un physique de jeune premier…

Bénavides, décontenancé, regarde un instant son patron, puis précise :

— Je ne parlais pas de Morval, je parlais de celui qui a pris les clichés !

Sérénac lui lance un clin d'œil.

— T'es incroyable, Sylvio. Tu marches à tous les coups ! Allez, désolé, continue…

Bénavides rougit et continue en bafouillant :

— Je… je voulais dire, patron, que sans aucun doute, c'est un boulot de détective privé professionnel. *A priori*, je dirais que les photos, au moins celles prises dans le bureau et dans le salon, l'ont été à travers une fenêtre, avec un zoom que même un paparazzi standard doit avoir du mal à s'offrir.

Sérénac détaille à nouveau les clichés. Il force un peu sur une grimace coquine.

— Mouais. Je ne te trouve pas bien difficile. Les photos d'intérieur sont floues, non ? Cela dit, je ne vais pas critiquer, c'est plutôt cool comme boulot, non ? Visiblement, Morval choisissait des filles ravissantes. C'est ce que j'aurais dû faire, tiens, détective privé, plutôt que flic.

Sylvio ne relève pas.

— À votre avis, demande-t-il, qui, à part sa femme, aurait pu commander ces clichés ?

— Je ne sais pas. On interrogera Patricia Morval, mais lorsque je l'ai rencontrée, elle n'a pas été particulièrement bavarde en ce qui concerne les infidélités de son mari. Et j'ai surtout l'impression que dans cette affaire il va falloir se méfier des évidences.

— Qu'est-ce que vous voulez dire ?

— Eh bien, par exemple, Sylvio, je pense que tu as remarqué que la nature de ces cinq photos est très différente. Dans certaines, celle de la discothèque, celle du salon, celle du bureau, aucun doute, ce sacré Morval couche avec les filles…

Bénavides fronce les sourcils.

— Bon, d'accord, ajoute Sérénac, je vais peut-être un peu vite en besogne. On va dire que Morval est suffisamment intime avec elles pour leur caresser la poitrine ou se faire offrir une gâterie. Mais si tu prends la photo de la plage ou surtout celle au-dessus de Giverny, rien ne dit que ces filles soient les maîtresses de Morval.

— La dernière, glisse Bénavides, c'est aussi la seule fille qu'on connaisse. C'est Stéphanie Dupain, l'institutrice du village, je ne me trompe pas ?

Sérénac confirme de la tête. Sylvio continue :

— Par contre, patron, je ne vois pas où vous voulez en venir avec votre histoire de hit-parade des histoires de cul de Morval. Tromper, c'est tromper, non ?

— Je vais te dire où je veux en venir. Je n'aime pas, mais pas du tout, recevoir des cadeaux anonymes. J'aime encore moins orienter une enquête criminelle à partir des envois d'un corbeau. Tu comprends, je suis un grand garçon, je n'apprécie pas trop que quelqu'un qui ne se montre pas me souffle où je dois chercher.

— En clair, ça veut dire quoi ?

— Ça veut dire par exemple que ce n'est pas parce que Stéphanie Dupain se trouve au milieu de cette série de photos que pour autant elle était la maîtresse de Morval. Mais peut-être que quelqu'un aimerait que l'on fasse l'amalgame…

Sylvio Bénavides se gratte la tête tout en réfléchissant à l'hypothèse développée par son patron.

— D'accord, je vous suis sur ce coup-là. Mais on ne peut quand même pas ne pas tenir compte de ces photos…

— Oh que non… Surtout qu'on n'est pas au bout du mystère. Accroche-toi, Sylvio, et regarde un peu le verso.

Sérénac retourne un à un les cinq clichés sur le bureau. Au dos de chaque photographie, un nombre a été inscrit.

23-02 pour le cliché du bureau. *15-03* pour celui de la discothèque. *21-02* pour celui de la plage. *17-03* pour celui du salon. *03-01* derrière celui de chemin de Giverny.

— Putain, siffle Bénavides. Qu'est-ce que ça veut dire ?

— Aucune idée…

— On dirait des dates. Ce sont peut-être les jours où les photos ont été prises ?

— Mouais… Elles l'auraient toutes été entre le mois de janvier et le mois de mars ? Il aurait une sacrée santé, tu ne trouves pas, le roi de la cataracte ? Et je mettrais ma main à couper que la photo de plage d'Irlande n'a pas été prise l'hiver…

— Alors ?

— Eh bien, on va chercher, Sylvio ! On n'a pas le choix. On va fouiner. Tu veux que je te propose un jeu ?

Bénavides affiche un sourire méfiant.

— Pas vraiment, non…

— Ben, on va dire que t'as pas le choix…

Sérénac se penche, rassemble les cinq photos, les mélange, puis les écarte en éventail, tel un jeu de cartes. Il les tend à Sylvio.

— Chacun son tour, Sylvio. On tire une fille chacun. Et ensuite, on joue tous les deux au flic pour retrouver son petit nom, son CV et son alibi le jour du meurtre de Morval. Rendez-vous dans deux jours et on verra bien celui qui chauffe le plus…

— Vous êtes bizarre, des fois, patron…

— Mais non, Sylvio. C'est juste ma façon de présenter les choses. Pour le reste, qu'est-ce que tu veux faire d'autre que de chercher à retrouver l'identité de ces filles ? Et on ne va tout de même pas laisser Maury et Louvel aller à notre place à la chasse à ces cinq créatures de rêve, hein ?

Sérénac éclate de rire.

— Bon, je commence si tu ne te décides pas.

Laurenç Sérénac tire la photographie de Jérôme Morval à genoux sur la fille dans le bureau.

— La secrétaire particulière qui joue au docteur avec son patron, commente-t-il. On verra bien. À ton tour…

Sylvio soupire, puis attrape une carte tendue.

— Triche pas, hein, regarde pas les numéros !

Sylvio retourne la photographie. Celle de la boîte de nuit.

— Veinard ! s'écrie Sérénac. La fille à paillettes !

Sylvio rougit. Laurenç Sérénac tire à son tour. Il tombe sur la photographie de la fille à genoux.

— La surprise du chef. La fille de dos. À toi…

Sérénac présente les deux dernières cartes à Bénavides. Il tire. Le hasard désigne la photographie de plage.

— L'inconnue de la mer d'Irlande, commente Sérénac. Tu t'en sors bien, mon cochon.

Sylvio Bénavides tapote les photographies sur le bureau, puis jauge son supérieur hiérarchique avec un sourire ironique.

— Vous foutez pas de moi, patron. Je ne sais pas comment vous vous êtes débrouillé, mais j'étais sûr depuis le début que vous garderiez pour vous la photo de Stéphanie Dupain.

Sérénac lui rend son sourire.

— On ne te la fait pas, hein ? Je ne vais pas te dévoiler mon truc, mais tu as raison, privilège du chef, je garde la belle institutrice. Et ne te prends pas trop la tête sur les fameux codes au dos, Sylvio, 15-03, 21-02… Je suis certain que quand nous aurons mis des noms sur les quatre autres filles les nombres parleront d'eux-mêmes…

Il range les photographies dans le tiroir de son bureau.

— Pour le reste, on s'y met ?

— OK, on y va. Attendez, patron. Avant qu'on s'y mette, j'ai rapporté un petit cadeau. Comme quoi, même si vous passez votre temps à me faire marcher, je ne suis pas rancunier.

Bénavides se lève avant que Sérénac ait pu se

défendre. Il quitte le bureau et revient, quelques minutes plus tard, un sac de papier blanc dans la main.

— Tenez, ils sortent du four, pour ainsi dire…

Sylvio Bénavides pousse le sac sur la table et le renverse. Une vingtaine de brownies s'éparpillent.

— Je les ai cuits pour ma femme, précise Sylvio, d'habitude elle les adore, mais depuis quinze jours elle ne peut plus rien avaler… Même accompagnés de ma crème anglaise maison.

Sérénac se laisse tomber dans le fauteuil à roulettes.

— T'es une mère pour moi, Sylvio. Je vais te l'avouer, j'ai demandé ma mutation dans ce pays pourri du Nord uniquement pour t'avoir comme adjoint !

— N'en faites pas trop quand même…

— J'en fais pas assez, tu veux dire !

Il lève les yeux vers son adjoint.

— Et c'est pour quand, le bébé ?

— Ces jours-ci… L'accouchement est prévu très exactement pour dans cinq jours… Mais après, vous savez…

Sérénac croque un premier gâteau.

— Putain ! Ils sont divins. Elle a bien tort, ta femme !

Sylvio Bénavides se penche vers le dossier posé contre sa chaise. Lorsqu'il se redresse, son supérieur est à nouveau debout.

— Et avec un café, ajoute Sérénac, je te raconte pas. Je descends vite fait en prendre un. Je t'en rapporte un ?

Le listing que Sylvio tient entre les mains se déroule jusqu'au sol.

— Heu, non merci.

— C'est vrai, rien ?

— Allez. Si. Un thé. Sans sucre.

De longues minutes plus tard, l'inspecteur Sérénac est de retour avec deux gobelets. Les miettes de brownies sur la table ont été nettoyées. Sérénac soupire, comme pour faire comprendre à son adjoint qu'il a le droit de prendre une pause. Il est à peine assis que Bénavides commence sa synthèse :

— Donc, patron, je vous la fais courte. Le rapport d'autopsie confirme que Morval a d'abord été poignardé. Il est mort dans la minute qui a suivi. Ensuite seulement, quelqu'un a broyé le crâne avec une pierre, puis noyé la tête dans le ruisseau. Le crime s'est déroulé dans cet ordre-là, les légistes sont formels.

Sérénac trempe un gâteau dans son café puis commente, avec un sourire :

— Vu le palmarès de l'ophtalmo, si ça se trouve, trois jaloux s'y sont mis ensemble. Association de cocus. Ça expliquerait le rituel, comme dans *Le Crime de l'Orient-Express*.

Bénavides le dévisage avec consternation.

— Je plaisante, Sylvio. Je plaisante…

Trempette dans le café.

— Allez, je vais être sérieux deux secondes. Je vais t'avouer, il y a quelque chose d'étrange dans cette affaire. Une connexion entre tous les éléments qui n'arrive pas à se faire.

Une lueur passe dans le regard de Sylvio.

— Entièrement d'accord avec vous, patron…

Là, il hésite. Puis :

— D'ailleurs, j'ai quelque chose à vous montrer… Quelque chose qui va vous surprendre.

– 15 –

Fanette a couru, comme tous les jours à la sortie de l'école. Elle a lâché les autres enfants de la classe puis joué à cache-cache dans les ruelles de Giverny pour ne pas croiser à nouveau Vincent, Camille ou Mary. C'est trop facile ! Elle connaît toutes les ruelles par cœur. Une nouvelle fois, Paul voulait l'accompagner, rien que lui, pas les autres, il lui a dit qu'il ne voulait pas la laisser seule à cause de ce criminel qui pourrait se promener dans les rues, mais elle a tenu bon, elle n'a rien dit.

C'est mon secret !

Ça y est, elle est presque arrivée. Elle passe le pont, le lavoir, ce vieux moulin biscornu avec cette tour qui lui fait peur.

Je te jure Paul, demain, je te dis qui c'est, mon rendez-vous secret, tous les jours depuis une semaine. Je te le dis demain.

Ou après-demain.

Fanette continue, s'avance dans le chemin en direction de la prairie.

James est là.

Il se tient debout un peu plus loin, dans le champ de blé dont les épis lui arrivent au-dessus des genoux, juste au milieu de quatre chevalets de peinture. Fanette s'avance à pas de velours.

— C'est moi !

Un grand sourire déforme la barbe blanche de James. Il serre Fanette dans ses bras. Un court instant.

— Allez vite, la chipie. Au travail ! Il ne reste pas

beaucoup d'heures de lumière. Elle se termine beaucoup trop tard, ton école.

Fanette s'installe à l'un des chevalets, celui que James lui prête, le plus petit, bien adapté à sa taille. Elle se penche vers la grande boîte de peinture en bois verni et se sert en tubes et en pinceaux.

Fanette ne sait pas grand-chose du vieux peintre qu'elle a rencontré il y a une semaine, sauf qu'il est américain, qu'il s'appelle James, qu'il peint ici presque tous les jours ; il lui a dit qu'elle était la fille la plus douée en peinture qu'il ait jamais vue, et il en a connu plein, dans le monde entier, il a été professeur de peinture aux États-Unis, aussi, qu'il raconte. Il n'arrête pas de lui dire qu'elle parle tout le temps, et que même si elle est très douée, elle doit se concentrer davantage. Comme Monet. Elle doit savoir observer et imaginer. C'est sa rengaine, ça, à James. Observer et imaginer. Et peindre vite aussi, c'est pour cela qu'il transporte quatre chevalets, pour pouvoir peindre aussitôt que la lumière se pose sur un coin de paysage, aussitôt que les ombres bougent, que les couleurs changent. Il lui a dit que Monet se promenait avec six chevalets dans les champs. Il payait des enfants de son âge pour tout porter, tôt le matin et tard le soir.

Ça, c'est n'importe quoi ! C'est une combine de James pour qu'elle aussi, elle porte ses affaires. Elle l'a bien deviné, mais elle fait semblant de le croire. James, il est gentil, mais il a un peu trop tendance à se prendre pour le vieux Monet.

Et à me prendre pour une idiote !

— Rêvasse pas, Fanette. Peins !

La fillette essaie de reproduire le lavoir normand,

le pont sur le ruisseau, le moulin à côté. Elle peint déjà depuis de longues minutes…

— Tu sais qui c'est, toi, Theodore Robinson ? La maîtresse nous en a parlé…

— Pourquoi ?

— Elle a inscrit la classe à un concours. Un concours mondial, monsieur James. Oui oui, MONDIAL… Le prix Robinson ! Si je gagne, je pars au Japon, ou en Russie, ou en Australie… Je vais voir… J'ai pas encore décidé…

— Rien que ça ?

— Et je te parle même pas des dollars…

James pose doucement sa palette sur sa boîte de peinture. Sa barbe, à un moment ou un autre, elle va tremper dans la peinture. Comme tous les jours.

Verte, aujourd'hui.

Je suis un peu vache, je lui dis jamais, quand il a les poils de la barbe pleins de peinture. Ça me fait trop rire.

James s'approche.

— Tu sais, Fanette, si tu travailles vraiment. Si tu y crois. Tu as une vraie chance de le gagner, ce concours…

Là, il me fait un peu peur.

James doit s'apercevoir que Fanette louche sur sa barbe. Il passe son doigt, il étale un peu plus la peinture verte.

— Me fais pas marcher…

— Je ne te fais pas marcher, Fanette. Je te l'ai déjà dit. Tu as un don. Tu n'y peux rien, c'est comme cela, tu es née avec. Et tu le sais bien, d'ailleurs… Tu es douée pour la peinture. Plus que cela, même. Un petit génie dans ton genre. Mais tout cela ne sert à rien si…

— Si je ne travaille pas, c'est ça ?

— Oui, il faut travailler. C'est indispensable, bien entendu. Sinon, le talent... Pschitt... Mais ce n'est pas cela que je voulais te dire...

James se déplace lentement. Il cherche à enjamber les épis de blé pour ne pas les écraser. Il change de place un chevalet, comme si brusquement, le soleil là-haut avait piqué un sprint.

— Ce que je voulais te dire, Fanette. C'est que le génie ne sert à rien si l'on n'est pas capable de... comment t'expliquer ça ? Capable d'égoïsme...

— Quoi ?

James, parfois, il raconte n'importe quoi.

— D'égoïsme ! Ma petite Fanette, le génie emmerde tous ceux qui n'en ont pas, c'est-à-dire presque tout le monde. Le génie t'éloigne de ceux que tu aimes, et rend jaloux les autres. Tu comprends ?

Il se frotte la barbe. Il s'en fout partout. Il ne s'en rend même pas compte. Il est vieux, James. Vieux vieux vieux.

— Non, je comprends rien !

— Je vais t'expliquer autrement. Tiens, si je prends mon exemple, c'était mon rêve absolu, venir peindre à Giverny, découvrir en vrai les paysages de Monet. Tu ne peux pas imaginer, dans mon village du Connecticut, les heures que j'ai passées devant les reproductions de ses toiles, combien de fois j'en ai rêvé. Les peupliers, l'Epte, les nymphéas, l'île aux Orties... Tu crois que cela valait le coup, de laisser là-bas ma femme, mes enfants, mes petits-enfants, à soixante-cinq ans ? Qu'est-ce qui était le plus important ? Mon rêve de peinture ou passer Halloween et Thanksgiving avec ma famille...

— Ben…

— Tu hésites, hein. Eh bien, moi, je n'ai pas hésité ! Et crois-moi, Fanette, je ne regrette rien. Pourtant, je vis ici comme un clochard, ou presque. Et je n'ai pas le quart de ton talent… Tu vois ce que je veux dire, alors, quand je dis « égoïste » ? Qu'est-ce que tu crois, les premiers peintres américains qui ont débarqué à l'hôtel Baudy, du temps de Monet, tu penses qu'ils n'ont pas pris des risques, eux aussi ? Qu'ils n'ont pas dû tout quitter ?

J'aime pas quand James se met à parler comme ça. Ça me fait comme s'il pensait exactement l'inverse de ce qu'il dit. Comme si, en vrai, il regrettait, il s'ennuyait à mort, comme s'il pensait tout le temps à sa famille en Amérique.

Fanette attrape un pinceau.

— Bien, monsieur James, je m'y remets, moi. Désolée de la jouer égoïste, mais j'ai un concours Robinson à gagner.

James éclate de rire.

— Tu as raison, Fanette. Je ne suis qu'un vieux fou grognon.

— Et gaga. Tu ne m'as même pas dit qui était Robinson !

James s'avance, observe le travail de Fanette. Plisse les yeux.

— Theodore Robinson est un peintre américain. L'impressionniste le plus connu, chez moi, aux États-Unis. Il est le seul artiste américain à être devenu l'ami intime de Monet. Claude Monet fuyait les autres comme la peste. Robinson est resté huit ans à Giverny… Il a même peint le mariage de la belle-fille préférée de Claude Monet, Suzanne, avec le jeune peintre américain Theodore Butler. Et... c'est très étrange, Fanette, un autre de ses tableaux les plus célèbres représente très exactement la scène que tu es en train de peindre...

Fanette manque de lâcher son pinceau.

— Quoi !

— La même scène. Comme je te le dis ! Il s'agit d'un vieux tableau de 1891, un tableau célèbre qui représente le ru de l'Epte, le pont au-dessus, le moulin des Chennevières. En arrière-plan, on voit une femme en robe, les cheveux noués dans un foulard... et au milieu du ruisseau est peint un homme qui fait boire son cheval. C'est le titre du tableau, d'ailleurs. *Père Trognon and his daughter at the bridge*. Il s'appelait comme cela, le cavalier, c'était un habitant de Giverny... le père Trognon.

Ce coup-là, Fanette se retient pour ne pas rire.

Des fois, James, il me prend vraiment pour une gourde.

Le père Trognon. N'importe quoi !

James observe toujours la toile de la fillette. La barbe du vieux peintre lui descend presque sous les yeux. Son gros doigt passe à quelques millimètres de la peinture encore humide.

— C'est bien, Fanette. J'aime beaucoup les ombres autour de ton moulin. C'est très bien. C'est un signe du destin, Fanette. Tu peins la même scène que Theodore Robinson, beaucoup mieux que lui, je dois dire. Fais-moi confiance, tu vas le gagner, ce concours ! Une vie, tu sais, Fanette, c'est juste deux ou trois occasions à ne pas laisser passer. Ça se joue à ça, ma jolie, une vie ! Rien de plus.

James repart déplacer ses chevalets. À croire qu'il passe plus de temps à bouger ses toiles qu'à peindre dessus. À croire que le soleil est plus rapide que lui.

Il n'a pas de mal.

Il s'est écoulé presque une heure lorsque Neptune vient les rejoindre. Le berger allemand renifle avec méfiance la boîte de peinture, puis se couche aux pieds de Fanette.

— Il est à toi, ce chien ? demande James.

— Non, pas vraiment... Je crois qu'il est un peu à tout le monde dans le village, mais je l'ai adopté. C'est moi qu'il préfère !

James sourit. Il s'est assis sur un tabouret devant un des chevalets, mais à chaque fois que Fanette l'observe, c'est pour le voir piquer du nez devant sa toile. Sa barbe ne va pas tarder à finir arc-en-ciel. Elle attend le bon moment pour rire...

Non. Non, je dois me concentrer.

Fanette continue son étude du moulin de Chennevières. Elle tord les formes de la petite tour en colombage, renforce les contrastes, l'ocre, la tuile, la pierre. Le moulin, James l'appelle « le moulin de la sorcière ». À cause de la vieille qui y habite.

Une sorcière...

Des fois, James me prend vraiment pour une gamine.

Sauf que Fanette a un peu peur quand même. James lui a expliqué pourquoi il n'aime pas trop cette maison. Il dit qu'à cause de ce moulin les « Nymphéas » de Monet ont failli ne jamais exister. Le moulin et le jardin de Monet sont construits sur le même ruisseau. Monet voulait faire un barrage, poser des vannes, détourner l'eau pour créer son étang ! Personne n'était d'accord, dans le village, à cause des maladies, des marécages, tout ça. Surtout pas les voisins. Surtout pas les habitants du moulin. Ça a fait des tas d'histoires, Monet s'est fâché après tout le monde, a donné plein d'argent aussi, a écrit au préfet, à un type qu'elle ne connaît pas aussi, un copain à Monet, Clemenceau, qu'il s'appelle. Et il a fini par l'avoir, Monet, son étang aux nénuphars.

Ça aurait été dommage !

Mais c'est quand même idiot de la part de James de ne pas aimer ce moulin pour ça. Cette bagarre de barrage entre Monet et ses voisins, c'était il y a super longtemps.

Il est idiot des fois, James.

Elle frissonne.

Sauf si le moulin est réellement habité par une sorcière !

Fanette travaille encore de longues minutes. La lumière tombe. Ça rend plus sinistre encore le moulin. Elle adore. James, lui, dort depuis longtemps.

Soudain, Neptune se lève en sursaut. Le chien grogne méchamment. Fanette se retourne en un bond vers le petit bosquet de peupliers, juste derrière elle, et surprend la silhouette d'un garçon de son âge.

Vincent ! Le regard vide.

— Qu'est-ce que tu fiches là ?

James se réveille, lui aussi en sursaut. Fanette continue de crier :

— Vincent ! Je déteste quand t'arrives comme un espion dans mon dos. T'es là depuis combien de temps ?

Vincent ne dit rien. Il scrute le tableau de Fanette, le moulin, le pont. Il semble hypnotisé.

— J'ai déjà un chien, Vincent. J'ai déjà Neptune. Ça me suffit. Et arrête de me regarder comme ça, tu me fais peur…

James tousse dans sa barbe.

— Heu… hum. Bon, les enfants, ça tombe bien que vous soyez deux. Vu la luminosité, je crois qu'il est temps de replier le matériel. Vous allez m'aider ! Monet disait que la sagesse, c'est de se lever et se coucher avec le soleil.

Fanette n'a pas quitté Vincent des yeux.

Il me fait peur, Vincent, quand il surgit comme ça de nulle part. Dans mon dos. Comme s'il m'espionnait. Des fois, j'ai l'impression qu'il est fou.

– 16 –

La tasse de l'inspecteur Laurenç Sérénac s'est figée dans sa main. Son adjoint adopte l'attitude d'un élève qui a rédigé un devoir supplémentaire chez lui et que l'envie et la peur de le montrer à son professeur paralysent. La main droite de Bénavides se perd dans un épais dossier. Elle finit par en sortir une feuille A4.

— Tenez, patron, histoire d'y voir plus clair, j'ai commencé à faire ça…

Sérénac prend un nouveau biscuit au chocolat, pose sa tasse de café et se penche, étonné. Sylvio continue :

— C'est juste une façon d'organiser mes idées. C'est un peu une manie, chez moi, ce genre de trucs, rédiger des notes, faire des synthèses, dessiner des croquis. Là, vous voyez, j'ai divisé la feuille en trois colonnes. Ce sont les trois pistes possibles, selon moi : la première, c'est le crime passionnel, qui serait donc lié à l'une des maîtresses de Morval. On peut bien entendu soupçonner sa femme, ou bien un mari jaloux, ou bien encore une maîtresse éconduite… On ne manque pas de pistes de ce côté-là.

Sérénac lui adresse un clin d'œil.

— Merci au corbeau… Vas-y, continue, Sylvio…

— La deuxième colonne, c'est celle de la peinture, sa collection de tableaux, les toiles qu'il recherchait, les Monet, les « Nymphéas ». Pourquoi pas une histoire de recel ? Une vente au noir ? En tout cas, une question d'art et de fric…

Sérénac croque un autre brownie puis vide sa tasse de café. Par réflexe, Bénavides recueille les miettes sur la table en un petit tas. Il lève les yeux et observe aux murs du bureau la dizaine de tableaux que son patron a tenu à y accrocher dès son arrivée. Toulouse-Lautrec. Pissarro. Gauguin. Renoir…

— Coup de chance si je peux dire, ajoute Sylvio. La peinture, c'est plutôt votre domaine, inspecteur.

— Pure coïncidence, Sylvio… Si je m'étais douté, lors de ma mutation à Vernon, que mon premier cadavre tremperait dans le ruisseau de Giverny… Je m'intéressais déjà pas mal à l'art avant l'école de police, c'est pour cela que j'ai passé la plupart de mes stages à la police de l'art, à Paris.

Bénavides semble découvrir qu'il existe un tel service.

— T'es pas très branché art, Sylvio ?

— Culinaire, seulement…

Laurenç rit.

— Bien vu ! Et j'en témoigne la bouche pleine… J'ai mis mes anciens collègues de la police de l'art sur le coup. Pour voir… Vols… recels… collections louches… marchés parallèles… C'est un business dont on n'a pas idée… J'ai eu pas mal l'occasion de baigner dedans, à l'époque. Tu n'imagines pas, il y a des millions et des millions en jeu. J'attends de leurs nouvelles. Bon, et ta troisième colonne ?

Sylvio Bénavides penche ses yeux sur sa feuille.

— Pour moi, la troisième piste, et ne vous foutez pas de moi, patron, ce seraient les enfants. Onze ans de préférence. On ne manque pas d'indices non plus : cette carte postale d'anniversaire et cette citation d'Aragon. Morval pourrait aussi avoir connu une maîtresse il y a une douzaine d'années, à qui il aurait laissé un gosse sans en parler à sa femme… D'ailleurs, autre détail troublant, d'après les expertises, le papier de la carte postale d'anniversaire retrouvée dans la poche de Morval est assez ancien. Il date d'au moins une quinzaine d'années, peut-être plus. Le texte dactylographié, *BON ANNIVERSAIRE. ONZE ANS*, serait de la même époque, mais l'ajout, le texte d'Aragon, serait lui plus récent… Bizarre, non ?

L'inspecteur Sérénac siffle d'admiration.

— Je maintiens ce que j'ai dit, Sylvio. Tu es l'adjoint idéal.

Il se lève brusquement en riant.

— Juste un poil tatasse, tatillon, quoi, mais on va dire qu'avec moi, ça fait une moyenne.

Il se dirige vers la porte.

— Allez, Sylvio, on se bouge. Tu me suis au labo ?

Bénavides lui emboîte le pas sans discuter. Ils marchent dans les couloirs, descendent un escalier mal éclairé. Sérénac, tout en continuant d'avancer, se retourne vers son adjoint.

— Dans les choses à faire, en priorité, tu vas m'écrire sur ta feuille « chercher des témoins ». C'est tout de même pas croyable que dans un village où tout le monde peint du soir au matin personne n'ait vu quoi que ce soit le jour de l'assassinat de Morval et que les seuls témoins spontanés que l'on ait soient un paparazzi anonyme, qui nous envoie des photos cochonnes, et un chien en recherche de caresses. Tu t'es renseigné sur la maison d'à côté du lavoir ? Ce moulin biscornu ?

Sérénac sort de sa poche une clé pour ouvrir une porte coupe-feu rouge sur laquelle est précisée la triple mention « *LABO-ARCHIVES-DOCUMENTATION* ».

— Pas encore, répond Bénavides. Il faut que j'y passe aussitôt que j'ai une seconde.

L'inspecteur ouvre la porte rouge.

— En attendant, j'ai pensé à une autre mission pour occuper tout mon commissariat. Je vais même mobiliser une équipe de plusieurs hommes pour cela… La surprise du chef !

Il s'avance dans la pièce sombre. Un carton est posé sur la première table. Sérénac l'ouvre et en sort l'empreinte en plâtre d'une semelle.

— Du 43, énonce-t-il fièrement. La semelle d'une botte. Il ne peut pas y en avoir deux semblables au monde ! Selon Maury, sa sculpture est plus précise qu'une empreinte digitale, moulée bien fraîche dans la boue des berges du ru de l'Epte quelques minutes après le meurtre de Morval. Je ne te fais pas un dessin, le propriétaire de cette botte est au minimum un témoin direct du crime… et prendra même une belle option pour le titre d'assassin !

Sylvio écarquille les yeux.

— Et on fait quoi avec ça ?

Sérénac rit.

— Je lance officiellement l'opération « Cendrillon » !

— Je vous assure, patron, je fais des efforts, mais parfois j'ai du mal, avec votre humour…

— Ça viendra, Sylvio. On s'y habitue, t'en fais pas.

— Je ne m'en fais pas. Je m'en fiche même un peu, pour tout vous dire. Alors c'est quoi, votre opération « Cendrillon » ?

— Je vous propose une version rurale, tendance gadoue et marécage… La mission sera de récupérer toutes les bottes que les trois cents habitants de Giverny conservent chez eux.

— Rien que ça !

Sylvio se passe la main dans les cheveux.

— Allez, ça devrait monter à combien ? continue Sérénac. Cent cinquante bottes ? Deux cents au maximum…

— Putain. Inspecteur… c'est surréaliste, comme idée.

— Exactement ! Je crois même que c'est pour ça qu'elle me plaît bien.

— Mais enfin, patron, je ne comprends pas. Le tueur va les avoir jetées, ses bottes. En tout cas, à moins d'être le dernier des abrutis, il ne les confiera pas à un flic qui vient les lui réclamer…

— Justement, mon grand… Justement… On va procéder par élimination. Disons que les Givernois qui prétendront ne pas avoir de bottes chez eux, ou bien qui diront qu'ils les ont perdues, ou encore qui nous présenteront des bottes très neuves achetées comme par hasard hier, on les remontera bien haut sur la liste de nos suspects…

Bénavides regarde la semelle en plâtre. Un grand sourire élargit son visage.

— Si je peux me permettre, patron, vous avez quand même de sacrées idées à la con… Mais le pire, c'est que ça pourrait nous faire avancer ! En plus, l'enterrement de Morval devrait avoir lieu dans deux jours. Imaginez qu'il flotte à torrents… Tous les Givernois vont vous maudire !

— Parce que vous assistez aux enterrements en bottes, en Normandie ?

— Bah, s'il flotte, oui…

Bénavides éclate de rire.

— Sylvio, je vais te dire, moi aussi, je crois que j'ai du mal avec votre humour.

Son adjoint ne relève pas. Il tord sa feuille entre les mains.

— Cent cinquante bottes, marmonne-t-il. Je vais noter ça dans quelle colonne ?

Ils demeurent silencieux un court instant. Sérénac observe la pièce sombre, les épaisses étagères d'archives qui recouvrent trois murs sur quatre, le coin dans lequel est installé un minable laboratoire de fortune, le quatrième mur pour la documentation. Bénavides attrape une boîte à archives vide, rouge, et écrit « Morval » sur la tranche, tout en se disant qu'il classera les premières pièces du dossier un peu plus tard. Il se retourne soudain vers son supérieur.

— Au fait, inspecteur, vous avez récupéré à l'école la liste des enfants de onze ans ? Ça me ferait un élément de plus pour ma troisième colonne… C'est la plus mince, et pourtant…

Sérénac le coupe :

— Pas encore. Stéphanie Dupain doit me la

préparer… Que je sache, vu la nature des photographies qu'on a reçues, au hit-parade des maîtresses de Morval, elle n'est plus notre première suspecte…

— Sauf que je me suis renseigné sur le mari, tique Bénavides. Jacques Dupain. Celui-là, par contre, n'est pas loin d'avoir le profil idéal.

Sérénac fronce les sourcils.

— Dis-m'en plus là. C'est quoi, le profil idéal ?

Bénavides consulte ses notes.

— Ah… ça peut être utile parfois d'avoir un adjoint… tatasse…

La remarque semble beaucoup amuser Sérénac.

— Jacques Dupain, donc. La petite quarantaine. Agent immobilier à Vernon, plutôt médiocre d'ailleurs. Chasseur à ses heures avec plusieurs autres Givernois, et surtout jaloux maladif pour tout ce qui concerne sa femme. Qu'est-ce que vous en dites ?

— Que tu me le surveilles ! Et de près !

— C'est sérieux ?

— Ouais… Ce serait comme, disons, une sorte d'intuition. Non, plus que ça même, une sorte de pressentiment.

— Quel genre ?

Sérénac passe son doigt sur les cartons d'une étagère. *E*, *F*, *G*, *H*…

— Tu ne vas pas aimer, Sylvio…

— Raison de plus. Quel genre d'intuition, alors ?

Le doigt continue de courir. *I*, *J*, *K*, *L*…

— L'intuition qu'un autre drame pourrait bien couver…

— Faut m'en dire plus, là, patron. En règle générale, je suis pas fan des intuitions de flics, je suis plutôt adepte de la collectionnite jusqu'à l'excès de pièces à conviction. Mais là, vous m'intriguez.

M, *N*, *O*, *P*. Sérénac lâche tout d'un coup :

— Stéphanie Dupain… C'est elle qui est en danger.

Sylvio Bénavides fronce les sourcils. C'est comme si la pièce était devenue plus sombre encore.

— Qu'est-ce qui vous fait penser ça ?

— Je t'ai dit, l'intuition…

Q, *R*, *S*, *T*. Laurenç Sérénac piétine nerveusement dans la pièce, il sort les trois photographies adultérines de sa poche et jette celle de Stéphanie Dupain sur la table, juste à côté de la semelle en plâtre. Il continue, sous le masque inquisiteur de Bénavides :

— Je ne sais pas, moi. Un regard un peu trop appuyé. Une main trop serrée. J'ai ressenti un appel au secours. Voilà, c'est dit !

Bénavides s'avance. Il est plus petit que Sérénac.

— Une main trop serrée… Un appel au secours… Sauf votre respect, patron, et puisque vous aimez qu'on vous parle franchement, je pense que vous êtes en train de tout confondre et que vous déconnez complètement.

Sylvio saisit la photo sur la table, observe longuement la silhouette gracieuse de Stéphanie Dupain main dans la main avec Morval.

— À la limite, patron, je peux vous comprendre. Mais ne me demandez pas d'être d'accord.

– CINQUIÈME JOUR –

17 mai 2010

(Cimetière de Giverny)

Enterrement

– 17 –

Il pleut, comme toujours lors des enterrements à Giverny.

Une pluie fine et froide.

Je suis seule devant la tombe. La terre fraîchement retournée tout autour donne au décor des allures de chantier abandonné. L'eau glisse en minuscules coulées de boue, souillant la plaque de marbre. « À mon mari. 1926-2010 ».

Près du mur de béton gris, je suis un peu protégée. Tout en haut. Le cimetière de Giverny est construit à flanc de coteau derrière l'église, en terrasses. Il a été étendu progressivement, étage par étage. Les morts grignotent la colline, petit à petit. Les célébrités, les riches, les glorieux, on les enterre encore en bas, près de l'église, près du village, près de Monet.

Aux bonnes places !

Pas de mélange, on les laisse ensemble, entre eux,

les mécènes, les collectionneurs, les peintres plus ou moins célèbres qui payent une fortune pour reposer là, pour l'éternité !

Les cons !

Comme s'ils s'organisaient un petit vernissage entre spectres les soirs de pleine lune… Je me retourne. Tout en bas, à l'autre bout du cimetière, ils finissent d'enterrer Jérôme Morval. Une jolie tombe bien à sa place, au milieu des Van der Kemp, des Hoschedé-Monet et des Baudy. Tout le village est là, ou presque. Disons une bonne centaine de personnes, en noir, tête nue ou sous les parapluies.

Cent personnes, plus moi, toute seule ! À l'autre bout. Tout le monde se fout d'un vieux ou d'une vieille qui meurt. À tout prendre, pour être pleuré, mieux vaut crever jeune, en pleine gloire. Même si vous êtes le pire des salauds, pour être regretté, mieux vaut y passer le premier ! Pour mon mari, le curé a plié ça en moins d'une demi-heure. Un jeune, qui vient de Gasny. Je ne l'avais jamais vu avant. Morval, lui, a eu droit à l'évêque d'Évreux ! Une relation du côté de sa femme, paraît-il… Près de deux heures que ça dure.

Je vous vois venir, cela vous paraît peut-être étrange, deux enterrements dans le même cimetière, seulement séparés de quelques dizaines de mètres, sous la même pluie battante. La coïncidence vous apparaît peut-être dérangeante ? Exagérée ? Soyez alors certains d'une chose, d'une seule : il n'existe aucune coïncidence dans toute cette série d'événements. Rien n'est laissé au hasard dans cette affaire, bien au contraire. Chaque élément est à sa place, exactement au juste moment. Chaque pièce de cet engrenage criminel a été savamment disposée et croyez-moi, je peux vous le jurer sur la tombe de mon mari, rien ne pourra l'arrêter.

Je relève la tête. Je vous le confirme : vu d'en haut, le tableau vaut le coup d'œil.

Patricia Morval est agenouillée devant la tombe de son mari. Inconsolable. Stéphanie Dupain se tient un peu derrière elle, le visage grave, les yeux délavés elle aussi. Son mari la soutient, il a passé son bras derrière sa hanche, le visage fermé, ses gros sourcils, sa moustache, trempés. Autour d'eux, une foule d'anonymes, de proches, d'amis, de femmes. L'inspecteur Sérénac est venu aussi, il reste un peu en retrait, près de l'église, pas loin de la tombe de Monet. L'évêque termine son hommage.

Trois paniers en osier sont posés dans l'herbe. Tout le monde est censé prendre une fleur, la lancer sur le cercueil dans le trou : roses trémières, iris, œillets, lilas, tulipes, bleuets… J'en passe… Il n'y a que Patricia Morval pour avoir une idée aussi morbide. Impression soleil mourant…

Même Monet n'aurait pas osé…

Ils ont poussé la délicatesse jusqu'à sculpter un nénuphar gris sur une immense plaque de granit.

C'est d'un goût…

Au moins, c'est raté pour la lumière. La fameuse lumière de Giverny, une dernière fois avant le trou noir. On ne peut pas tout acheter. C'est peut-être un signe que Dieu existe, finalement.

La terre fraîche de la tombe, à mes pieds, commence à glisser en chenaux ocre le long du chemin creux entre les tombes… Bien entendu, en contrebas, pas un Givernois n'a de bottes ! C'est l'inspecteur Sérénac qui doit rigoler, dans son coin. On s'amuse comme on peut…

Je secoue l'écharpe noire qui couvre mes cheveux. Elle est trempée, elle aussi. Bonne à tordre ! Les enfants sont un peu plus loin. Certains se tiennent avec leurs parents, d'autres non. J'en reconnais quelques-uns. Fanette pleure. Vincent est derrière elle, il n'ose visiblement pas la consoler. Ils sont graves, comme l'est l'incongruité de la mort quand on a onze ans.

La pluie diminue un peu d'intensité.

À force d'observer cette scène, une histoire curieuse me revient, une de ces énigmes qu'on se posait jadis, lorsque j'étais enfant, lors des veillées. Un homme se rend à l'enterrement d'un membre de sa famille. Quelques jours plus tard, cet homme, sans raison apparente, tue un autre cousin. Tout l'intérêt de l'énigme consistait à trouver le mobile de cet assassinat, en posant des questions. Cela pouvait durer des heures… Non, l'homme ne connaissait pas ce cousin… Non, il ne cherchait pas à se venger ; non, il ne s'agit pas d'une histoire d'argent ; non, il ne s'agit pas non plus d'un secret de famille… Cela pouvait durer une nuit entière, à poser des questions dans le noir, sous les draps…

La pluie s'est arrêtée.

Les trois paniers de fleurs sont vides.

Les gouttes glissent doucement sur la plaque de marbre de la tombe de mon mari. En bas, la foule se disperse enfin. Jacques Dupain serre toujours la taille de sa femme. Ses longs cheveux coulent, inondant le galbe sombre de deux seins collés à sa robe noire.

Ils passent devant Laurenç Sérénac. Pas une seconde l'inspecteur n'a quitté Stéphanie Dupain des yeux.

C'est ce regard dévorant, je crois, qui m'a fait repenser à cette énigme de mon enfance. J'avais trouvé la solution au petit matin, de guerre lasse… L'homme, lors de l'enterrement, était tombé amoureux fou d'une inconnue. La femme avait disparu avant qu'il ne l'aborde. Il ne lui restait plus alors qu'une solution pour espérer la revoir : tuer une autre personne de la famille présente lors de cet enterrement et espérer que la belle inconnue revienne à la prochaine inhumation… La plupart de ceux qui, pendant des heures, avaient cherché la solution de cette énigme avaient crié au scandale, à l'imposture, au grand n'importe quoi. Pas moi. La logique implacable de cette histoire, de ce crime, m'avait fascinée. C'est étrange, comment la mémoire vous revient. Jamais je n'y avais repensé, depuis des années… Avant l'enterrement de mon mari.

Les dernières silhouettes s'éloignent.

Je peux bien l'avouer, maintenant, puisque je suis au courant.

C'est l'occasion, le décor idéal pour cela.

LA MORT VA FRAPPER À NOUVEAU À GIVERNY.

Parole de sorcière !

J'attends encore, je regarde la terre meuble autour de la tombe de mon mari. Je suis à peu près certaine que je ne reviendrai jamais ici. Vivante, du moins. Je n'ai plus rien à faire, il n'y a plus d'autre enterrement pour me tenir compagnie. Les minutes passent, les heures peut-être.

Je rentre enfin.

Neptune attend sagement devant le cimetière. Je marche dans la rue Claude-Monet, le jour s'éteint doucement. Les fleurs s'égouttent le long des murs, sous les réverbères. Un peintre doué pourrait sans doute tirer quelque chose de la pénombre de ce village qui sèche.

Les lumières commencent à s'allumer aux carreaux des chaumières. Je passe devant l'école. Dans la maison la plus proche, la lucarne ronde, à l'étage, sous les toits, est éclairée. C'est la fenêtre de la chambre de Stéphanie et Jacques Dupain. Que peuvent-ils bien faire, se dire, tout en égouttant leurs habits détrempés ?

Vous aussi, je m'en doute, vous voudriez pouvoir vous glisser sous la mansarde et les espionner. Mais cette fois-ci, je suis désolée, j'ai beau prendre très au sérieux mon rôle de souris noire, je ne sais pas encore grimper le long des gouttières.

Je ralentis simplement quelques secondes, et je continue.

– 18 –

Laurenç Sérénac marche avec précaution dans l'obscurité, en se fiant simplement au crissement de ses pas sur le gravier. Il n'a eu aucune difficulté à trouver la maison de son adjoint, il a suivi sagement les indications de Sylvio Bénavides : longer la vallée de l'Eure jusqu'à Cocherel, puis remonter sur la gauche après le pont en direction de l'église, le seul monument éclairé dans le hameau après 10 heures du soir. Sérénac a garé sa moto, une Tiger Triumph T100, entre deux pots de fleurs monumentaux, après avoir vérifié à la lueur des phares le nom de son adjoint sur la boîte aux lettres. C'est ensuite que l'affaire s'est compliquée : pas de sonnette, pas de lumière, juste une allée de gravier et l'ombre de la bâtisse, cinquante mètres devant. Alors, il avance au petit bonheur…

— Bordel !

Sérénac a hurlé dans la nuit. Son genou vient de heurter un mur de brique. Moins d'un mètre de hauteur, juste devant lui. Sa main découvre à tâtons des pierres froides, une grille de fer, de la poussière sombre. Au moment où il comprend qu'il s'est cogné à un barbecue, une lumière scintille au loin, puis, l'instant d'après, une immense véranda s'éclaire. Au moins, son cri aura ameuté le voisinage. La silhouette de Sylvio Bénavides apparaît devant la porte de verre dans la timide pénombre qui enveloppe le jardin.

— C'est tout droit, patron, suivez le gravier, faites juste attention aux barbecues.

— OK, OK, grommelle Sérénac, tout en pensant que le conseil vient un peu tard.

Il marche sur le gravier sombre en faisant à nouveau confiance à ses oreilles, ses pieds, et aux indications de son adjoint. Moins de trois mètres plus loin, sa jambe heurte de plein fouet un autre mur. L'inspecteur, plié en deux, plonge en avant alors que ses coudes heurtent avec violence une sorte de cube de fer. Sérénac hurle une nouvelle fois de douleur.

— Ça va, patron ? s'inquiète la voix confuse de Sylvio. Je vous avais bien dit de faire attention aux barbecues…

— Putain, grogne Sérénac en se redressant. Comment je pouvais savoir que c'était au pluriel ? T'en as combien, comme ça, des barbecues ? T'en fais collection ou quoi ?

— Dix-sept ! répond fièrement Sylvio. Vous avez deviné, je les collectionne. Avec mon père.

L'obscurité dissimule aux yeux de Sylvio la réaction stupéfaite de son patron. Lorsqu'il parvient à la véranda, il peste encore :

— Tu te fous de ma gueule, Sylvio ?

— Pourquoi ?

— Tu veux vraiment me faire croire que tu collectionnes les barbecues ?

— Je ne vois pas où est le problème. Vous verriez, de jour. On doit même être quelques milliers de fugicarnophiles dans le monde…

Laurenç Sérénac se baisse et masse son genou.

— Fugi-machin-truc, ça signifie « collectionneur de barbecues », je suppose ?

— Ouais ! Enfin, je ne suis pas certain que ce soit dans le dictionnaire. À mon niveau, je ne suis qu'un amateur, mais pour vous dire, il y a un type en Argentine qui possède près de trois cents barbecues, en provenance de cent quarante-trois pays dans le monde, dont le plus vieux remonte à 1200 avant Jésus-Christ.

Sérénac frotte maintenant ses coudes douloureux.

— Tu me fais marcher ou t'es sérieux ?

— Vous commencez à me connaître, patron, vous croyez que je suis du genre à inventer un truc comme ça ? Vous savez, les hommes, partout dans le monde, depuis l'âge du feu, mangent de la viande cuite. Vous pouvez pas imaginer, c'est passionnant de s'intéresser à ça. Y a pas de pratique plus universelle et ancestrale que celle du barbecue…

— Et du coup, t'en as dix-sept dans ton jardin… Normal… T'as raison, au fond, c'est beaucoup plus classe comme déco que des nains de jardin…

— Classe, original, culturel, décoratif… et en plus, le fin du fin, c'est commode pour inviter les voisins…

Sérénac passe sa main dans ses cheveux et les ébouriffe.

— J'ai été muté dans un pays de fous…

Sylvio sourit.

— Même pas… Une autre fois, je vous parlerai des traditions occitanes et de la différence entre les barbecues cathares et cévenols…

Il monte les trois marches devant la véranda.

— Allez, entrez, patron… Vous avez trouvé facilement ?

— À l'exception des vingt derniers mètres, oui ! Dis donc, si j'excepte tes barbecues, c'est plutôt chic dans le coin. Les moulins, les chaumières…

— Oui, j'aime bien, surtout la vue qu'on a d'ici, devant la véranda.

L'inspecteur Sérénac monte à son tour les trois marches.

— Enfin, là, explique Sylvio, la nuit est tombée, on ne voit pas grand-chose. Mais de jour, c'est superbe. En plus, patron, Cocherel, c'est un coin assez bizarre.

— Plus bizarre qu'un club de fugicophiles ? Il faut me raconter ça !

— Fugicarnophiles. Mais ça n'a rien à voir. En fait, il y a eu des tas de morts ici. Une grande bataille pendant la guerre de Cent Ans s'est tenue sur les coteaux en face, des milliers de cadavres, et ça a recommencé ensuite, pendant la Seconde Guerre mondiale. Et le plus bizarre dans tout ça, savez-vous qui est enterré dans le cimetière de l'église, juste derrière ?

— Jeanne d'Arc ?

Bénavides sourit.

— Aristide Briand.

— Ah ouais ?

— À tous les coups, vous ne savez pas qui c'est ?

— Un chanteur…

— Non, celui-là, c'est Aristide Bruant. On confond toujours. Aristide Briand, c'est un homme politique. Un pacifiste. Le seul prix Nobel de la paix français.

— T'es adorable, Sylvio, de t'occuper ainsi de mon éducation normande…

Il observe les colombages de la chaumière éclairée.

— Pour revenir à ce que je te disais, pour un simple inspecteur de police et son misérable salaire, elle est plutôt grand standing, ta maison de fonction.

Sylvio se rengorge, touché par le compliment. Il lève les yeux vers le toit de la véranda et sa charpente de poutres naturelles. Des fils de fer ont été tendus pour qu'avec le temps la vigne plantée dans le mètre non carrelé du sol de la véranda s'enroule autour.

— Vous savez, patron, je n'ai acheté qu'une ruine, il y a plus de cinq ans maintenant. Et depuis, je bricole…

— Ah ouais ? T'as fait quoi ?

— Tout…

— Non ?

— Si… c'est dans les gènes, patron, vous savez, chez les Portugais, même chez les flics. Vous comprenez, le rapport nord-sud…

Sérénac éclate de rire. Il ôte son blouson de cuir.

— Vous êtes trempé, patron.

— Ouais, putain d'enterrement normand.

— Entrez, hésitez pas, venez vous sécher.

Les deux hommes pénètrent sous la véranda. Laurenç Sérénac pose son blouson au dos d'une chaise en plastique qui manque de basculer en arrière sous le poids du vêtement. Il s'assoit sur celle d'à côté. Bénavides s'excuse presque :

— Faut reconnaître qu'un salon en plastique, c'est pas très confortable. Je l'ai récupéré chez un cousin, ça me dépanne bien, les antiquaires de la vallée de l'Eure, on verra plus tard, hein, quand je serai passé commissaire…

Il sourit et s'assoit également.

— Alors, cet enterrement ?

— Rien de particulier. La pluie… La foule. Tout Giverny était là, toutes les générations, des plus vieux aux plus jeunes. J'ai demandé à Maury de prendre des photos, on verra ce qu'on peut en tirer. Tu aurais dû venir, Sylvio, il y avait un nénuphar en granit, des fleurs dans des paniers, et même l'évêque d'Évreux. Et je te rassure, aucun Givernois en bottes. Tu vois, la très grande classe !

— En parlant de bottes, patron, j'ai vu au commissariat que Louvel coordonnait tout. On devrait pouvoir se faire une première idée demain.

— Ouais… Espérons que cela nous réduise la liste des suspects, dit Sérénac en se frottant les mains comme pour se réchauffer. Au moins, l'avantage de cet enterrement interminable, c'est que ça me donne l'occasion de faire des heures sup au domicile de mon adjoint préféré…

— Et ça tombe bien, vous n'en avez qu'un ! Je

suis désolé, patron, de vous avoir demandé de venir ici, mais j'aime pas trop laisser Béatrice seule le soir.

— Je comprends, t'en fais pas. Pour terminer avec ce putain d'enterrement, Patricia, la veuve, était en larmes du début à la fin. Pour tout te dire, si elle joue la comédie, je la propose aux Césars pour les meilleurs espoirs féminins. Par contre, *a priori*, il n'y avait aucune maîtresse de Morval pour pleurer sur sa tombe…

— À part la maîtresse d'école, Stéphanie Dupain.

— Tu fais de l'humour ?

— Involontaire, je vous rassure…

Il baisse les yeux et esquisse un sourire discret.

— J'ai bien compris que le sujet était sensible.

— Nom de Dieu, mais c'est qu'il se lâche, mon adjoint préféré, quand il joue à domicile ! Pour te répondre, Sylvio, oui, Stéphanie Dupain assistait à l'enterrement… Et je peux bien te le dire, plus belle que jamais, ruisselante à en rendre la pluie presque agréable, mais elle n'a pas quitté les bras de son jaloux de mari.

— Faites gaffe quand même, patron.

— Merci du conseil, je suis grand, tu sais.

— Je suis sincère.

— Moi aussi.

Laurenç Sérénac, un peu gêné, tourne les yeux et inspecte la véranda : les joints des murs en brique saumon sont impeccables, les poutres entièrement décapées, les margelles de grès polies et blanchies.

— T'as vraiment tout fait toi-même, ici ?

— Je passe tous mes week-ends et mes vacances à bricoler, avec mon père. On fait ça à deux, peinards. C'est le pied.

— Putain. Tu me sidères, Sylvio. Moi, je supporte uniquement votre climat de merde parce qu'il met huit cents bornes entre ma famille et moi…

Ils rient. Sylvio roule des yeux inquiets, sans doute à cause du bruit qu'ils font.

— Bon, on s'y met ?

Laurenç étale trois photographies des maîtresses de Jérôme Morval sur la table de plastique. Sylvio en fait de même avec les deux siennes et laisse traîner un regard consterné.

— Personnellement, je ne comprends pas qu'on puisse tromper sa femme. C'est un truc qui me dépasse.

— Tu la connais depuis combien de temps, ta Béatrice ?

— Sept ans.

— Et tu l'as jamais trompée ?

— Non.

— Elle dort au-dessus, c'est ça ?

— Oui, mais ça ne change rien…

— Pourquoi tu ne l'as jamais trompée ? Ta femme est la plus belle du monde, c'est ça ? Donc t'as aucune raison d'en désirer une autre ?

Les mains de Sylvio jouent avec les photographies. Il regrette déjà d'avoir amené son supérieur sur ce terrain.

— Arrêtez, patron, je vous ai pas fait venir ici pour…

— Elle est comment, ta Béatrice ? coupe Sérénac. Elle n'est pas jolie, c'est ce que tu veux me dire ?

Sylvio pose soudain ses deux mains bien à plat sur la table.

— Mais belle ou pas belle, c'est pas la question ! C'est pas comme ça que ça marche. C'est débile de vouloir que sa femme soit la plus belle du monde ! Ça veut dire quoi, ça, c'est pas une compétition ! Une femme, il y en aura toujours quelque part une plus belle que celle avec qui vous vivez. Et puis même si vous décrochez miss Monde, miss Monde, au bout du compte, elle vieillira. Faudrait foutre dans son lit chaque année la nouvelle miss Monde, c'est ça ?

En réponse à la tirade de son adjoint, Laurenç affiche une sorte de sourire que Sylvio trouve étrange, surtout qu'il a l'air d'observer quelque chose par-dessus son épaule, en direction de la porte du couloir.

— Alors comme ça, je ne suis pas la plus belle ?

Sylvio se retourne comme si le pas de vis sur lequel était fixé son cou avait lâché et qu'il allait faire dix tours sur lui-même.

Écarlate.

Béatrice, derrière lui, semble glisser sur le carrelage de la véranda. Laurenç la trouve ravissante, même si le mot est mal choisi. Bouleversante, plutôt. Grande, brune, ses longs cheveux noirs et ses cils se mélangent devant ses yeux embrumés en un rideau protégeant les derniers rayons de sommeil. Béatrice est enroulée dans un large châle blanc crème dont les plis sur son ventre rond évoquent les courbes d'une statue antique. Sa peau de pêche semble avoir été ciselée dans la même étoffe que le châle de coton. Ses yeux pétillent d'ironie. Sérénac se demande si Béatrice est toujours aussi belle, ou bien si c'est parce qu'elle est enceinte, mère, à quelques jours près. La plénitude de la grossesse, quelque chose comme un bonheur à l'intérieur qui finit par affleurer en surface. Ce genre de truc qu'on lit dans les magazines.

Sérénac se fait aussi la réflexion qu'il doit vieillir, pour avoir des idées pareilles sur les femmes ; est-ce que, il y a quelques années, il aurait trouvé sexy une femme enceinte ?

— Sylvio, fait Béatrice en prenant une chaise, tu vas me chercher un verre de jus de fruit, n'importe quoi ?

Sylvio se lève et fonce à la cuisine. Il s'est ratatiné, comme un tabouret qui a trop tourné sur lui-même. Béatrice remonte le châle sur ses épaules.

— Alors c'est vous, le fameux Laurenç Sérénac ?

— Pourquoi « fameux » ?

— Sylvio me parle beaucoup de vous. Vous… vous l'étonnez. Vous le bousculez, même. Votre prédécesseur était plus… plus classique…

La voix de Sylvio, dans la cuisine, crie :

— Ananas, ça te va ?

— Oui !

Puis, deux secondes après :

— La bouteille est entamée ?

— Oui, d'hier.

— Alors non.

Un silence.

— Bon, je vais voir à la cave ce qu'il y a…

Sexy, la femme enceinte, mais chiante. Le châle a glissé le long de son épaule droite. Une pensée jeune, se dit Laurenç, serait de se demander si d'habitude les formes de Béatrice sont aussi voluptueuses. Elle se tourne vers Sérénac.

— Il est adorable, vous ne trouvez pas ? C'est le meilleur des hommes. Vous savez, Laurenç, je l'avais repéré depuis longtemps, mon Sylvio, je m'étais dit quelque chose comme « Celui-là, il est pour moi »…

— Mais lui n'a pas dû vous résister bien longtemps, vous êtes superbe…

— Merci.

Le châle glisse puis remonte.

— Ça me touche, un compliment, surtout venant de vous.

— Venant de moi ?

— Oui, venant de vous. Vous… vous êtes un homme qui sait regarder les femmes.

Elle dit ça avec une lueur ironique au coin de l'œil, le châle retombe, bien entendu, et après ça Laurenç n'a plus qu'à détourner les yeux et admirer le travail manuel de Sylvio et de son papa. Poutres, briques et verre.

— Je l'aime bien aussi, Sylvio, reprend Sérénac. Et pas seulement à cause de ses brownies et de sa collection de barbecues.

Elle sourit.

— Lui aussi vous aime bien. Mais je ne sais pas si ça me rassure.

— Pourquoi ça ? Je pourrais avoir une mauvaise influence sur lui, c'est cela ?

Béatrice referme le châle sur elle et se penche vers les photos posées sur la table en plastique.

— Mmm. Il paraît que vous flashez sur une suspecte.

— Il vous a dit ça ?

— C'est son seul défaut. Comme tous les grands timides, il est un peu trop bavard sur l'oreiller.

— Mangue ? crie la voix d'outre-cave de Sylvio.

— Oui, s'il n'y a que ça. Mais bien frais.

Elle sourit à Sérénac :

— Ne me jugez pas comme cela, Laurenç. Je peux bien en profiter encore quelques jours, non ?

L'inspecteur hoche une tête de sphinx. Hyper-sexy mais super-chiante, la femme enceinte.

— Il n'y en avait qu'un, fait Laurenç. Vous l'avez déniché.

— Je suis d'accord, inspecteur !

— Un petit manque de fantaisie, non ?

— Même pas !

Sylvio revient, porteur d'un grand verre à cocktail, décoré d'une paille, d'un petit palmier et d'une rondelle d'orange. Béatrice l'embrasse avec tendresse sur les lèvres.

— Et moi, dit Sérénac, c'est parce que je suis trempé que je n'ai pas soif, probablement…

— Désolé, patron. Vous voulez quoi ?

— Tu as quoi ?

— Une bière, ça va ?

— Ouais, parfait. Bien fraîche, hein. J'aimerais bien aussi un palmier et une paille.

Béatrice tient le châle d'une main et suce sa paille de l'autre.

— Sylvio, dis-lui qu'il peut aller se faire foutre…

Bénavides se fend d'un large sourire.

— Brune, blonde ou blanche ?

— Brune.

Sylvio disparaît à nouveau dans la maison. Béatrice se penche vers les photographies.

— Alors c'est elle, l'institutrice ?

— Oui.

— Je vous comprends, inspecteur. Elle est vraiment, comment dire… élégante. Délicieuse. On dirait qu'elle sort tout droit d'un tableau romantique. Qu'elle pose, presque.

La réflexion surprend Laurenç. Curieusement, il s'était fait la même, lors de sa rencontre avec l'institutrice. Béatrice regarde les autres clichés avec insistance, écarte le rideau de cheveux devant ses yeux et fronce délicatement ses sourcils.

— Inspecteur, vous voulez que je vous fasse une révélation ?

— Ça a un rapport avec l'affaire ?

— Oui. Il y a quelque chose d'assez évident sur ces photos. En tout cas, quelque chose qu'une femme devine assez facilement.

– 19 –

Par la lucarne ronde, Stéphanie Dupain détaille depuis quelques minutes les ombres mouillées des dernières silhouettes qui marchent dans Giverny, puis se recule d'un mètre. Sa robe noire glisse le long de son corps. Jacques est couché à côté, dans le lit, torse nu. Il lève les yeux de son bulletin de maisons en vente dans l'arrondissement des Andelys. Leur chambre est mansardée, une petite ampoule pend le long d'une poutre de chêne et éclaire faiblement la pièce dans une lumière boisée.

La peau nue de Stéphanie prend une teinte acajou. Elle se penche à nouveau vers la lucarne, regarde la nuit descendre sur la rue, la place de la mairie, les tilleuls, la cour de l'école.

Tout le monde va te voir, pense Jacques en levant les yeux de son prospectus. Il se tait. Stéphanie colle sa peau aux carreaux. Elle est nue, à l'exception d'un soutien-gorge, d'un slip noir et de ses bas gris.

Elle chuchote d'une voix lasse :

— Pourquoi est-ce qu'il pleut toujours lors des enterrements ?

Jacques pose son magazine.

— Je ne sais pas. Il pleut souvent, à Giverny, Stéphanie. Parfois aussi lors des enterrements. On s'en souvient davantage… On croit se rappeler…

Il regarde longuement Stéphanie.

— Tu viens te coucher ?

Elle ne répond pas et se recule de quelques pas, lentement. Elle pivote sur ses pieds et s'observe de trois quarts dans le reflet de la lucarne.

— J'ai grossi. Tu ne trouves pas ?

Jacques sourit.

— Tu veux rire. Tu es…

Il cherche le meilleur mot pour désigner ce qu'il ressent : ces longs cheveux qui tombent en pluie sur ce long dos de miel ; ces ombres qui épousent la moindre de ses courbes.

— Une vraie madone…

Stéphanie sourit. Elle passe les mains dans son dos, dégrafe son soutien-gorge.

— Non, Jacques… Une madone est belle parce qu'elle a des enfants.

Elle suspend le sous-vêtement sur un cintre accroché à un clou dans la poutre. Elle se retourne, sans même baisser les yeux vers Jacques, et s'assoit au bord du lit. Alors que ses doigts enroulent lentement un bas le long de sa cuisse, Jacques faufile une main sous les draps, la remonte sur le ventre plat. Plus sa femme se penche, mi-cuisse, jambe, cheville, et plus ses seins se collent à son bras.

— À qui voudrais-tu plaire, Stéphanie ?

— À personne. À qui veux-tu que je plaise ?

— À moi… Stéphanie. À moi.

Stéphanie ne répond pas. Elle se glisse sous les draps. Jacques hésite, finit par oser :

— Je n'ai pas aimé la façon dont le flic t'a regardée pendant tout le temps de l'enterrement de Morval. Vraiment pas…

— Ne recommence pas… Par pitié.

Elle lui tourne le dos. Jacques l'entend respirer doucement.

— Demain, Philippe et Titou m'ont invité à aller chasser, sur le plateau de la Madrie, en fin d'après-midi. Ça te dérange ?

— Non. Bien sûr que non.

— Tu es certaine ? Tu ne veux pas que je reste ?

Respiration. Seulement le dos de sa femme et sa respiration.

Insupportable.

Il pose au pied du lit son magazine, puis demande :

— Tu veux lire ?

Stéphanie lève les yeux vers la table de nuit. Un seul livre y est posé. *Aurélien*. De Louis Aragon.

— Non, pas ce soir, tu peux éteindre.

La nuit tombe sur la chambre.

Le slip noir glisse sur le sol.

Stéphanie se retourne vers son mari.

— Fais-moi un enfant, Jacques. Je t'en supplie.

– 20 –

L'inspecteur Sérénac dévisage Béatrice avec insistance. Il a du mal à deviner ce qui se cache derrière son sourire ironique. La véranda prend des allures de salle d'interrogatoire. La femme de Sylvio Bénavides grelotte un peu sous son châle.

— Alors, Béatrice, quelle certitude vous inspirent ces clichés coquins ?

— Je vous parle de votre institutrice. Comment s'appelle-t-elle déjà ?

— Stéphanie ; Stéphanie Dupain.

— Oui, Stéphanie. Cette jolie fille qui d'après Sylvio vous a retourné le cœur…

Sérénac fronce les sourcils.

— Eh bien, je mets ma main à couper qu'elle n'est jamais sortie avec ce type, Jérôme Morval.

Elle détaille une à une, longuement, les cinq photos sur la table de plastique.

— Faites-moi confiance, c'est la seule des cinq qui n'a eu aucun rapport physique avec lui.

— Qu'est-ce qui vous fait dire ça ? demande Sérénac, en s'essayant également au sourire énigmatique.

La réponse claque, simple comme bonjour :

— Il n'est pas son genre…

— Ah… Et c'est quoi, son genre ?

— Le vôtre !

C'est direct, une femme enceinte.

Sylvio revient avec dans les mains une Guinness et un grand verre à l'effigie de la marque de bière. Il les pose devant son collègue.

— Je peux rester avec vous pendant que vous travaillez ? demande Béatrice.

Sylvio lance des yeux craintifs pendant que Laurenç souffle la mousse sur sa bière.

— Après tout, qu'est-ce que ça change, puisqu'il vous raconte tout ensuite…

Bénavides évite tout commentaire. Son supérieur fait glisser sur la table un premier cliché.

— Bon, je commence, fait Sérénac.

Béatrice et Sylvio baissent la tête vers la photographie que leur montre Sérénac. Jérôme Morval est collé aux genoux d'une fille derrière un bureau encombré et l'embrasse à pleine bouche.

— Du point de vue de l'enquête, si je peux dire, c'était juste une mise en jambes. La photo a été prise au cabinet de Jérôme Morval. La fille s'appelle Fabienne Goncalves. Elle était une de ses secrétaires. Jeune et dévergondée. Genre culotte en dentelle sous sa blouse blanche…

Sylvio passe un bras timide sur l'épaule de Béatrice, qui semble beaucoup s'amuser.

— D'après une amie de la secrétaire, leur liaison remonte à cinq ans. Fabienne était célibataire alors. Elle ne l'est plus…

— C'est un peu court pour un crime passionnel, non ? commente Sylvio.

Il retourne la photographie.

— Et le code inscrit au dos ? 23-02…

— Aucune idée. Pas le moindre début de piste. Ça ne correspond à rien, ni à une date de naissance ni à un jour de rencontre. La seule chose, c'est qu'il est certain que les seconds nombres ne désignent pas des mois…

— Si je peux vous couper, patron, je suis parvenu au bout de la même impasse. J'ai identifié les filles, mais rien, strictement rien en ce qui concerne les codes, 03-01, 21-02, 15-03. C'est peut-être juste le mode d'archivage du détective privé qui a pris les clichés…

— Peut-être… Mais même si c'est ça, cela correspond bien à un ordre… et tant qu'on n'aura pas trouvé le détective privé en question, tant que Patricia Morval continuera de prétendre qu'elle ne nous a jamais envoyé ces photos, on va piétiner. Bien, on verra plus tard. À toi, maintenant.

Sylvio ne lâche pas Béatrice. Il est même parvenu à attraper le châle et à le tenir fermement entre sa main et l'épaule de sa femme. Il se contorsionne pour attraper le cliché. La photographie a été visiblement prise dans une boîte de nuit. Jérôme Morval pose la main sur le bout d'un sein qui dépasse de la robe à paillettes d'une fille blonde, bronzée et maquillée jusqu'aux ongles des orteils. Sérénac siffle entre ses dents. L'œil de Béatrice pétille alors que Sylvio tousse.

— Aline… Malétras, bredouille Sylvio. Trente-deux ans. Relations publiques dans le domaine artistique. Divorcée. Apparemment, c'est la liaison la plus longue qu'ait connue Morval. Une fille indépendante. Une habituée des galeries parisiennes.

— Relations publiques, c'est comme ça que cela s'appelle… ironise Laurenç. D'après la photo, une sacrée petite bombe perchée sur hauts talons, notre Aline… Tu l'as eue en direct ?

Béatrice se redresse comme une louve flairant le danger. Les doigts vigilants de Sylvio se crispent sur le châle.

— Non, précise l'inspecteur, d'après mes informations, elle est aux États-Unis depuis neuf mois. À Old Lyme, je ne sais pas si vous en avez entendu parler, il paraît que c'est le Giverny américain, le repaire des impressionnistes de la côte est, dans le Connecticut, à côté de Boston. J'ai tenté de la joindre par téléphone, sans succès pour l'instant. Mais vous me connaissez, patron, je vais insister.

— Mouais… J'espère que tu ne me racontes pas que la belle Aline est en exil uniquement parce que Béatrice est là.

Béatrice passe une main sur le genou de Sylvio.

Sexy et chiantes, les femmes enceintes. Mais câlines, aussi.

— Tenez-vous bien, insiste Sylvio. Savez-vous pour qui Aline Malétras travaille à Boston ?

— J'ai le droit à un indice ? C'est un travail habillé ou non ?

Sylvio ne se donne même pas la peine de commenter.

— Aline Malétras bosse pour la fondation Robinson !

— Tiens donc… Encore cette foutue fondation ! Sylvio, tu vas me retrouver cette fille, insiste-t-il en jetant un coup d'œil vers Béatrice, l'air embêté. Considère que c'est un ordre… Bon, à moi…

La photo suivante passe de main en main. Une femme, dont la courte blouse bleue tombe à la hauteur de sa jupe, est agenouillée devant l'ophtalmologue, pantalon tombé sur les chevilles. Sylvio se tourne vers Béatrice, comme s'il hésitait à lui proposer d'aller dormir. Finalement, il ne dit rien.

— Je suis désolé, fait Sérénac, mais là, je coince. Sans le visage de cette fille, je piétine sur son identification. Je suis juste certain que la scène se passe dans le salon de la maison des Morval, rue Claude-Monet, j'ai pu identifier les tableaux aux murs. Du coup, étant donné la tenue de la fille, cette espèce de blouse bleue à carreaux clairs, on pourrait penser qu'il s'agit d'une femme de ménage, mais Patricia Morval est muette sur ce point, elle passe son temps à les renvoyer les unes après les autres. En prime, selon Maury, qui a examiné la texture du papier, la photo remonterait elle aussi à au moins une dizaine d'années…

— Il est mort comment, Morval ? demande soudain Béatrice.

— Poignardé, le crâne défoncé puis noyé, répond machinalement Sérénac.

— Moi, je lui aurais aussi coupé les couilles.

Sexy, chiante, une femme enceinte… et câline… comme un serpent qui s'enroule autour de votre cou…

Sylvio sourit bêtement.

— Tu veux pas aller te coucher, bébé ?

Bébé ne répond pas. Laurenç s'amuse beaucoup.

— La relation remonte à dix ans, suggère Sylvio. Si la fille était tombée enceinte, son gosse aurait…

— Dix ans ! Moi aussi je sais compter. Je vois où tu veux en venir, mon grand, mais il faudra d'abord retrouver la fille avant de se demander si en prime elle est mère… Maintenant, à toi, ton Irlandaise…

— Ça risque d'être un peu long, patron, vous ne voulez pas continuer ?

Sérénac lève un œil étonné.

— Si tu préfères… Moi, au contraire, ce sera court.

La photo circule. Stéphanie Dupain et Jérôme Morval marchent le long d'un chemin de terre, sans doute le sentier au-dessus de Giverny. Ils se tiennent debout l'un à côté de l'autre, assez proches, main dans la main.

— Comme vous le constatez, c'est plutôt chaste comme relation extraconjugale, commente Sérénac. N'est-ce pas, Béatrice ?

Sylvio est surpris, Béatrice hoche mollement la tête.

— Mouais, ajoute Bénavides. Sauf que le cliché figurait parmi les quatre autres. Si on fait l'amalgame…

— Justement ! On ne t'a pas appris qu'il faut toujours se méfier des amalgames, Sylvio ? C'est le b.a.-ba du métier. Surtout lorsqu'ils nous sont fournis par un bienfaiteur anonyme. Pour le reste, on connaît déjà tout sur la fille de la photo, Stéphanie Dupain, l'institutrice du village. Je la revois demain pour lui demander la liste des enfants de Giverny, ce qui fera plaisir à Sylvio, et accessoirement pour connaître l'emploi du temps de son mari, le matin du meurtre de Morval.

Laurenç attend un commentaire encourageant de Béatrice, mais elle a penché sa tête sur l'épaule de Sylvio et commence à plisser les yeux. Sylvio a remonté le châle jusqu'à son cou.

— Alors, fait Sérénac, ton Irlandaise ?

— Alysson Murer, murmure Sylvio sans bouger un cil. Mais tout d'abord, elle n'est pas irlandaise mais anglaise, de Durham, dans le nord de l'Angleterre, près de Newcastle. Et ensuite, la plage sur la photo, ce n'est pas l'Irlande, c'est l'île de Sercq.

— C'est pas en Irlande, Sercq ?

— Non, c'est bien plus bas, c'est une petite île anglo-normande à côté de Jersey, la plus jolie de toutes, à ce qu'il paraît…

— Et ton Alysson, alors ?

Béatrice a fermé les yeux. Son souffle, sur la nuque de Sylvio, fait doucement voler une mèche de duvet blond.

— C'est une longue histoire, chuchote Bénavides. Et n'en déplaise à l'évêque d'Évreux, elle ne fera rien pour l'honneur posthume de Jérôme Morval.

– SIXIÈME JOUR –

18 mai 2010

(Moulin des Chennevières)

Affolement

– 21 –

Comme vous l'avez déjà compris, ma chambre et ma salle de bains sont situées tout en haut, dans le donjon du moulin des Chennevières, cette petite tour carrée en colombage. Deux petites pièces minuscules que personne d'autre qu'une vieille folle ne voudrait habiter.

Je noue lentement mes cheveux. J'ai pris ma décision. Je dois sortir, aller voir Patricia Morval ce matin. Je détaille avec mauvaise humeur la tache sombre sur le parquet. La plupart des vêtements que j'ai portés hier lors de l'enterrement sont encore mouillés. Ils se sont égouttés toute la nuit, j'étais trop fatiguée, je n'ai pas fait attention, je les ai étendus là, dans la salle. Il y avait une mare d'eau ce matin, j'ai eu beau éponger, il reste une marque de bois humide. Je suis consciente que ce n'est que de l'eau, que le bois séchera. Mais cette tache m'obsède, juste en dessous de mes « Nymphéas » noirs, en plus.

Vous devez vous dire que je suis vraiment une vieille malade. N'est-ce pas ? Sur ce point, vous n'avez pas tort. Je m'approche de la fenêtre. Mon donjon présente au moins un avantage : dans tout Giverny, il n'existe pas de meilleur poste d'observation. De mon nid d'aigle, je domine le ru de l'Epte, la prairie jusqu'à l'île aux Orties, les jardins de Monet, le chemin du Roy jusqu'au rond-point…

C'est mon mirador. Je reste là des heures, parfois.

Je me dégoûte.

Qui aurait bien pu croire que je deviendrais cela : une mégère qui passe sa vie derrière des carreaux gris, espionnant les voisines, les inconnus, les touristes ?

La concierge du village.

Un hérisson, sans l'élégance.

C'est ainsi.

Parfois, je me lasse du flux ininterrompu des voitures, des autocars, des vélos, des piétons sur le chemin du Roy. Les derniers mètres du chemin de croix des pèlerins de l'impressionnisme.

Parfois non. Il y a de bonnes surprises, comme à l'instant.

Cette moto qui ralentit, pour tourner juste après le moulin, vers le village, rue du Colombier, il est impossible de la manquer.

L'inspecteur Laurenç Sérénac, en personne !

J'observe. Nul ne peut me voir, nul ne peut me soupçonner. Et quand bien même on repérerait mon manège, qu'est-ce que cela changerait ? Qu'y a-t-il de plus naturel qu'une vieille femme qui joue les commères, qui scrute chaque détail, chaque matin, jour après jour, comme un poisson rouge aux yeux globuleux qui oublie tout à chaque tour de bocal ?

Qui se méfierait d'un tel témoin ?

Pendant ce temps, la moto du policier a tourné dans la rue du Colombier. Voici donc le retour de l'inspecteur Sérénac, en route pour le grand désastre.

– 22 –

Laurenç Sérénac gare sa moto sur la place de la mairie, sous un tilleul. Cette fois-ci, il n'a rien laissé au hasard, il a programmé son arrivée devant l'école quelques minutes après la sortie des classes. Il a d'ailleurs croisé plusieurs enfants, rue Claude-Monet, admiratifs devant sa Tiger Triumph T100. Pour les gosses, il s'agit presque d'une pièce de collection…

Stéphanie lui tourne le dos. Elle classe des dessins d'enfants dans une grande pochette cartonnée. Il a décidé de parler le premier, c'est, pense-t-il, la meilleure façon de ne pas bafouiller, avant qu'elle se retourne, avant qu'elle ne pose sur lui le paysage infini de son regard.

— Bonjour, Stéphanie. Je reviens, comme promis, pour la liste des enfants.

L'institutrice tend une douce main couronnée d'un sourire sincère. Le sourire d'un détenu appelé au parloir, pense Sérénac, sans savoir pourquoi cette image lui vient.

— Bonjour, inspecteur, je vous ai tout préparé. Tout est là, dans l'enveloppe sur le bureau.

— Merci. Je vais vous avouer, j'ai un adjoint qui

croit dur comme fer à cette piste, à cause de cette carte postale d'anniversaire retrouvée dans la poche de Jérôme Morval…

— Pas vous ?

— Je ne sais pas. Vous êtes mieux placée que moi. Pour tout vous dire, je crois que mon adjoint a échafaudé l'hypothèse que Jérôme Morval aurait pu avoir un enfant illégitime, il y a une dizaine d'années. Vous voyez le genre…

— Rien que ça ?

— Ça ne vous semble pas crédible ? Parmi tous vos petits écoliers, vous n'en avez aucun qui pourrait posséder un tel profil ?

Stéphanie glisse ses doigts vers l'enveloppe blanche, la colle contre la poitrine de l'inspecteur.

— Ça, c'est votre travail de fouiller dans la vie intime de mes petits loups. Pas le mien !

Sérénac n'insiste pas. Il observe la classe tout en faisant semblant de chercher ses mots. En réalité, l'inspecteur sait parfaitement ce qu'il va dire ensuite, il a tourné et retourné sa formule dans sa tête pendant toute la route de Vernon à Giverny, comme un vieux chewing-gum. Ses yeux se posent sur les couleurs pastel de l'affiche du concours « Peintres en herbe/ International Young Painters Challenge ». Il remarque que la fondation Robinson est également mentionnée sur une autre affiche accrochée dans la classe, qui vante en anglais l'intérêt de la National Gallery de Cardiff, sur fond de paysage de lande peint par Sisley. Après ce silence calculé, Sérénac se lance :

— Stéphanie, vous connaissez bien le village ?

— J'y suis née !

— Je cherche un guide… Comment vous dire, j'ai

besoin de sentir Giverny, de comprendre… Je crois que je ne pourrai avancer qu'ainsi, dans cette enquête.

— « Observer et imaginer », comme les peintres ?

— Exactement.

Ils se sourient.

— OK, je suis à vous. J'enfile quelque chose et j'arrive.

Stéphanie Dupain a posé une veste de laine sur sa robe jaune paille. Tout en discutant, ils longent la rue Claude-Monet, descendent celle des Grands-Jardins, tournent vers la rue du Milieu, pour franchir à nouveau le ruisseau, de l'autre côté du chemin du Roy, juste devant le moulin des Chennevières. Stéphanie a promené des centaines de fois les enfants de sa classe dans les rues de Giverny. Elle en connaît toutes les anecdotes et les fait partager à l'inspecteur. Elle lui explique que chaque coin de rue de ce village, presque chaque maison, chaque arbre, aussi, est conservé et admiré quelque part à l'autre bout de la planète, dans un musée prestigieux, encadré et verni.

Peintures d'origine contrôlée !

From Giverny. Near Giverny. Normandy.

— Ici, précise Stéphanie dans un sourire un peu étrange, ce sont les pierres et les fleurs qui voyagent… Pas les habitants !

Ils traversent le chemin du Roy. La rivière qui coule sous le pont pour s'échapper sous une voûte de brique, vers le moulin des Chennevières, apporte un semblant de fraîcheur. Stéphanie s'arrête, quelques mètres devant le moulin.

— Cette maison bizarre m'a toujours attirée. Vraiment. Je ne sais pas pourquoi…

— Je peux faire une suggestion ? demande Sérénac.

— Allez-y…

— Vous vous souvenez, le livre que vous m'avez confié. *Aurélien*, d'Aragon. J'ai passé une bonne partie de la nuit en sa compagnie. Aurélien et Bérénice… Leur amour impossible… Dans les chapitres givernois, Bérénice réside dans un moulin. Aragon ne précise pas lequel, mais si l'on suit à la lettre ses descriptions, cela ne peut être que celui-ci.

— Vous croyez ? Vous pensez que c'est dans ce moulin qu'Aragon fait se morfondre la mélancolique Bérénice, partagée entre ses deux amours, la raison et l'absolu…

— Chut… Ne me racontez pas la fin !

Ils s'avancent vers le grand portail de bois. Il est ouvert. Un léger vent court le long de la vallée. Stéphanie tremble un peu. Laurenç résiste à l'envie de la prendre dans ses bras.

— Désolé pour Aragon, Stéphanie, mais pour le flic qui sommeille en moi, ce moulin est surtout la maison la plus proche du lieu de l'assassinat de Jérôme Morval…

— Ça, c'est votre affaire… Mes compétences s'arrêtent à celles de guide touristique… Si vous voulez savoir, ce moulin possède une longue histoire. Sans lui, d'ailleurs, le jardin de Monet n'aurait jamais existé, ni même les « Nymphéas ». Le ru est en réalité un bief creusé par les moines au Moyen Âge, pour alimenter le moulin. Le ru passait un peu en amont par un champ, que Monet achètera, des siècles plus tard, pour y creuser son étang…

— Et ensuite ?

— Le moulin a longtemps appartenu à John Stanton, un peintre américain qui, paraît-il, tenait mieux la raquette de tennis que les pinceaux. Mais depuis toujours, sans que l'on sache vraiment pourquoi, pour les enfants du village, le moulin de Chennevières, c'est le moulin de la sorcière.

— Brr…

— Regardez, Laurenç… Suivez mon doigt.

Stéphanie lui prend la main. Il se laisse faire, avec délice.

— Observez l'immense cerisier, au milieu de la cour. C'est un arbre centenaire ! Le jeu des enfants de Giverny, depuis des générations, c'est d'entrer dans la cour et de voler les cerises…

— Mais que fait la police ?

— Attendez, regardez encore. Vous voyez, dans les feuilles, ces reflets brillants dans le soleil ? Ce sont des bandes de papier d'argent. De simples papiers argentés découpés en rubans. C'est tout bête. Ils servent à éloigner les oiseaux, des prédateurs pour les cerises bien plus dangereux que les gosses du coin. Mais pour les petits garçons du village, il est un geste beaucoup plus chevaleresque que de venir dérober des fruits dans le cerisier…

Les yeux mauves de Stéphanie pétillent de fantaisie, comme ceux d'une jeune adolescente. Le plus lumineux des « Nymphéas » de Monet ! Toute mélancolie semble en avoir disparu. Elle continue, sans laisser le temps à l'inspecteur de répondre :

— Le chevalier doit courir voler quelques-uns de ces rubans d'argent et les offrir à la princesse de son cœur, pour nouer ses cheveux.

Elle rit tout en portant la main de Laurenç jusqu'à son chignon improvisé…

— Les pièces à conviction, inspecteur…

Les doigts de Laurenç Sérénac se perdent dans les longs cheveux châtains. Il hésite à appuyer son geste. Il est impossible que Stéphanie ne perçoive pas son trouble.

Que cherche-t-elle ? Quelle est la part d'improvisation ? Quelle est la part de préméditation ?

Les papiers d'argent qui retiennent discrètement la coiffure de l'institutrice crissent sous ses doigts. Il retire sa main comme si elle menaçait de prendre feu. Il sourit, bafouille, il doit avoir l'air idiot.

— Vous êtes une fille étonnante, Stéphanie… Vraiment. Porter des rubans d'argent dans vos cheveux ! Je suppose qu'il est indiscret de vous demander quel chevalier servant vous les a offerts ?

Elle replace ses cheveux avec naturel.

— Je peux juste vous dire, pour vous rassurer, qu'il ne s'agit pas de Jérôme Morval ! Ce n'était pas du tout son genre, ce romantisme de gamine. Mais n'allez pas imaginer des mystères où il n'y en a pas, inspecteur. Dans une classe, il y a beaucoup de petits garçons qui aiment offrir des cadeaux à leur maîtresse. Nous continuons ?

Ils avancent de quelques pas le long du ruisseau et parviennent juste en face du lavoir, au lieu précis où, quelques jours auparavant, le corps de Jérôme Morval gisait dans l'eau.

Ils y pensent, forcément.

Le silence s'insinue entre eux. Stéphanie tente une diversion :

— C'est Claude Monet qui a offert ce lavoir au village. Celui-ci, comme plusieurs autres dans la commune. Il essayait, par ses dons, de se faire accepter par les paysans…

Sérénac ne répond pas. Il s'éloigne d'un pas, s'amuse à suivre des yeux la danse des plantes aquatiques au fond du ruisseau. Sa voix claque :

— Je dois vous le dire, Stéphanie, votre mari est en train de devenir le principal suspect de cette enquête.

— Pardon ?

La fantaisie d'adolescente s'est envolée comme un oiseau effrayé.

— Je tenais juste à vous mettre au courant. Ces rumeurs entre vous et Morval… Sa jalousie…

— C'est ridicule ! À quoi jouez-vous, inspecteur ? Je vous ai déjà dit qu'entre moi et…

— Je sais, mais…

De ses pieds, il fouille la boue près des berges. La pluie d'hier a effacé toute trace de pas.

— Est-ce que votre mari possède des bottes, Stéphanie ?

— Vous posez souvent des questions aussi stupides ?

— Des questions de flic. Je suis désolé… mais vous ne m'avez pas répondu.

— Bien entendu, Jacques possède des bottes. Comme tout le monde. Il doit même les avoir aux pieds en ce moment, il chasse avec des amis.

— Ce n'est pas du tout la saison de la chasse, pourtant…

La réponse de l'institutrice est sèche et précise :

— Le propriétaire du coteau au-dessus du sentier de l'Astragale, Patrick Delaunay, a obtenu une autorisation de destruction des lapins de garenne en dehors des réserves de chasse et des périodes ordinaires. Les lapins pullulent sur les pelouses calcaires. Vos hommes pourront vérifier, il y a un dossier à la Direction départementale de l'agriculture, avec la liste des parcelles concernées, des dégâts provoqués par les animaux nuisibles et des chasseurs que Delaunay déclare s'adjoindre pour les destructions. En fait, tous ses amis de Giverny, dont mon mari. Tout se négocie, inspecteur. Ainsi, ils mitraillent toute l'année en toute légalité.

Sérénac fronce les sourcils, comme pour signifier que même s'il ne prend pas une note il mémorise chaque détail.

— Bien, merci, on vérifiera. Vous allez recevoir la visite de mon adjoint, ou d'un agent. Rassurez-vous, ils sont beaucoup moins indiscrets que moi. Stéphanie, que faisait votre mari, le matin du drame ?

Stéphanie s'avance vers la berge, passe une feuille de saule entre ses doigts.

— C'est donc uniquement pour pouvoir m'interroger sur le lieu du crime que vous m'avez proposé de venir ici, inspecteur ? Pour me mettre en condition, comme on dit…

Sérénac bredouille :

— N… n'allez pas croire que…

— Jacques était parti à la chasse, ce matin-là, coupe Stéphanie. Tôt. Mais c'est souvent ainsi en cette période, lorsque le temps le permet… Mon mari n'a pas d'alibi, vous voyez. Mais pas de mobile non plus… Le fait que Jérôme Morval m'ait fait une cour discrète n'en constitue pas un… Nous nous sommes promenés quelquefois aux alentours, comme nous le faisons en ce moment, nous discutions peinture, c'était quelqu'un d'intéressant, de cultivé. Ma relation avec

Jérôme Morval s'arrête là. Vous voyez, il n'y a pas de quoi motiver un crime.

Les yeux de Stéphanie Dupain suivent l'eau du ru, puis se posent sur Laurenç Sérénac.

Insondables.

— Tenez, inspecteur. Je pourrais glisser sur cette terre mouillée, tomber dans vos bras. Quelqu'un pourrait nous apercevoir… Observer. Imaginer. Nous photographier. C'est courant, ici. Et pourtant, nous sommes d'accord tous les deux, il ne se serait rien passé.

Sérénac ne peut s'empêcher de jeter un regard autour de lui. Il ne distingue que quelques passants assez éloignés dans la prairie. À part le moulin des Chennevières, il ne repère aucune autre habitation. Il bafouille sa réponse :

— Excusez-moi, Stéphanie. Je… Ce n'est qu'une piste… J'ai peut-être exagéré quand j'ai employé l'expression de « principal suspect »…

Il hésite un instant à continuer.

— En… en fait, d'après mon adjoint, l'inspecteur Bénavides, et je pense qu'il a raison, il y aurait trois mobiles possibles pour expliquer l'assassinat de Jérôme Morval : la jalousie en raison de ses nombreuses maîtresses, le trafic d'œuvres d'art lié à sa passion pour la peinture, ou une sorte de secret lié à un enfant…

Stéphanie réfléchit un court instant. Sa voix prend un troublant ton ironique :

— Si je vous suis, ce serait donc moi, alors, votre principale suspecte… Les trois mobiles mènent à moi, non ? Je conversais parfois avec Morval, j'organise un concours de peinture… Et qui connaît mieux que moi les enfants du village ?

Elle pince ses lèvres de craie rose et tend ses deux

poings fermés, comme s'ils n'attendaient que d'être menottés.

Sérénac se force à rire.

— Rien ne vous accuse, au contraire ! D'après ce que vous m'avez affirmé, vous n'étiez pas l'amante de Morval, vous ne peignez pas non plus… Et vous n'avez pas d'enfants.

Les paroles désinvoltes de l'inspecteur se figent soudain dans sa gorge. Un subit voile sombre recouvre les yeux de Stéphanie, comme si les mots de Sérénac avaient provoqué chez elle une détresse intense.

La corde d'un violon qui casse.

Elle ne peut jouer à ce point la comédie, pense Sérénac. Il songe à ce qu'il vient d'affirmer.

Vous n'étiez pas l'amante de Morval.

Vous ne peignez pas.

Vous n'avez pas d'enfants.

Toute l'attitude de Stéphanie prouve qu'il s'est trompé… qu'une de ces affirmations est fausse.

Au moins une.

Laquelle ? Cela peut-il avoir un rapport avec son enquête, avec ce meurtre ? Une nouvelle fois, Laurenç Sérénac a l'impression d'avancer dans un marécage, de s'engluer dans des détails sans lien entre eux.

Ils remontent lentement vers l'école par la rue du Colombier sans ajouter un mot. Ils se séparent, troublés, sous le coup d'une gêne indicible.

— Stéphanie, comme le dit la formule, je vais vous demander de rester à la disposition de la police.

Il y met un sourire. Elle y répond avec une chaleur forcée :

— Bien volontiers, inspecteur. Il n'est pas difficile de me trouver. Je suis soit à l'école, soit chez moi, juste au-dessus de la cour.

Elle désigne du regard la lucarne ronde sous la mansarde.

— Mon univers n'est pas très étendu, comme vous pouvez le constater… Ah, si. Dans trois jours, le matin, j'emmène les enfants du village visiter les jardins de Monet.

Elle s'échappe vers la classe. Le mauve clair de ses iris continue de couler longuement sur les pensées de Sérénac, déformant toute la réalité de ce qu'il a entendu, la recomposant en un tableau étrange, brossé de traits de pinceau désordonnés.

Stéphanie Dupain.

Quel rôle joue-t-elle dans cette affaire ?

Suspecte ? Victime ?

Cette fille le déconcerte, terriblement. La seule attitude raisonnable serait de se dessaisir lui-même de cette affaire, de téléphoner au juge d'instruction, de tout confier à Sylvio ou à n'importe quel autre flic.

Une certitude, une seule, le retient, pourtant.

Cette intuition qu'il ne s'explique pas, ce sentiment lancinant que Stéphanie Dupain l'appelle au secours.

– 23 –

De mon donjon, je n'ai rien raté de la scène. Les deux promeneurs devant mon cerisier, les rubans d'argent dans les cheveux, la boue sur les godasses, juste devant la scène du crime.

Devant chez moi !

J'aurais tort de me priver, vous ne trouvez pas ? Leur histoire ne vous semble pas banalement évidente ? Une romance entre le bel inspecteur débarqué de nulle part et l'institutrice qui attend son sauveur ! Ils sont encore jeunes, ils sont beaux. Ils ont leur destin devant eux, entre leurs mains.

Tout est en place…

Le temps encore de quelques rendez-vous… La chair fera le reste.

Je quitte ma tour. Je peste. Je mets de longues secondes à descendre chaque marche. Je vais mettre encore plusieurs minutes à fermer ces trois serrures. J'ai même du mal à refermer la porte de chêne, elle est aussi lourde et aussi vieille que moi. C'est à croire que les charnières rouillent chaque nuit. À chacun ses rhumatismes, remarquez.

Je repense au flic et à l'institutrice. Oui, ces deux-là rêvent de crever le tableau. De déborder du cadre. Leur fuite est programmée sur une moto chromée et rutilante. Quelle fille ne rêverait pas d'une telle fuite, hein ?

À moins qu'un grain de sable ne se glisse, évidemment.

À moins que quelqu'un n'écrive l'histoire autrement.

— Tu viens, Neptune !

Je marche. Je marche. Comme souvent, je coupe par le parking du musée d'Art américain. Je passe devant le bâtiment. Comme d'habitude, je bougonne toute seule contre cette architecture hideuse genre pavillon des années 1970. Je suis au courant, bien entendu, un grand jardin était prévu pour dissimuler le musée. Ils ont planté devant lui un labyrinthe de troènes et de thuyas, il y a des années. Ils appellent cela un jardin impressionniste. Moi, je veux bien… Mais j'en connais dans leur lotissement qui ne voudraient même pas de ces haies pour remplacer leur clôture. Maintenant que les Français ont racheté ça aux Américains pour en faire le musée des Impressionnismes, peut-être qu'ils vont tout raser ! Je vais vous dire, si on me demandait mon avis, je serais plutôt pour.

Enfin, de toute façon, je serai morte avant que tout cela se fasse. Pour l'instant, ils se sont juste contentés de poser dans le champ, derrière le musée, quatre meules de foin, à l'ancienne, il ne manque que la fourche plantée dedans. Je trouve que ça fait un peu bizarre derrière les thuyas mais après tout ça a l'air de plaire, il y a souvent des touristes ravis qui posent devant.

Lorsque j'étais plus jeune, je montais souvent derrière le musée, après la galerie Cambour. La vue sur les toits en terrasses végétalisés du musée est peu connue des touristes, mais assez surprenante. Même si la plus belle vue demeure celle de la colline au-dessus du château d'eau. À défaut de jambes, il me reste les souvenirs…

Je marche encore. Ma canne instable gratte le pavé. Pendant qu'un groupe de cinq personnes me double, des vieux, enfin, moins que moi ; ça parle anglais. C'est toujours ainsi en semaine, Giverny est aussi désert que n'importe quel autre village. À l'exception des autocars des *tour operators*… Les trois quarts des visiteurs qui descendent du car parlent anglais et font un aller-retour dans la rue Claude-Monet, vont jusqu'à l'église et reviennent par la même route. À l'aller, ils regardent les galeries et au retour ils achètent. Le week-end, c'est différent, les Parisiens débarquent, et puis les Normands, un peu.

Même si le groupe devant moi me distance, j'avance, à mon rythme. J'aimerais pouvoir accélérer le pas lorsque je passe devant la galerie Kandy. Amadou Kandy tient la plus vieille galerie d'art de Giverny.

Trente ans que je le croise. Trente ans qu'il me rase…

Raté !

Son magasin d'art ressemble à une sorte de caverne d'Ali Baba. Il franchit le pas de sa porte dès qu'il me voit.

— Alors, ma belle. Toujours à traîner dans les rues comme un fantôme ?

— Bonjour, Amadou. Excuse-moi, je suis pressée…

Il éclate de son grand rire de géant sénégalais. À ma connaissance, il est le seul Africain du village. Parfois, je passe un peu plus de temps avec lui. Il me raconte ses affaires, ses rêves de négocier un jour un Monet, lui aussi. Le jackpot… Un « Nymphéas », n'importe lequel. En noir, pourquoi pas… Parfois lui aussi rôde autour du moulin des Chennevières. Amadou Kandy trafiquait pas mal avec Jérôme Morval. Je dois rester méfiante. J'ai aussi appris qu'il a eu affaire aux flics, il n'y a pas si longtemps.

Je continue. La rue Claude-Monet m'apparaît chaque jour plus interminable. Les touristes s'écartent devant moi pour me laisser passer. Parfois, il y a même des connards pour me prendre en photo, comme si je faisais partie du paysage…

71.

J'y suis !

Je détaille le nom sur la boîte aux lettres. « Jérôme et Patricia Morval », comme si le couple vivait encore sous le même toit. Je comprends Patricia. Ce n'est pas facile de gratter une étiquette au nom d'un mort.

Je sonne à la cloche. Plusieurs fois. Elle sort.

Elle semble étonnée.

On le serait à moins ! Cela fait des mois qu'on n'a pas échangé plus de deux mots, un bonjour dans la rue, tout au plus. J'entre, je m'approche, je chuchote presque à son oreille :

— Il faut que je te parle, Patricia… J'ai des choses à te dire. Des choses que j'ai apprises et d'autres que j'ai comprises…

Lorsqu'elle me laisse passer, je remarque qu'elle est blême. Les deux immenses « Nymphéas » dans le long couloir me donnent le tournis. Moins qu'à Patricia, visiblement. J'ai l'impression qu'elle va tourner de l'œil.

Elle a toujours été un peu faiblarde, la Patricia.

Elle bredouille :

— Cela… cela concerne le meurtre de Jérôme ?

— Oui… entre autres confidences.

J'hésite. Malgré tout, même si je n'ai plus rien à perdre, ce n'est pas facile à lui jeter à la figure, ce genre d'aveux. Je voudrais vous y voir. J'attends qu'elle soit assise dans un fauteuil en cuir du salon et je lui lance :

— Oui, Patricia, cela concerne le meurtre de Jérôme. Je… je connais le nom de son assassin.

– 24 –

Sylvio Bénavides se demande depuis de longues secondes ce que peuvent bien fabriquer ces crocodiles dans l'étang aux Nymphéas. Il se doute qu'il s'agit là de quelque chose comme une libre interprétation du peintre, un certain Kobamo, mais il s'interroge, y aurait-il un message derrière tout ça ? Pour tromper son attente, il compte les crocos dans le tableau, Kobamo en a caché un peu partout sous les nénuphars. Des yeux, des narines, des queues.

Derrière lui, la porte de la galerie d'art s'ouvre pour laisser Laurenç Sérénac entrer. L'inspecteur Bénavides tourne vers Amadou Kandy un sourire soulagé.

— Je vous avais bien dit qu'il n'allait pas tarder.

Amadou Kandy lève ses mains avec lenteur. Le galeriste sénégalais doit mesurer approximativement la taille de deux touristes japonais. Il est habillé d'un large boubou dont les motifs mélangent dans un patchwork improbable des imprimés africains et des tons pastel.

— Je n'étais pas inquiet, inspecteur, j'en suis conscient, mon temps est beaucoup moins précieux que le vôtre.

La galerie Kandy ressemble à un immense capharnaüm. Des toiles de tout format sont entassées dans chaque coin de la pièce, donnant au magasin un chic de musée en plein déménagement, et offrant sans doute au touriste connaisseur l'illusion de pouvoir négocier une bonne affaire chez ce galeriste bordélique.

Amadou Kandy est un malin.

Les inspecteurs se sont installés où ils ont pu. Sylvio

Bénavides est assis sur une marche d'escalier entre deux cartons et Laurenç Sérénac a les fesses coupées en deux par le rebord d'un vaste bac en bois dans lequel se perdent des lithographies au fusain.

— Monsieur Kandy, vous connaissiez bien Jérôme Morval… commence Sérénac.

Amadou Kandy est resté debout.

— Oui, Jérôme était un amateur d'art éclairé. On discutait, je le conseillais. C'était un homme de goût… J'ai perdu un ami.

— Un bon client, aussi.

C'est Sérénac qui a dégainé le premier. À croire que le mal au cul le rend agressif. Kandy ne se départ pas de son sourire de pasteur.

— Si vous voulez… c'est votre métier de penser ainsi, inspecteur.

— Bien, donc vous me pardonnerez d'entrer directement dans le vif du sujet. Jérôme Morval vous avait confié la mission de trouver un « Nymphéas » ?

— Et vous le faites bien, votre métier, lance Kandy dans un petit rire. Oui, entre autres investigations, Jérôme m'avait demandé d'effectuer une veille sur le marché des œuvres de Claude Monet.

— Des « Nymphéas » en particulier ?

— Oui… Entre nous, c'était sans espoir, Jérôme le savait, mais il aimait les défis un peu fous…

— Pourquoi vous ? intervient Bénavides.

Amadou Kandy tourne la tête. Il se rend compte seulement maintenant qu'il se tient debout, pile au milieu des deux inspecteurs.

— Comment cela, pourquoi moi ?

— Oui, pourquoi Morval s'est-il adressé à vous et pas à un autre galeriste d'art ?

— Pourquoi pas moi, inspecteur ? Vous pensez que je n'étais pas l'expert approprié ?

Kandy force son sourire blanc et ses pupilles écarquillées.

— S'il s'était agi de travailler sur les arts primitifs, là d'accord, mais charger un Sénégalais d'une recherche sur des impressionnistes… Rassurez-vous, inspecteur, Jérôme m'a aussi confié la mission de trouver une corne de gazelle magique…

Sérénac rit franchement tout en s'étirant le dos.

— Vous êtes un malin, monsieur Kandy, les collègues nous ont prévenus. Mais là, on est pressés… Alors…

— Vous n'aviez pourtant pas l'air bien pressé tout à l'heure…

— Tout à l'heure ?

— Tout à l'heure. Il y a une heure ou deux. Vous êtes passé devant la galerie, mais je me suis bien gardé de vous déranger, vous aviez l'air très concentré sur les explications de votre guide.

Bénavides se trouble. Sérénac encaisse.

— Vous êtes vraiment un malin, Kandy.

— Giverny est un petit village, fait le galeriste en se tournant vers la porte, juste deux rues.

— J'ai déjà entendu ça…

— Cela dit, inspecteur, pour être tout à fait franc, ce n'est pas vous que j'ai remarqué, c'est votre guide, notre jolie institutrice de Giverny. Je vous ai juste vu et je me suis dit quelque chose comme « Ce type est un sacré veinard ». Vous savez, pour un peu, j'aurais bien fait des gosses rien que pour avoir le plaisir de les emmener à l'école et d'y croiser Stéphanie Dupain tous les matins…

— Comme votre ami Morval.

Kandy se recule un peu pour pouvoir embrasser du même regard les deux policiers assis.

— Sauf que Jérôme n'avait pas d'enfants, répond le galeriste. Vous aussi, vous êtes un malin, inspecteur.

Il se tourne vers Sylvio.

— Et vous, par contre, vous êtes du genre fouineur. Vous devez former un duo efficace tous les deux. Comment décrire votre couple… Le singe et le tamanoir ? Ça vous irait ?

Sérénac pivote et change de fesse.

— Vous inventez souvent des proverbes africains ?

— Tout le temps, ça fait très couleur locale, mes clients adorent. J'invente des proverbes pour les couples, je trouve des surnoms d'animaux à monsieur et madame. C'est mon petit truc commercial personnel. Vous n'imaginez pas à quel point cela fonctionne.

— Ça marche aussi avec les couples de flics ?

— Je m'adapte.

Sérénac s'amuse beaucoup. Bénavides, lui, semble agacé. Ses pieds fouettent la première marche de l'escalier.

— Vous connaissiez Alysson Murer ? lance-t-il brusquement.

— Non…

— Votre ami Morval, lui, la connaissait.

— Ah ?

— Vous aimez les histoires, monsieur Kandy ?

— J'adore, mon grand-père en racontait à toute ma tribu, à la veillée. Ça remplaçait la télé. Avant, on faisait griller des criquets…

— Tirez pas trop sur la corde, Kandy.

Bénavides s'accroche à la rampe de l'escalier, se

lève, étire un peu ses membres ankylosés et tend une photographie au galeriste. Alysson Murer, sur la plage de Sercq, allongée aux côtés de Jérôme Morval.

— Comme vous pouvez le constater, commente Sylvio, il s'agit d'une des amies intimes de votre ami Jérôme Morval.

Amadou Kandy apprécie en connaisseur le cliché. Sérénac prend le relais de son adjoint :

— Sur la photographie, ou pourrait croire que miss Murer est plutôt une jolie fille, mais en réalité notre Alysson possède un visage, disons, ingrat. Rien de bien méchant, on dira juste qu'elle n'a aucun charme particulier. Comme nous sommes des flics malins, fait Laurenç en lançant un clin d'œil à Sylvio, malins et fouineurs, nous nous sommes dit que quelque chose ne collait pas, entre cette Alysson et les autres conquêtes féminines de Jérôme Morval. N'est-ce pas étrange, monsieur Kandy, pourquoi Jérôme Morval aurait-il flirté avec cette fille banale qui bosse à la comptabilité d'une boîte d'assurances à Newcastle ?

Amadou Kandy rend la photographie aux policiers.

— Il faut peut-être simplement relativiser votre jugement esthétique. Cette demoiselle est anglaise…

Une nouvelle fois, Sérénac ne peut s'empêcher de rire, au risque de basculer dans le bac aux lithographies. Bénavides assure l'intérim.

— Je vais continuer mon histoire, monsieur Kandy, si vous me le permettez. Alysson, pour seule famille, possède une grand-mère, Kate Murer, qui habite depuis toujours une maison de pêcheur sur l'île de Sercq, une pauvre maison de rien du tout qui se délabre au fil du temps. Chez elle, Kate Murer ne possède que de vieux objets sans valeur, des bibelots, des bijoux de pacotille, toute une série de tableaux anciens dont personne ne voudrait, de la vaisselle ébréchée, et même une reproduction d'un « Nymphéas » de Monet, une petite toile, 60 sur 60. Elle y est attachée, Kate, à tout ça, pas pour la valeur, vous vous en doutez, mais parce que c'est tout ce qui lui reste de sa famille. Je vous parle de Kate parce que Jérôme Morval s'est rendu plusieurs fois sur l'île de Sercq avec la jeune Alysson Murer. Et à cette occasion, il s'est également lié d'amitié avec sa grand-mère. Quand on est un flic fouineur, vous voyez, Kandy, du genre tamanoir, on se pose alors forcément une question : mais que diable Jérôme Morval allait-il faire chez cette vieille Anglaise, sur cette foutue île de Sercq ?

– 25 –

Patricia Morval observe la silhouette voûtée noire qui s'éloigne. La canne crisse sur le bitume de la rue Claude-Monet à chaque pas de la vieille femme qui descend vers le moulin des Chennevières. Neptune la rejoint, à peu près à hauteur de l'agence immobilière Immo-Prestige. Patricia Morval se demande combien de temps a duré cet entretien surréaliste.

Une demi-heure peut-être ?

À peine plus.

Mon Dieu !

Une seule demi-heure a suffi pour faire basculer toutes ses certitudes. Patricia Morval a du mal à mesurer les conséquences de tout ce qu'elle vient d'entendre. Doit-elle croire cette vieille folle ? Et surtout, que doit-elle faire, maintenant ?

Elle traverse le couloir, évitant de noyer son regard dans les longs panneaux de « Nymphéas ». Il faudrait en parler à la police. Oui, c'est ce qu'il faudrait faire…

Elle hésite.

À quoi bon ? À qui faire confiance ?

Elle fixe des fleurs fanées qui dépassent du vase japonais ; elle se souvient de chaque détail de la visite de l'inspecteur Sérénac, de son regard inquisiteur, de sa façon d'évaluer chaque tableau accroché au mur, de son malaise dans le couloir devant les « Nymphéas ». Mon Dieu… Elle se repose la question. À qui peut-elle faire confiance ?

Patricia s'assoit dans le salon, elle repense longuement à la conversation qu'elle vient d'avoir. Il n'y a qu'une seule question à se poser, en fait : est-il encore possible de réparer ce qui peut l'être ? Peut-elle inverser le cours des choses ?

Patricia marche jusqu'à une petite pièce presque entièrement occupée par un bureau et un ordinateur. Il est allumé. Sur l'écran de veille défile un panorama de photographies de paysages givernois ensoleillés. Cela fait seulement quelques mois que Patricia a commencé à s'intéresser à Internet. Jamais elle n'aurait cru se passionner à ce point pour un clavier et un écran. Et pourtant… ce fut le coup de foudre. Désormais, elle y passe des heures. Grâce à Internet, Patricia a même redécouvert Giverny, son propre village. Sans Internet, se serait-elle doutée qu'il existait à portée de clic des milliers de photographies de son village, toutes plus envoûtantes les unes que les autres ? Sans Internet, aurait-elle pu imaginer les milliers de commentaires des visiteurs sur les forums du monde entier, tous plus enthousiastes les uns que les autres ? Il y a quelques mois, Patricia est restée stupéfaite par la beauté d'un site, Givernews. Depuis, il ne se passe pas une semaine sans qu'elle ne surfe sur ce blog et son incroyable poésie quotidienne.

Pas aujourd'hui !

Dans l'instant, Patricia cherche autre chose sur la toile. La flèche de sa souris se pose sur l'étoile jaune qui indique ses adresses favorites. Elle déroule le menu et se fige sur le site Copainsdavant.linternaute.com.

Quelques secondes plus tard, Patricia clique sur « Giverny » dans le moteur de recherche. La photographie qu'elle recherche l'attend. Il est impossible de la rater, c'est la seule photographie de classe de tout le site qui date d'avant-guerre.

De l'année 1936-1937, très exactement.

Un instant, Patricia se demande ce que doivent penser les internautes qui tombent sur le site par hasard.

Que vient faire ici cette photo de classe préhistorique ?

Qui peut bien rechercher des amis qui ont partagé les bancs d'une classe soixante-quinze ans auparavant ?

Patricia scrute longtemps les visages sages des élèves sur le vieux cliché. Mon Dieu, elle peine encore à croire les révélations que cette vieille folle vient de lui confier. Est-ce possible ? N'a-t-elle pas tout inventé ? L'assassin de Jérôme peut-il réellement être celui qu'elle dénonce, le dernier individu qu'elle aurait soupçonné ?

Tout son corps en tremble, rien qu'à observer ces visages gris. Des larmes froides coulent de ses yeux. Après une longue hésitation, elle se redresse.

Elle sait ce qu'elle va faire, elle a décidé. Elle

traverse à nouveau le salon et déplace machinalement de quelques centimètres le petit bronze de diane chasseresse sur le buffet de merisier.

Après tout, qu'est-ce qu'elle risque, maintenant ?

Elle ouvre un tiroir du buffet et en sort un vieil agenda noir. Elle s'assoit à nouveau dans le fauteuil en cuir, compose le numéro sur son téléphone sans fil.

— Allô. Commissaire Laurentin, ici Patricia Morval.

Un long silence lui répond, à l'autre bout du fil.

— L'épouse de Jérôme Morval. L'affaire Morval, le chirurgien ophtalmologue qui a été assassiné à Giverny, vous voyez ce dont je veux parler...

Une voix agacée s'exprime cette fois :

— Oui... Je vois, bien entendu. Je suis en retraite mais je ne souffre pas encore d'Alzheimer...

— Je sais, je sais, c'est pour cela que je vous appelle, j'ai lu souvent votre nom dans les journaux de la région. Des éloges... J'ai besoin de vous, commissaire... pour... comment appeler cela... disons, une contre-enquête. Une investigation parallèle à l'enquête officielle...

Un long silence se glisse entre les deux interlocuteurs.

Des éloges...

À l'autre bout du fil, le commissaire Laurentin ne peut s'empêcher de repenser aux enquêtes les plus importantes de sa carrière. Ses années passées au Canada et son intervention dans l'affaire du musée des Beaux-Arts de Montréal, en septembre 1972, l'un des plus grands vols d'œuvres d'art de l'histoire, dix-huit toiles de maîtres envolées, Delacroix, Rubens, Rembrandt, Corot... Son retour au commissariat de Vernon, en 1974, et sa plus grande investigation, onze ans plus tard, trois ans avant la retraite, en novembre 1985, le vol de neuf tableaux de Monet au musée Marmottan, dont le fameux *Impression, soleil levant*. C'est lui, Laurentin, associé à la police de l'art, soit l'OCBC, l'Office central de lutte contre le trafic de biens culturels, qui avait fini par retrouver les tableaux en 1991, à Porto-Vecchio, chez un bandit corse, après qu'ils eurent transité chez un yakuza japonais, Shuinichi Fujikuma... Une affaire d'ampleur nationale, des gros titres dans les journaux de l'époque... C'était il y a une éternité...

Laurentin rompt enfin le silence.

— Je suis en retraite, madame Morval. La retraite d'un commissaire de police n'a rien d'exceptionnel d'un point de vue financier, mais je m'en contente. Pourquoi ne pas faire appel à un détective privé ?

— J'y ai pensé, commissaire. Bien entendu. Mais aucun détective ne possède votre expérience en ce qui concerne les questions de trafic d'art. Il s'agit là d'une compétence importante dans cette affaire...

La voix du commissaire Laurentin se fait plus étonnée :

— Qu'est-ce que vous attendez de moi ?

— Votre curiosité commence à l'emporter, commissaire ? Je vous avoue, je l'espérais. Je vais vous dépeindre le tableau. Vous évaluerez. Ne pensez-vous pas que le jugement d'un enquêteur, jeune, inexpérimenté, qui tomberait stupidement amoureux de la principale suspecte, ou de la femme du principal suspect, serait particulièrement perturbé ? Pensez-vous qu'il pourrait aller au bout de son investigation ? Avec objectivité ? Avec clairvoyance ? Pensez-vous qu'on puisse lui faire confiance pour faire surgir la vérité ?

— Il n'est pas seul. Il a un adjoint… une équipe…

— Sous son influence, sans initiative…

Le commissaire Laurentin tousse au bout du fil.

— Excusez-moi. Je suis un ex-flic de presque quatre-vingts ans. Je n'ai pas mis les pieds dans un commissariat depuis dix ans. Je ne comprends toujours pas ce que vous attendez de moi…

— Je vais aiguiser encore votre curiosité, alors, commissaire. Puisque vous lisez encore les journaux, je vous conseille de vous reporter à la rubrique nécrologique. Les pages locales. Cela va vous intéresser, j'en suis certaine.

La voix du commissaire Laurentin devient presque ironique :

— Je vais le faire, madame Morval. Vous vous en doutez, on ne se refait pas. Vos étranges devinettes me changent de mes sudokus, ce n'est pas tous les jours qu'une telle demande vient bousculer la routine d'un vieux flic célibataire. Mais je ne vois toujours pas où vous vous voulez en venir.

— Vous souhaitez que je sois plus précise encore ? C'est cela, n'est-ce pas ? Disons alors qu'un inspecteur trop jeune s'intéresserait peut-être un peu trop à la peinture, à l'art en général, aux « Nymphéas »… et pas assez aux personnes âgées.

Un silence s'éternise encore avant que le commissaire ne réponde.

— Je suppose que je devrais être flatté par vos allusions, mais tout mon passé de flic est loin derrière moi. Je ne suis plus dans le coup, vraiment. Si c'est une contre-enquête que vous attendez de moi, je ne crois pas que vous vous adressiez à la bonne personne.

Contactez la police de l'art. J'ai des collègues plus jeunes qui…

— Commissaire, coupe Patricia, effectuez vos propres investigations. En amateur. Sans *a priori*. C'est aussi simple que cela. Je ne vous en demande pas davantage. Vous verrez bien… Tenez, je vais vous donner un indice qui j'espère mettra en appétit votre curiosité. Allez sur Internet, connectez-vous à un site plus précisément, le site Copains d'avant. Si vous avez des enfants ou des petits-enfants, ils connaissent forcément. Tapez *Giverny*. 1936-1937. C'est un point de départ intéressant pour cette enquête, je crois… Pour l'observer sous un autre angle. Enfin, vous verrez.

— Quel est votre but, madame Morval ? Une vengeance, c'est de cela qu'il s'agit ?

— Non, commissaire. Oh non. Pour la première fois de ma vie, ce serait même plutôt l'inverse…

Patricia Morval raccroche, presque soulagée.

Elle voit par la fenêtre le soleil, au loin, descendre doucement derrière les coteaux de la Seine, figeant le méandre dans un éphémère mais quotidien trompe-l'œil impressionniste.

– 26 –

Dans la galerie d'Amadou Kandy, l'inspecteur Bénavides s'étonne un peu du manque de réaction apparente du géant sénégalais. Plus il observe cette galerie et moins il trouve qu'elle ressemble aux autres. En général, les murs des boutiques d'art sont immaculés, blancs, cultivent une beauté propre et discrète. Dans la galerie Kandy, à l'inverse, des cloques gonflent la peinture écaillée des murs, des ampoules pendent du plafond, les briques semblent plus scellées par la poussière que par le mortier. Amadou Kandy, à l'évidence, produit beaucoup d'efforts pour transformer son magasin en caverne. Sylvio insiste :

— Si je résume, monsieur Kandy… Nous voici face à une maîtresse sans charme, une grand-mère sans argent, une île anglo-normande pluvieuse. Il ne vous étonne pas, votre ami Morval ?

— J'aimais bien son côté original…

— Et Sercq ?

— Quoi, Sercq ?

— Vous aimiez bien Sercq, vous aussi, Kandy.

Bénavides laisse volontairement passer un silence avant de poursuivre :

— Vous vous êtes rendu sur l'île de Sercq pas moins de six fois au cours des dernières années, et comme par hasard quelques mois avant que Jérôme Morval ne rencontre Alysson Murer.

Sérénac observe son adjoint et se dit que si Sylvio savait mimer le tamanoir, ou imiter son cri, il ne s'en priverait pas. Pour la première fois, quelques secondes, Amadou Kandy apparaît ébranlé, des rides le vieillissent entre chaque tempe. Bénavides pousse l'avantage :

— Monsieur Kandy, est-il indiscret de vous demander ce que vous alliez faire sur Sercq ?

Amadou Kandy regarde les passants marcher dans la rue Claude-Monet, comme pour chercher une parade, puis se retourne. Il a retrouvé son sourire de bonimenteur.

— Inspecteur, vous savez comme moi que Sercq est le dernier paradis fiscal européen. Ne le répétez pas, mais je vais y blanchir mon argent. Diamant, ivoire, épices, cela rapporte, vous n'avez pas idée. Sans parler du commerce de cornes de gazelle magique… Sercq, c'est les DOM-TOM de l'Angleterre… C'est une île d'indigènes, si vous voulez.

Sylvio hausse les épaules et reprend :

— En réalité Kandy, Alysson et sa grand-mère Kate possèdent de lointaines origines françaises. On a même toutes les raisons de penser qu'un de leurs aïeux serait Eugène Murer. Je suppose qu'au moins vous connaissez Eugène Murer ?

— Si vous me posez la question, je suppose qu'au moins vous savez déjà que je suis l'expert désigné par la Direction régionale des affaires culturelles pour recenser la collection Murer.

Le galeriste se penche vers des tableaux posés contre le mur, en extrait avec précaution un paysage de village africain, à la fois naïf et coloré. Il se relève avec un sourire ravi et poursuit son monologue :

— Parmi tous les peintres impressionnistes, attachante trajectoire que celle d'Eugène Murer, non ? C'était un jeune homme passionné de littérature et de peinture, mais, hélas pour lui, pauvre… Il deviendra peintre et collectionneur par passion et, parce qu'il faut bien vivre, pâtissier, à Paris et à Rouen… De son vivant, Eugène Murer sera plus riche que la plupart de ses amis peintres, Van Gogh, Renoir, Monet, il les aidera, il les soutiendra, il les nourrira même, le brave homme… Il peindra, aussi, mais qui se souvient aujourd'hui d'Eugène Murer ?

Amadou Kandy pose devant les deux policiers le tableau africain.

— Autre détail, Eugène Murer partira deux ans

peindre en Afrique, de 1893 à 1895, loin de toute influence, et reviendra avec des valises pleines de tableaux. Si vous avez un peu de goût, vous constaterez que Murer était un excellent coloriste, et que le mélange d'impressionnisme et d'art naïf proche des primitifs ne manque pas de surprendre…

Laurenç Sérénac a décollé ses fesses du bac et évalue le tableau avec une attention étonnée. Sylvio Bénavides ne se laisse pas distraire.

— Bien, merci, monsieur Kandy. Donc, nous savons tout sur l'ancêtre des Murer, Eugène, peintre, pâtissier et collectionneur. Si vous voulez bien, revenons à ses descendantes, Alysson et Kate. Il y a deux ans, Kate Murer est menacée d'expulsion par le seigneur de Sercq. Oui, oui, j'ai été étonné moi aussi, mais sur Sercq, c'est encore un seigneur qui fait la loi. Que voulez-vous, la vie est dure dans les paradis fiscaux, Kate doit rénover sa maison délabrée qui fait honte aux voisins et aux touristes, ou bien déguerpir. C'est alors que Jérôme Morval intervient. Il fréquente alors régulièrement sa petite-fille et a passé à Sercq, chez la grand-mère, quelques week-ends que l'on peut supposer romantiques. Notre aimable Morval propose d'aider Kate Murer. Cinquante mille livres. Un prêt sans intérêt, comme cela, par simple amitié. Étonnant, non ?

— Jérôme était un chic type, commente Amadou Kandy.

— N'est-ce pas ? Kate Murer téléphone à Alysson sa petite-fille, et lui confirme que son bon ami, Jérôme Morval, est décidément un homme charmant. Non seulement il lui prête cinquante mille livres, mais il est tellement délicat que pour ne pas la vexer il lui a proposé, en échange du prêt, de la débarrasser de son stock de vieux tableaux, dont cette encombrante reproduction des « Nymphéas » de Monet.

— Qu'est-ce que je vous disais, commente Amadou Kandy avec malice. Tact et générosité, c'était tout Jérôme, ça.

Sérénac détache enfin ses yeux des couleurs chaudes du village africain de Murer et prend le relais de son adjoint :

— Un saint homme, nous sommes d'accord. Sauf que notre Alysson possède peut-être un visage ingrat, mais la fille n'est pas sotte. Cette proposition lui met la puce à l'oreille, on va dire ça comme ça, elle convoque un expert, un autre expert je veux dire, pas vous, Kandy.

Le galeriste encaisse en souriant.

— Vous ne vous doutez pas de la suite ? poursuit Sérénac.

— Je brûle d'impatience de l'entendre, messieurs, avec l'entraînement, tous les deux, vous racontez maintenant presque aussi bien que mon grand-père marabout.

Sérénac claque sa chute :

— Le « Nymphéas » de Kate Murer était un vrai Monet, pas une reproduction ! Il valait cent fois, mille fois la proposition de Morval…

Les murs de la galerie tremblent du rire tonitruant de Kandy.

— Sacré Jérôme !

— Vous connaissez la fin de l'histoire ? enchaîne Bénavides, au bord de l'explosion. Alysson Murer, bien entendu, rompt toute relation avec ce si gentil gentleman français… Kate, la grand-mère, perd à la fois un gendre et un ami, refuse de vendre la toile, mais sera tout de même expulsée de sa maison de pêcheur… On la retrouve deux jours plus tard, elle s'est jetée du haut de la falaise, au pont de La Coupée, l'isthme qui relie les deux parties de l'île. Vous savez ce qu'il reste d'elle ?

Kandy, penché sur la toile de Murer qu'il cherche à ranger, ne répond pas.

— Un banc ! crie Sylvio. Un banc avec son nom, sa date de naissance et celle de sa mort, scellé face à la falaise de laquelle elle s'est jetée. C'est la tradition à Sercq, pas de cimetière, pas de tombes, juste un banc de bois sur lequel est gravé le nom du Sercquiais disparu, un banc public, posé au beau milieu de la nature, face à la mer… Avant de mourir, Kate avait mentionné par testament qu'elle faisait don du tableau à la National Gallery de Cardiff…

Kandy se relève, sans se départir de son sourire.

— Il y a une morale, alors, inspecteur. Sercq gagne un banc, le musée de Cardiff un « Nymphéas », Jérôme Morval un prétexte pour rompre avec la plus laide de ses maîtresses…

Il réduit de quelques décibels l'intensité de son rire.

— Monsieur Kandy, insiste Bénavides, le visage fermé. Vous êtes l'expert qui a officiellement été désigné par la DRAC de Normandie pour travailler sur la collection Murer…

— Et alors ?

— Quand on sait que Morval vous a confié la mission de trouver un « Nymphéas », que vous connaissiez la collection Murer, que vous vous êtes rendu plusieurs fois à Serq…

— Je pourrais avoir soufflé à mon grand ami que le

« Nymphéas » de Kate Murer n'était peut-être pas une reproduction… C'est bien ce que vous sous-entendez ?

— Par exemple.

— Même si on imagine que cela ait été le cas, y aurait-il quelque chose d'illégal à cela ?

— Non, c'est vrai.

— Alors, que cherchez-vous ?

Sylvio Bénavides s'est hissé sur la troisième marche de l'escalier, ce qui lui permet de se trouver à la même hauteur qu'Amadou Kandy.

— Le meurtrier de Morval. Quelque chose comme un motif de vengeance.

— Alysson Murer ?

— Non, elle a un alibi en béton pour le matin du crime, elle était derrière son guichet à Newcastle…

— Eh bien, alors ?

— Alors ? insiste Bénavides, rien ne dit que Morval ait renoncé à chercher un autre « Nymphéas », à trouver un autre pigeon, avec votre aide, Kandy.

Amadou Kandy ne lâche pas Sylvio des yeux. Duel de pupilles, le premier qui cillera…

— Si je l'avais trouvé, inspecteur, ce tableau de « Nymphéas », je ne serais pas ici dans cette galerie de misère, mais j'aurais déjà acheté au large de Dakar une des îles du Cap-Vert, déclaré l'indépendance, et construit mon petit paradis fiscal personnel…

Amadou Kandy sourit de toutes ses dents blanches et continue :

— Et vous me demanderiez de trahir un secret professionnel ?

— Dans le but de confondre le meurtrier de votre ami.

— Soyons sérieux, voyons, inspecteurs, où aurais-je bien pu dénicher un second « Nymphéas » de Monet ?

Aucun des deux policiers ne répond. Bénavides et Sérénac se lèvent dans le même geste. Ils avancent de trois pas vers la porte.

— Encore une précision, fait soudain Sérénac. Pour être tout à fait exact, Kate Murer n'a pas véritablement légué le tableau au musée de Cardiff. Dans les faits, c'est la fondation Theodore Robinson qui en a reçu la propriété légale, et elle en a ensuite confié l'exploitation à la National Gallery galloise.

— Et alors ?

Parmi les multiples affiches de peinture accrochées sur les vitres de la galerie d'art, Laurenç Sérénac a repéré celle du « Concours Peintres en herbe/International Young Painters Challenge », la même que celle punaisée dans la classe de Stéphanie Dupain.

— Et alors ? répond Sérénac. Alors, je trouve qu'elle revient un peu trop souvent dans cette affaire, la fondation Theodore Robinson…

— C'est plutôt normal, non ? répond le galeriste. C'est une institution, cette fondation ! Surtout ici, à Giverny…

Kandy demeure un long moment pensif devant l'affiche.

— Theodore Robinson, les Américains, leur passion pour l'impressionnisme, leurs dollars… Qui peut imaginer ce que serait Giverny sans tout ça ? fait le Sénégalais en agitant les bras. Vous savez quoi, inspecteur ?

— Non.

— Au fond, je suis comme Eugène Murer, ici, dans ma boutique, je ne suis qu'un épicier. Mais si je pouvais revenir en arrière, vous savez ce que j'aimerais faire ?

— Pâtissier ? glisse Laurenç.

Amadou Kandy éclate d'un énorme rire, sans aucune retenue cette fois-ci.

— Je vous aime bien, vous, le malin, parvient-il à articuler entre deux hoquets. Vous aussi, remarquez, le tamanoir fouineur. Non, inspecteurs, pas pâtissier. Je vais vous avouer, en réalité, j'adorerais avoir dix ans. Être encore à l'école avec une jolie institutrice à me persuader que je suis un génie, et pouvoir me présenter comme des centaines d'autres enfants dans le monde à ce concours de détection de petits peintres de la fondation Robinson.

– 27 –

Le soleil ne va plus tarder à se coucher derrière le coteau. Fanette se hâte, elle doit terminer son tableau. Son pinceau n'a jamais glissé aussi vite, en taches blanches et ocre, reproduisant le moulin et sa tour biscornue, le grand arbre rouge cerise et argent au milieu de la cour, la roue à aubes qui trempe dans l'eau vive. Elle est concentrée mais aujourd'hui, c'est tout l'inverse, c'est James qui n'arrête pas de lui causer.

— Tu as des amis, Fanette ?

Et toi, James, est-ce que je te demande si tu en as ?

— Bien sûr. Qu'est-ce que tu crois ?

— Tu es souvent seule…

— C'est toi qui m'as dit d'être égoïste. Quand je ne peins pas, je suis avec eux !

James marche lentement dans le champ et referme

ses chevalets les uns après les autres. Il suit toujours le même rituel quand le soleil commence à se coucher.

— Mais puisque tu me demandes, je vais te dire. Ils m'énervent. Surtout Vincent, celui que tu as vu l'autre jour, qui nous espionne. Un vrai pot de colle…

— De vernis !

— Quoi ?

— Un pot de vernis. C'est plus utile qu'un pot de colle, pour une fille qui peint.

Des fois, James, il se croit drôle.

— Y a aussi Camille, mais lui, il se la raconte trop. Il pense qu'il est né surdoué, tu vois le genre. La dernière de mon âge, c'est Mary, celle qui pleure tout le temps. La fayote. Je l'aime pas, c'est comme ça.

— Il ne faut jamais dire cela, Fanette.

Qu'est-ce que j'ai dit ? J'ai rien dit…

— Il ne faut pas dire quoi ?

— Je t'ai déjà expliqué, Fanette. Tu es une petite fille très gâtée par la nature. Si, si, ne fais pas celle qui ne le comprend pas. Tu es mignonne comme un cœur, intelligente, bourrée de malice. Un don incroyable pour la peinture t'est tombé sur les épaules comme si une fée avait dispersé sur elles de la poudre d'or. Alors il faut faire attention, Fanette, les autres seront jaloux, toute ta vie. Ils seront jaloux parce qu'ils auront des vies beaucoup moins heureuses que la tienne.

— N'importe quoi ! Tu dis n'importe quoi. De toute façon, mon seul copain qui vaille le coup, c'est Paul. Tu le connais pas encore. Je viendrai avec lui, un soir. Il est d'accord, lui. On fera le tour du monde, ensemble. Il m'emmènera pour que je puisse peindre, le Japon, l'Australie, l'Afrique…

— Je ne suis pas sûr qu'il existe un homme qui accepte ça…

Des fois aussi, James, il m'énerve.

— Si, Paul !

Fanette lui fait une grimace pendant qu'il se retourne pour ranger sa boîte de peinture.

Il y a des moments, James, il ne comprend rien. D'ailleurs, je ne comprends pas ce qu'il fait, on dirait qu'il est resté coincé devant ses tubes de peinture.

— T'es bloqué ?

— Non, non. Ça va.

Il fait une drôle de tête. Il est bizarre, James, des fois.

— Tu sais, James, pour la fondation Robinson, j'ai envie de peindre autre chose que le moulin de la sorcière. Ton histoire de refaire ton tableau du père Trognon, ça me dit pas trop…

— Tu crois ? Theodore Robinson a…

— J'ai mon idée, coupe Fanette. Je vais peindre des « Nymphéas » ! Mais pas façon vieillard, à la Monet. Je vais peindre des « Nymphéas » de jeune !

James la regarde comme si elle venait de proférer le pire des blasphèmes.

Il est tout rouge, j'ai l'impression qu'il va exploser. Ça va, fais pas ta tête de père Trognon !

Fanette éclate de rire.

— Monet… des « Nymphéas de vieillard » ! s'étouffe James.

Il tousse dans sa barbe puis se met à parler lentement, d'une voix de professeur :

— Je vais essayer de t'expliquer, Fanette. Tu sais, Monet a beaucoup voyagé. Dans toute l'Europe. Il s'est inspiré de toutes les peintures du monde, tu dois comprendre, elles sont très différentes, on ne voit pas les choses de la même façon, ailleurs. Monet l'avait compris, il a surtout étudié la peinture japonaise. Ainsi, ensuite, il n'avait plus besoin de voyager, ni de partir autre part. Un étang de nénuphars lui a suffi, pendant trente ans de sa vie, un étang de rien du tout, qui a été assez grand tout de même pour révolutionner la peinture du monde entier… Et révolutionner même plus que la peinture, Fanette. C'est tout le regard de l'homme sur la nature que Monet a révolutionné. Un regard universel. Tu comprends ? Ici, à Giverny ! À moins de cent mètres de ce champ ! Alors, quand tu prétends que Monet avait un regard de vieillard…

Gna gna gna…

— Eh bien, moi, fuse la voix claire de Fanette, je ferai l'inverse. Je suis née ici, c'est quand même pas de ma faute ! Je commence par l'étang des « Nymphéas » et je termine par le monde ! Tu vas voir, mes « Nymphéas » seront uniques, comme Monet lui-même n'a pas osé. En arc-en-ciel !

Soudain, James se baisse vers Fanette et la prend dans ses bras.

Il est à nouveau bizarre, il a encore ce drôle d'air inquiet, un air qui ne lui ressemble pas.

— C'est sûrement toi qui as raison, Fanette. C'est toi l'artiste après tout, c'est toi qui sais.

Il me serre trop fort, il me fait mal…

— N'écoute personne d'autre que toi-même, continue James. Pas même moi. Tu vas le gagner, ce concours de la fondation Robinson, Fanette. Tu dois le gagner ! Tu m'entends, hein ? Allez, fonce, maintenant, il est tard, ta mère t'attend. N'oublie pas ton tableau !

Fanette s'éloigne dans le champ de blé. James lui crie une dernière recommandation :

— Tuer ce don en toi, ce serait le pire des crimes !

Des fois, James, il dit des trucs bizarres.

James regarde la fine silhouette courir tout en se penchant à nouveau vers sa boîte de peinture. Il attend que Fanette ait disparu derrière le pont et l'ouvre en tremblant. Il n'a rien voulu laisser paraître devant Fanette mais, maintenant, il sue à grosses gouttes. Une sorte de panique le saisit. Ses vieux doigts s'agitent malgré lui. Les charnières rouillées crissent légèrement.

James lit les lettres gravées dans le bois tendre à l'intérieur de la boîte de peinture.

ELLE EST À MOI

ICI, MAINTENANT ET POUR TOUJOURS

Les mots gravés sont suivis d'une croix, deux simples traits qui se croisent. James a bien compris qu'il s'agit d'une menace. D'une menace de mort. Il sent son vieux corps maigre être parcouru de frissons incontrôlables. Déjà, les flics qui fouillent partout dans le village à cause de ce cadavre dont on n'a pas retrouvé l'assassin, cela ne le rassure pas. Toute cette ambiance l'oppresse.

Il lit, encore et encore. Qui a pu écrire cela ?

L'écriture lui apparaît maladroite, pressée. Le vandale a dû profiter qu'il dormait pour graver cette menace morbide dans sa boîte de peinture. Ce n'est pas bien difficile. Il s'endort souvent dans le champ, au pied de ses toiles, lorsque Fanette ne vient pas le réveiller. Qu'est-ce que cela peut signifier ? Qui a pu écrire cela ? Doit-il prendre au sérieux ces menaces ?

James observe le rideau de peupliers qui ferme l'horizon de la prairie. Les lettres semblent inscrites dans son cerveau, maintenant, comme gravées sur la chair tendre de son front : *Elle est à moi ici, maintenant et pour toujours*. Une autre question le taraude, désormais, une question obsédante, qui l'angoisse plus encore que celle de savoir qui a proféré cette menace. Sa main s'agite de tremblements. Il serait incapable de tenir un pinceau, un couteau, n'importe quoi.

Elle est à moi ici, maintenant et pour toujours… En un manège infernal, il tourne les neuf mots dans son esprit.

À qui s'adresse cette menace ?

Il scrute les alentours comme si un monstre allait surgir d'entre les épis.

Sur qui plane le danger ?

Sur Fanette, ou sur lui ?

– 28 –

Je franchis enfin le portail du moulin. J'ai l'impression que mes genoux vont exploser. Mon bras droit également, à force de s'appuyer sur cette fichue canne. Neptune trottine à mes côtés. Pour une fois, il m'attend.

Brave chien.

Je sors mes clés.

Je repense brièvement à Patricia Morval. Je me demande comment elle a pu encaisser mes révélations sur l'assassin de son mari, tout à l'heure ? A-t-elle pu résister à la tentation de prévenir les flics ? Même s'il est trop tard, bien trop tard pour sauver qui que ce soit… Le piège s'est déjà refermé. Aucun flic n'y peut plus rien, maintenant.

Moi-même, qu'aurais-je fait à sa place ?

Je lève les yeux. Je repère la jeune Fanette au loin, qui court dans le champ et passe le pont de fer. Son Américain est resté en plein milieu des épis de blé. À tous les coups, il a encore dû lui raconter des histoires de sorcières à propos de mon moulin, du couple d'ogres, des vilains propriétaires qui n'aimaient pas Monet, qui voulaient couper les peupliers, ranger les bottes de foin, assécher l'étang aux Nymphéas, construire une usine d'amidon sur la prairie… Les sottises habituelles. L'idiot ! À son âge, effrayer les enfants avec ces légendes…

Il est là tous les jours, ce peintre américain, ce James dont personne ne connaît le nom de famille. Il se tient tous les jours à la même place, en face du moulin. Depuis toujours on dirait, comme s'il faisait partie du décor, lui aussi. Comme si un dieu artiste, là-haut, l'avait peint à son tour. Nous avait peints, tous. Jusqu'à ce que l'envie lui prenne de tout effacer. Un coup de pinceau et pfuit, plus personne !

Ce James va regarder partir Fanette, comme chaque jour, puis il va s'endormir dans le champ jusqu'à demain.

Bonne nuit, James.

– 29 –

Fanette rentre chez elle. Elle court. Ce qu'elle adore, c'est quand les réverbères dans les rues de Giverny s'allument presque sur son passage.

C'est magique !

Mais là, il est encore trop tôt. Le soleil commence à peine à se cacher. Fanette habite une petite maison qui tombe un peu en ruine, rue du Château-d'Eau. Elle s'en fiche, elle se plaint pas, elle sait bien que sa mère fait ce qu'elle peut. Elle fait des ménages, du matin au soir, chez tous les bourgeois du village.

Y en a plein !

Déjà, habiter là, au milieu du village, à cent mètres du jardin de Monet, même une maison pourrie, qu'est-ce qu'elle aurait pu espérer de plus ?

Sa mère l'accueille derrière le plan de travail de la cuisine, une simple planche de bois posée sur des briques empilées. Elle affiche un sourire las.

— Il est tard, Fanette. Tu sais bien que je ne veux pas te voir traîner dehors le soir. Surtout en ce moment, avec ce crime d'il y a quelques jours, tant que le meurtrier n'a pas été retrouvé…

Maman a toujours cet air triste et fatigué. Elle est tout le temps avec sa blouse bleue moche en train d'éplucher des légumes, de faire cuire des soupes qui durent une semaine, de dire que je ne l'aide pas assez, qu'à mon âge je devrais... Si je lui montre ma peinture, peut-être que...

— Je l'ai terminé, maman.

Fanette hisse son tableau du moulin des Chennevières à la hauteur du plan de travail.

— Plus tard, attends. J'ai les mains sales. Pose-le là-bas.

Comme d'habitude...

— Je vais en peindre un autre, de toute façon. Un « Nymphéas » ! James m'a dit que…

— C'est qui, ce James ?

— Le peintre américain maman, je t'ai déjà dit…
— Non…
Les épluchures de carottes pleuvent dans un bol de grès.
— Si !
Si si si si. Je le jure ! Tu le fais exprès, maman, c'est pas possible autrement !
— Je ne veux pas que tu traînes avec des inconnus, Fanette ! Tu m'entends ? Ce n'est pas parce que je t'élève seule que tu dois passer ton temps dehors. Et puis ne reste pas là comme une cruche, prends un couteau. Toute seule à faire la cuisine, j'en ai encore pour une heure !
— La maîtresse nous a parlé d'un concours, maman. Un concours de peinture…
C'est la maîtresse ! Elle peut rien dire. D'ailleurs, elle dit rien, elle regarde son navet !
Fanette se tient bien droite et continue :
— James m'a d… Enfin, tout le monde dit que je peux le gagner. Que j'ai mes chances, si je travaille.
— On gagne quoi ?
Le navet va lui tomber des mains, à tous les coups…
— Des cours dans une école de peinture, à New York…
— Quoi ?
Le navet a pris un coup de couteau en plein cœur. Il ne s'en remettra pas…
— C'est quoi encore, Fanette, cette histoire de concours ?
— Ou peut-être Tokyo. Saint-Pétersbourg. Canberra.
Je suis sûre qu'elle ne sait même pas où c'est, mais ça lui fait peur quand même…

— Y a aussi des dollars à gagner… Plein !

Maman soupire. Elle décapite un second navet.

— Si ta maîtresse continue de vous mettre des idées comme ça dans la tête, je vais aller la voir, moi…

Je m'en fiche, je le ferai quand même, le concours…

— Et ton James aussi, je voudrais bien lui causer.

D'un geste énergique, la mère de Fanette fait glisser les légumes de la planche de travail à l'évier. Les carottes et les navets plongent en éclaboussant sa blouse bleue. La mère de Fanette se baisse pour hisser sur la planche un sac de pommes de terre.

Elle ne me demande même pas de l'aider. C'est pas bon signe, ça. Elle bredouille des mots que je ne comprends pas, je suis obligée de lui faire répéter, plus fort.

— Tu veux me quitter, Fanette. C'est cela ?

Et c'est parti…

J'explose ! J'explose dans ma tête, personne d'autre que moi ne peut le voir, mais j'explose ! Je le jure ! Maman, je veux bien faire la vaisselle. Je veux bien ranger les couverts. Je veux bien passer une éponge sur la table. Je veux bien passer le torchon, partout. Je veux bien aller chercher le balai, le passer, le ranger. Je veux bien faire tout ce qu'une petite fille doit faire, je veux bien tout faire, sans me plaindre, sans pleurer, je veux bien tout. Tout. À condition qu'on me laisse peindre. Je veux juste qu'on me laisse peindre.

C'est trop demander, ça ?

Maman me regarde toujours d'un air méfiant. Elle est jamais contente quand je fais rien et elle me regarde toujours bizarrement quand j'en fais trop. C'est New York, je crois, qu'elle a pas digéré, et les autres villes aussi, surtout quand je lui ai expliqué, le Japon, la Russie, l'Australie, tout ça en même temps !

— Trois semaines d'école de peinture, maman ? Trois semaines, c'est pas long. C'est rien.

Elle m'a regardée comme si j'étais folle.

Là depuis qu'on a fini de manger, elle ne dit plus rien. Elle rumine. C'est mauvais signe quand elle rumine. Jamais je ne l'ai vue ruminer et me dire ensuite quelque chose qui me fasse plaisir.

La mère de Fanette se lève au moment où sa fille est occupée à ranger les torchons, bien à plat sur le fil, avec des pinces, pas balancés en bouchon comme d'habitude. Elle glace la pièce :

— J'ai pris ma décision, Fanette. Je ne veux plus entendre parler de cette histoire de concours de peinture, de peintre américain ni de rien d'autre. C'est terminé, ces histoires. J'irai en parler à la maîtresse.

Je ne dis rien. Je ne pleure même pas. Je laisse juste la colère monter en moi, bouillir. Je sais pourquoi maman dit ça. Elle m'en a parlé mille fois.

Le grand couplet. En boucle, récité par cœur.

Le cantique des grands regrets.

« Ma petite fille, je ne veux pas que tu gâches ta vie comme moi. Moi aussi, quand j'avais ton âge, j'y ai cru, à toutes ces histoires. Moi aussi j'avais des rêves. Moi aussi j'étais jolie et les hommes me faisaient des promesses.

« Regarde ! Regarde aujourd'hui !

« Regarde les trous dans le toit, les murs moisis, l'humidité, la puanteur ; souviens-toi du froid sur les vitres cet hiver ; regarde mes mains, mes pauvres mains, ce que j'avais de plus élégant, des mains de

fée, combien de fois je l'ai entendu, Fanette, quand j'avais ton âge, que j'avais des mains de fée.

« Des mains de fée qui lavent les chiottes des autres !

« Ne te laisse pas prendre comme moi, Fanette. Je ne les laisserai pas faire. Ne fais confiance à personne d'autre que moi, Fanette. À personne d'autre. Ni à ton James, ni à ta maîtresse, ni à n'importe qui d'autre. »

Je veux bien, maman. Je veux bien t'écouter. Je veux bien te faire confiance.

Mais faut tout me dire alors, maman. Tout. Même les choses dont on ne parle jamais. Même les choses qu'on n'a pas le droit de dire !

Donnant, donnant.

Fanette prend une éponge et nettoie longuement l'ardoise grise, celle où sa mère note la liste des légumes.

Elle attend un peu que ça sèche. Elle prend la craie blanche. Elle sait que sa mère regarde par-dessus son épaule. Elle écrit, d'une fine écriture ronde. Une écriture d'institutrice.

Qui est mon père ?

Puis, juste en dessous :

Qui ?

Elle entend sa mère pleurer dans son dos.

Pourquoi il est parti ?

Pourquoi on ne l'a pas suivi ?

Il reste un peu de place en bas de l'ardoise. Le bout de craie blanche crisse.

Qui ?

Qui ?

Qui ?

Qui ?

Fanette retourne son tableau, son « moulin de la sorcière ». Elle le pose sur une chaise, puis sans le moindre mot monte dans sa chambre. Elle entend sa mère pleurer, en bas. Comme toujours.

Pleurer, c'est pas une réponse, maman.

Fanette sait que demain, ce sera terminé, qu'elles ne reparleront plus de tout ça et que sa mère aura effacé l'ardoise.

Il est tard, maintenant.

Près de minuit, sans doute. Maman doit dormir depuis longtemps, elle commence ses ménages très tôt. Souvent, elle est déjà partie et revenue quand je me lève.

La fenêtre de ma chambre donne sur la rue du Château-d'Eau. La rue est très en pente, même de l'étage on est à peine à plus d'un mètre de la rue. Je pourrais sauter, si je voulais. Souvent le soir, à ma fenêtre, je parle à Vincent. Vincent traîne dans les rues tous les soirs. Ses parents s'en foutent. Paul, lui, n'a jamais le droit de sortir le soir.

Fanette pleure.

Vincent, dans la rue, me regarde sans trop savoir quoi faire. Je préférerais que ce soit Paul qui soit là. Paul, il me comprend. Paul, il sait me parler. Vincent, il m'écoute, c'est tout. Il ne sait faire que ça.

Je lui parle de mon père. Je sais juste que maman est tombée enceinte très jeune. Parfois, je crois que je suis la fille d'un peintre, d'un peintre américain, qu'il m'a juste laissé son talent, que maman posait toute nue pour lui, dans la nature, elle était belle, maman, très très belle, il y a des photos d'elle en bas dans un album. De moi aussi, bébé. Mais aucune de mon père.

Vincent écoute, il prend juste la main que Fanette laisse pendre le long du mur et la serre très fort.

Je continue de parler. Je raconte que je crois que mon père et maman se sont aimés comme des fous, un coup de foudre terrible, qu'ils étaient beaux tous les deux. Puis que mon père est reparti, ailleurs, et maman n'a pas su le retenir. Peut-être que maman ne savait pas qu'elle était enceinte ? Peut-être que maman ne savait même pas le nom de mon père. Peut-être tout simplement qu'elle l'aimait trop pour le retenir ; que mon père était quelqu'un de bien, de fidèle, qu'il serait resté, qu'il m'aurait élevée s'il avait su que j'existais, mais que maman l'aimait trop pour le mettre en cage en le lui disant.

C'est compliqué dans ma tête mais ça ne peut pas être autrement, Vincent. Hein ? Sinon, d'où me viendrait cette envie folle de peindre ? Cette envie de m'envoler ? Qui d'autre me les aurait donnés, les rêves qui remplissent ma tête.

Vincent serre la main de Fanette. La serre trop fort. La fichue gourmette qu'il porte toujours autour de son poignet est coincée entre leurs bras et s'enfonce dans la chair de la fillette, comme pour y imprimer son prénom gravé sur le bijou.

Parfois, d'autres soirs, j'observe les nuages qui cachent la lune et je me dis que mon père est un gros con de bourgeois chez qui maman fait les ménages. Que je le croise, rue Claude-Monet, que je ne sais pas qu'il est mon père, en vrai, mais que lui le sait. C'est juste un gros porc qui a baisé avec maman, qui l'a forcée à faire des trucs dégueulasses. Peut-être même qu'il file encore du fric en douce à maman. Des fois, quand je vois des types dans la rue qui me regardent de travers, ça me rend folle, ça me donne envie de vomir. C'est horrible. Mais ça, je ne le dis pas à Vincent.

Ce soir, les nuages laissent la lune tranquille.

— Mon père était quelqu'un de passage, fait Fanette.

— Ne t'inquiète pas, Fanette, répond Vincent. Je suis là.

— Quelqu'un de passage. Je suis comme lui. Je dois partir, je dois m'envoler.

Vincent serre sa main plus fort encore.

— Je suis là, Fanette. Je suis là. Je suis là…

À deux pas, dans la rue du Château-d'Eau, Neptune court après des papillons de nuit.

– HUITIÈME JOUR –

20 mai 2010

(Commissariat de Vernon)

Affrontement

– 30 –

L'inspecteur Laurenç Sérénac est hilare. De temps en temps, par la vitre, il jette un coup d'œil discret vers le plus grand bureau du commissariat de Vernon, la salle 101, celle qui sert le plus souvent aux interrogatoires. Jacques Dupain est assis et lui tourne le dos. Il tapote avec des doigts impatients sur son accoudoir. Sérénac se retire sur la pointe des pieds dans le couloir et chuchote à Sylvio Bénavides, sur un ton de conspirateur :

— On va le laisser mariner encore un peu…

Il tire son adjoint par la manche.

— Ce dont je suis le plus fier, continue-t-il, c'est ma mise en scène ! Attends, viens voir, Sylvio.

Ils s'avancent à nouveau dans le couloir et se dirigent vers la salle d'interrogatoire.

— Combien il y en a, Sylvio ?

Bénavides ne peut s'empêcher de sourire.

— Cent soixante et onze paires ! Maury en a apporté trois de plus il y a un quart d'heure.

Sérénac se redresse et détaille encore une fois le bureau 101. Dans la pièce où Jacques Dupain attend, les policiers ont stocké la totalité des paires de bottes récupérées depuis la veille dans le village de Giverny. Elles sont entreposées dans tous les coins de la salle, aussi bien sur les étagères que sur les tables, sur le rebord des fenêtres, sur les chaises, empilées par terre ou en équilibre les unes sur les autres. Le plastique brille de toutes les couleurs, du jaune fluorescent au rouge pompier, même si le classique vert kaki verni domine. Les bottes ont été triées selon leur usure, leur pointure, leur marque. Chacune porte un petit carton avec le nom de son propriétaire.

Sérénac ne masque pas une intense jubilation :

— T'as pris une photo, Sylvio, j'espère. J'adore ce genre de délire ! Rien de tel pour mettre un client en condition ! On dirait l'œuvre d'art d'un artiste contemporain. Toi et tes dix-sept barbecues dans ton jardin, tu devrais apprécier ce genre de collection, non ?

— Si… fait l'inspecteur Bénavides, qui ne se donne même pas la peine de relever la tête. C'est formidable, d'un point de vue esthétique. Du jamais-vu, on fera une expo. Par contre…

— T'es trop sérieux, Sylvio, coupe Sérénac.

— Je sais…

Bénavides compulse des feuilles, les trie.

— Je suis désolé, je dois être un peu trop flic. Ça vous intéresse, patron, l'enquête ?

— Oh là, t'as pas le sens de l'humour, toi, ce matin.

— Pour tout vous dire, je n'ai pas dormi de la nuit, ou presque. Je prenais trop de place dans le lit, d'après

Béatrice. Il faut dire, elle est obligée de dormir sur le dos depuis trois mois. Du coup, j'ai fini dans le canapé.

Sérénac lui tape sur l'épaule.

— Allez, dans une semaine ou moins, ce sera terminé, tu seras papa. Vous serez deux à pas dormir ! Ta Béa et toi. Tu prends un café ? On va faire un point dans le salon ?

— Un thé !

— C'est vrai, je suis con. Sans sucre. T'as toujours pas décidé de me tutoyer ?

— On y pensera. Je vous assure, patron, je fais un gros travail sur moi-même.

Sérénac rit sans retenue.

— Je t'aime bien, Sylvio. Et en prime, je vais t'avouer, à toi tout seul, tu abats plus de renseignements que tout un commissariat du Tarn ! Parole d'Occitan !

— Vous ne croyez pas si bien dire. Encore une fois, j'ai bossé toute la nuit.

— Dans ton canapé ? Pendant que ta femme ronflait sur le dos ?

— Oui…

Bénavides se fend d'un franc sourire. Les deux policiers avancent dans le couloir, grimpent trois marches puis pénètrent dans une pièce de la taille d'un grand cagibi. Les dix mètres carrés du « salon » sont encombrés d'un mobilier hétéroclite : deux canapés fatigués recouverts d'un tissu orange à longues franges, un fauteuil mauve, une table en formica sur laquelle sont posées une cafetière, des tasses dépareillées et des cuillères oxydées, une ampoule faiblarde au plafond dans un abat-jour cylindrique de carton roussi. Sylvio s'effondre dans le fauteuil mauve pendant que Laurenç prépare café et thé.

— Patron, commence Sylvio, on commence par la grande expo, puisque cela semble vous tenir à cœur ?

Son supérieur lui tourne le dos. Bénavides consulte ses notes.

— À cette heure, cela nous fait donc cent soixante et onze paires de bottes, de la taille 35 à la taille 46. En dessous du 35, on n'a pas retenu. Sur ce total, nous avons dénombré quinze pêcheurs et vingt et un chasseurs avec permis. Dont Jacques Dupain. On compte aussi une trentaine de randonneurs licenciés. Par contre, comme vous le savez déjà, patron, aucune semelle de ces cent soixante et onze paires ne correspond à l'empreinte de plâtre que Maury a moulée devant le cadavre de Jérôme Morval.

Sérénac verse de l'eau dans la cafetière tout en répondant :

— On s'en doutait. L'assassin n'allait pas se désigner lui-même... Mais on peut dire à l'inverse que cela innocente cent soixante et onze Givernois...

— Si vous le dites...

— Et que Jacques Dupain ne fait pas partie de ces cent soixante et onze... On va le laisser encore un peu dans son jus. Pour le reste, on en est où ?

L'inspecteur Bénavides déplie sa fameuse feuille à trois colonnes.

— T'es vraiment un maniaque, Sylvio...

— Je sais. Je construis cette enquête exactement comme j'ai construit ma terrasse ou ma véranda. Avec patience et précision...

— Et je suis sûr que chez toi ta Béatrice se fout autant de ta gueule que moi au bureau...

— Gagné… Mais n'empêche, elle est nickel, ma terrasse !

Sérénac soupire. L'eau bout.

— Allez, vas-y avec tes foutues colonnes…

— Elles se remplissent, petit à petit, à la verticale… Maîtresses, « Nymphéas », gosses…

— Et on aura résolu l'enquête quand on pourra tracer une belle flèche, bien horizontale, qui reliera tes trois colonnes. Le lien entre ces trois tubes complètement étanches pour l'instant… Sauf qu'en ce moment on patauge tellement que cent soixante et onze bottes risquent de ne pas nous suffire…

Bénavides bâille. Le fauteuil mauve semble l'avaler petit à petit.

— Alors, vas-y, Sylvio, je t'écoute. Les nouvelles de la nuit.

— Colonne un, l'ophtalmologiste et ses amantes. On commence à accumuler les témoignages, mais on n'a toujours rien qui puisse justifier un crime passionnel. Rien de neuf non plus sur la signification de ces fichus nombres au dos des photos. Je me torture les méninges, pourtant. Pour couronner le tout, aucune nouvelle d'Aline Malétras à Boston, et nous bloquons encore sur l'identification de l'inconnue de la cinquième photographie…

— La soubrette à genoux devant Morval dans le salon ?

— Excellente mémoire visuelle, patron. Sinon, j'ai essayé de classer les maris plus ou moins trompés par ordre de capacité à la jalousie. Jacques Dupain est sans conteste en tête de liste, sauf que paradoxalement nous n'avons aucune preuve tangible d'un adultère de sa femme. Vous avez avancé de votre côté, inspecteur ? Vous avez rencontré Stéphanie Dupain, hier ?

— Joker !

Sylvio Bénavides le regarde avec stupéfaction. Il trouble la digestion du fauteuil en essayant mollement de se redresser.

— Vous voulez dire quoi ?

— Joker. Point barre. Je ne vais pas te refaire le coup de ses yeux mauves qui me lancent des SOS, sinon, tu vas me dénoncer au juge d'instruction. Alors joker. *Wait and see.* Je gère ce segment de l'enquête de façon personnelle, si tu préfères. Mais je suis d'accord avec ton analyse. Nous n'avons aucune preuve d'adultère entre Jérôme Morval et Stéphanie Dupain, mais Jacques Dupain possède tout de même un solide profil de suspect numéro un. Allons, avançons, ta colonne deux : les « Nymphéas » ?

— Rien de neuf depuis notre entretien avec Amadou Kandy, hier. C'est vous qui deviez contacter la police de l'art ?

— OK. OK. Je vais le faire. Je vais les relancer, demain. Ah oui, je vais aussi passer faire un tour du côté des jardins de Claude Monet…

— Avec la classe de Stéphanie Dupain ?

La fumée de la cafetière s'élève au-dessus des cheveux hirsutes de Sérénac. L'inspecteur fixe son adjoint avec inquiétude.

— C'est dingue, tu es en permanence au courant de tout, Sylvio ! Tu nous as tous mis sur écoute et tu passes tes nuits à écouter les bandes ?

Bénavides bâille bruyamment.

— Pourquoi, c'est top secret, cette visite scolaire ?

Il se frotte les yeux.

— Demain, de mon côté, j'ai pris rendez-vous avec le conservateur du musée des Beaux-Arts, à Rouen.

— Pour quelle foutue raison ?

— Initiative et autonomie, c'est vous qui me l'avez recommandé, non ? Disons que je veux me faire mon idée personnelle sur cette histoire de tableaux de Monet et de « Nymphéas »…

— Tu sais, Sylvio, que si j'étais d'un naturel soupçonneux je pourrais prendre cela comme un manque de confiance envers ton supérieur hiérarchique direct ?

Les yeux fatigués de Sylvio Bénavides trouvent la force de briller de malice.

— Joker !

L'inspecteur Sérénac prend le temps de se servir avec précaution un café dans une tasse ébréchée. Il place un sachet de thé dans une autre, qu'il tend à son adjoint.

— Je dois vraiment avoir du mal à comprendre la psychologie normande… Tu devrais être au pied du lit de ta femme, en ce moment, Sylvio, au lieu de faire du zèle…

— Ne vous vexez pas, patron. Je suis un peu obsessionnel, c'est tout. Sous mes airs de chien fidèle, je suis un têtu. Je n'y connais rien en peinture, j'ai juste besoin de me mettre à niveau. Écoutez-moi encore un peu. La dernière colonne, la trois. Les enfants de onze ans.

Sérénac grimace en trempant les lèvres dans son café.

— Ton dada…

— J'ai épluché la liste des gosses de onze ans fournie par Stéphanie Dupain. Dans l'idéal, pour enfourcher mon dada, j'ai cherché une fille ou un garçon de dix ans, dont la mère ferait des ménages, par exemple chez les Morval il y a une dizaine d'années…

— Et porterait une blouse bleue sur sa jupe retroussée… Alors, le résultat des courses ?

— Rien ! Absolument aucun enfant sur la liste ne correspond à ce portrait. Il y a neuf mômes de Giverny qui sont dans la tranche d'âge, disons neuf-onze ans. Parmi les parents, je n'ai repéré que deux mères célibataires. La première est serveuse à la boulangerie de Gasny, le bled de l'autre côté du plateau, et la seconde conduit les bus du département.

— Pas banal, ça…

— Non, pas banal, comme vous dites. J'ai aussi une mère divorcée qui est prof de lycée à Évreux. Tous les autres parents sont en couple, et aucune des mères *a priori* ne fait les ménages, ni aujourd'hui ni il y a dix ans.

Sérénac s'appuie contre la table en formica et prend une mine désolée.

— Si tu veux mon avis, Sylvio, il n'y a que deux explications possibles à ton fiasco. La première, c'est que toute ton hypothèse d'enfant illégitime est foireuse. C'est la plus probable. La seconde, c'est que le fameux môme à qui Morval souhaite joyeux anniversaire sur la carte postale trouvée dans sa poche n'est pas de Giverny, ni d'ailleurs sa maîtresse sur la photo, la fille en blouse bleue qui lui fait une gâterie. Qu'elle soit ou non la mère du môme. Et alors là…

Bénavides n'a pas touché à son thé. Il ose un regard timide.

— Si je peux me permettre, patron… Il y a une troisième explication possible.

— Ah ?

Sylvio hésite un instant avant de poursuivre.

— Eh bien… tout simplement… la liste fournie par Stéphanie Dupain pourrait être fausse.

— Pardon ?

Sérénac en a renversé la moitié de son café. Sylvio s'enfonce encore dans le fauteuil mauve tout en continuant :

— Je vais le dire autrement, alors. Rien ne prouve que cette liste d'enfants soit exacte. Stéphanie Dupain est également une des suspectes dans cette affaire…

— Je ne vois pas le rapport entre son hypothétique flirt avec Morval et les enfants de sa classe…

— Moi non plus. Mais on ne voit pas beaucoup de rapport entre quoi que ce soit dans cette affaire. Si on avait du temps, il faudrait confronter la liste des gamins de la classe de l'institutrice avec celle des familles de Giverny, les prénoms, les professions actuelles et passées, les noms de jeune fille des mères. Tout. Vous me direz ce que vous voudrez, mais ce mot d'Aragon sur la carte d'anniversaire dans la poche de Morval, le *« crime de rêver qu'il faut instaurer »*, il a un rapport direct avec la classe de Giverny : c'est une récitation que les enfants du village apprennent. C'est vous-même qui me l'avez raconté, patron, vous le tenez de la bouche de Stéphanie Dupain.

Sérénac vide d'un trait sa tasse.

— OK, si je te suis, imaginons qu'il y ait un doute. Par quel bout tu voudrais prendre cela ?

— Je n'en sais rien. En plus, j'ai parfois l'impression que les Givernois nous cachent quelque chose. Comment dire, une sorte d'ambiance d'omerta de village corse.

— Qu'est-ce qui te fait penser ça ? C'est pas trop ton genre, d'habitude, les impressions ?

Une inquiétante lueur passe derrière les yeux de Sylvio.

— C'est que… j'ai autre chose en ce qui concerne ma troisième colonne, patron. Les gosses. Je vous préviens, c'est assez étrange… Plus que cela, même. Sidérant, ce serait le terme.

– 31 –

Ce matin, à Giverny, il fait un temps superbe. Pour une fois, j'ai ouvert la fenêtre du salon et j'ai décidé de faire du rangement. Le soleil se glisse dans ma salle avec une timidité méfiante, comme s'il y entrait pour la première fois. Puisqu'il ne trouve chez moi aucune poussière à faire danser, il se pose juste sur le bois du buffet, de la table, des chaises, pour le rendre plus clair.

Mes « Nymphéas » noirs, dans leur coin, se terrent dans l'ombre. Je défie quiconque, même en levant la tête, même par ma fenêtre ouverte au quatrième étage, d'apercevoir le tableau de l'extérieur.

Je tourne un peu en rond. Tout est à sa place dans le salon, c'est pour cela que j'hésite un peu à fouiller partout, au-dessus du placard, au fond de ces tiroirs, ou bien à descendre dans le garage, vider ces cartons moisis, soulever des sacs-poubelle coupés en deux et dévoiler ces caisses jamais ouvertes depuis des années. Des décennies, même. Je sais ce que je cherche, pourtant. Je sais précisément ce qui m'intéresse, sauf que je n'ai aucune idée de l'endroit où je l'ai rangé, après tout ce temps.

Je vous vois venir, vous vous dites qu'elle perd la mémoire, la vieille. Si vous voulez… N'allez pas me raconter qu'il ne vous est jamais arrivé de retourner toute une maison juste pour retrouver un souvenir, un objet à propos duquel vous n'aviez qu'une seule certitude : vous ne l'aviez jamais jeté.

Il n'y a rien de plus énervant, non ?

Je vais tout vous dire, ce que je tiens tant à retrouver, c'est un carton, un simple carton de la taille d'une boîte à chaussures, rempli de vieilles photos. Vous voyez, ce n'est guère original. Il paraît que maintenant, j'ai lu ça, toute une vie de photos peut tenir dans une clé USB de la taille d'un briquet. Moi, en attendant, je cherche ma boîte à chaussures. Vous, à plus de quatre-vingts ans, vous chercherez dans votre fourbi un minuscule briquet. Bon courage. Ça doit être le progrès.

J'ouvre sans grand espoir les tiroirs de la commode, je glisse une main sous l'armoire normande, derrière les rangées de livres.

Rien, bien entendu.

Je dois me résigner, ce que je cherche n'est pas à portée de main. Ma boîte doit se trouver quelque part dans le garage, sous une couche de sédiments accumulés au fil des années.

J'hésite encore. Le jeu en vaut-il la chandelle ? Dois-je prendre la peine de remuer tout ce bric-à-brac pour en définitive dénicher une photo, une seule ? Une photo que je n'ai jamais jetée, cela j'en suis certaine. La seule qui garde la mémoire d'un visage que j'aimerais tant revoir, une dernière fois.

Albert Rosalba.

Sans parvenir à prendre de décision, je regarde mon salon où rien ne traîne. Il y a juste ces deux bottes qui sèchent devant le conduit de cheminée. Enfin, qui sèchent… Deux bottes que j'ai rangées là, je devrais dire.

Évidemment, en bas, la cheminée est éteinte.

Ce n'est pas encore Noël.

– 32 –

Sylvio Bénavides a beau avoir prononcé ses dernières paroles avec le maximum d'emphase, son patron n'a toujours pas l'air de le prendre au sérieux. Il se sert une nouvelle tasse de café avec décontraction, comme s'il en était toujours à compter les bottes dans sa tête. Son adjoint porte sa tasse de thé à sa bouche et grimace. Pas de sucre.

Sérénac se retourne.

— Je t'écoute, Sylvio. Sidère-moi…

— Vous me connaissez, patron, explique Bénavides. J'ai épluché tout ce qui pouvait concerner à la fois Giverny et une histoire de gosse. J'ai fini par dénicher ça dans les archives de la gendarmerie…

Il bascule dans le fauteuil mou, pose sa tasse de thé par terre et fouille à ses pieds dans la liasse de papiers. Il glisse à son supérieur un compte rendu de gendarmerie de Pacy-sur-Eure : un papier jauni d'une dizaine de lignes. Sérénac déglutit. Le tasse ébréchée tremble dans ses doigts.

— Je vous fais la synthèse, patron. Je crois que vous n'allez pas trop aimer. Il s'agit d'un fait divers.

Un enfant a été retrouvé noyé dans le ru de l'Epte, à Giverny. Exactement à l'endroit où Jérôme Morval a été assassiné. Mort exactement avec le même protocole, le même rituel, comme vous avez dit, à l'exception du coup de couteau : le gosse a eu le crâne broyé par une pierre puis la tête plongée dans le ruisseau.

Laurenç Sérénac ressent une violente décharge d'adrénaline. La tasse claque sur le formica.

— Nom de Dieu… Quel âge avait l'enfant ?

— Presque onze ans, à quelques mois près.

Une sueur froide coule le long du front de l'inspecteur.

— Putain…

Bénavides s'accroche aux accoudoirs comme s'il se noyait dans le fauteuil mauve.

— Il y a juste un hic, inspecteur… C'est que ce fait divers s'est déroulé il y a un sacré paquet d'années…

Il marque un silence, redoutant la réaction de Sérénac. Puis :

— En 1937, pour être exact…

Sérénac s'effondre dans le canapé orange. Ses yeux se posent sur le compte rendu jauni.

— En 1937 ? Nom de Dieu, qu'est-ce que c'est encore que cette histoire ? Un gosse de onze ans mort précisément au même endroit que Morval, exactement de la même façon… mais en 1937 ! C'est quoi, ce délire ?

— Je n'en sais rien, patron… Vous regarderez, tout est sur le compte rendu de la gendarmerie de Pacy. Si on y pense, ça n'a sans doute strictement rien à voir… À l'époque, les gendarmes ont conclu à un accident. Le gamin a glissé sur une pierre, s'est fendu le crâne puis s'est noyé. L'accident con. Point final.

— Il s'appelait comment, ce gosse ?

— Albert Rosalba. Sa famille a quitté Giverny peu après le drame. Aucune nouvelle d'eux, depuis…

Laurenç Sérénac tend le bras jusqu'à son café posé sur la table. Il grimace en buvant le breuvage.

— Putain, Sylvio, c'est troublant tout de même, ton histoire. J'ai tendance à ne pas trop aimer ce genre de coïncidences. Vraiment pas. Comme si le mystère n'était pas assez épais comme ça, comme si on avait besoin de ça en plus…

Sylvio rassemble les papiers éparpillés à ses pieds.

— Je peux vous demander un truc, patron ?

— Au point où on en est…

— Ce qui me trouble le plus, moi, c'est que depuis le début nos intuitions sont contradictoires. J'y ai pensé toute la nuit. Depuis le départ, vous êtes persuadé que tout tourne autour de Stéphanie Dupain, qu'elle serait en danger. Moi, je ne sais pas pourquoi, je suis convaincu que la clé se trouve dans la troisième colonne, qu'il y a bien un assassin qui se balade en liberté et qui est prêt à frapper à nouveau, mais que c'est la vie d'un gosse qui est en jeu, d'un gosse de onze ans…

Laurenç pose sa tasse par terre. Il se lève et tape amicalement le dos de son adjoint.

— C'est peut-être bien parce que tu vas être papa d'une heure à l'autre… Et que pour ma part, le célibataire que je suis s'intéresse moins aux enfants qu'à leurs mamans, même mariées… C'est juste une question d'identification. Logique, non ?

— Peut-être. Chacun sa colonne, alors, souffle Sylvio. Espérons juste qu'on n'ait pas raison tous les deux.

Cette dernière réflexion étonne Sérénac. Il observe avec attention son adjoint et il ne discerne qu'un visage tiré et deux yeux las d'être ouverts. Bénavides n'a pas encore terminé de trier toutes ses feuilles. Il sait qu'avant de partir son adjoint, ce soir, malgré sa fatigue, prendra le temps de tout photocopier et de tout ranger dans la boîte à archives rouge, puis de ranger cette boîte à la bonne place sur l'étagère de la salle au sous-sol. M comme Morval. Il est comme cela, son adjoint…

— Il y a une explication à tout, Sylvio, fait Sérénac. Il existe une façon d'emboîter les pièces du puzzle. Forcément !

— Et Jacques Dupain, soupire Bénavides. Vous ne trouvez pas qu'il a assez mariné ?

— Putain ! Je l'avais oublié, celui-là…

Pour s'asseoir sur le bureau de la salle 101, Laurenç Sérénac a poussé une dizaine de bottes bleues et les a empilées en un tas instable. Jacques Dupain ne décolère pas. Sa main droite frotte successivement sa moustache brune et ses joues mal rasées, trahissant un énervement croissant.

— Je ne comprends toujours pas ce que vous me voulez, inspecteur. Cela fait près d'une heure que vous me retenez ici. Allez-vous enfin me dire pourquoi ?

— Un entretien. Un simple entretien…

Sérénac embrasse d'un geste ample l'exposition de bottes.

— On ratisse large, monsieur Dupain. Vous pouvez le constater. Presque tous les habitants du village nous ont confié une paire de bottes. Ils collaborent, calmement. On vérifie que leurs chaussures ne correspondent pas à l'empreinte sur les lieux du crime, puis on ne les ennuie plus… C'est aussi simple que cela. Tandis que…

La main droite de Jacques Dupain se crispe dans sa moustache pendant que la gauche serre l'accoudoir avec nervosité.

— Combien de fois devrai-je vous le dire ? Je ne les retrouve pas, mes foutues bottes ! Je pensais les avoir laissées dans l'abri qui sert de garage à côté de l'école. Elles n'y sont plus ! Hier, j'ai dû emprunter celles d'un ami…

Sérénac expérimente un sourire sadique.

— Étrange, non, monsieur Dupain ? Pourquoi quelqu'un s'amuserait-il à voler une paire de bottes boueuses ? Du 43, votre pointure. Précisément de la taille de l'empreinte mesurée sur la scène de crime ?

Sylvio Bénavides se tient debout au fond de la pièce, adossé à une étagère, côté rayon des bottes neuves et presque neuves, du 39 au 42. Il observe l'entretien avec une lassitude amusée. Au moins, ça le maintient éveillé. À la question posée par Sérénac, il aurait bien une réponse en tête, mais il ne va tout de même pas la souffler au suspect.

— Je ne sais pas, s'énerve Dupain. Peut-être parce que ce quelqu'un est l'assassin et a eu la bonne idée de voler les premières bottes de la bonne pointure qu'il a trouvées pour faire accuser un pauvre type à sa place !

C'est la réponse qu'attendait Bénavides. Pas si con, ce Dupain, pense-t-il.

— Et ça tomberait sur vous, insiste Sérénac. Comme par hasard ?

— Ça tombe sur quelqu'un. Ça tombe sur moi. Ça

veut dire quoi, « comme par hasard » ? Je n'aime pas vos sous-entendus, inspecteur.

— Contentez-vous d'entendre, alors. Que faisiez-vous le matin du meurtre de Jérôme Morval ?

Les pieds de Dupain décrivent de larges cercles dans l'espace duquel toutes les bottes de plastique ont été expulsées, comme un gosse coléreux qui fait le vide de jouets dans son parc.

— Vous me suspectez, alors ? Vers 6 heures du matin, j'étais encore au lit, avec ma femme, comme chaque matin…

— Voilà encore un point étrange, monsieur Dupain. Les mardis matin, d'après nos témoignages, vous avez l'habitude de vous lever aux aurores pour aller chasser les garennes sur le terrain de votre ami Patrick Delaunay. Parfois en groupe. Seul, le plus souvent… Pourquoi avoir dérogé à vos habitudes, le matin du crime, justement ce mardi-là ?

Un silence. Les doigts agacés de Dupain continuent de torturer sa moustache.

— Allez savoir… Pour quelle foutue raison un homme peut-il avoir envie de rester au lit avec sa femme ?

Jacques Dupain plante ses yeux dans ceux de Laurenç Sérénac. Planter est le mot juste. Deux poignards. Sylvio Bénavides ne rate rien de l'affrontement. Une nouvelle fois, il pense que Jacques Dupain se défend plutôt bien.

— Personne ne vous le reproche, monsieur Dupain. Personne. Soyez sans crainte, nous vérifierons votre alibi… Quant au mobile…

Sérénac repousse avec application la dizaine de bottes bleues entassées au bout du bureau et pose en évidence la photographie de Stéphanie et Jérôme Morval, main dans la main sur le chemin du coteau.

— La jalousie pourrait en être un. Vous ne croyez pas ?

Jacques Dupain regarde à peine le cliché, comme s'il en connaissait déjà le contenu.

— Ne dépassez pas les bornes, inspecteur. Que vous me soupçonniez, si cela vous amuse, pourquoi pas… Mais ne mêlez pas Stéphanie à votre petit jeu. Pas elle. Nous sommes d'accord, je pense ?

Sylvio hésite à intervenir. Il a l'impression que maintenant la situation peut dégénérer, d'une seconde à l'autre. Sérénac continue de jouer avec sa proie. Il a enfilé deux bottes bleues dans chacune de ses mains et essaye distraitement de reconstituer des paires. Il lève des yeux ironiques.

— C'est un peu court, comme défense, monsieur Dupain. Vous ne trouvez pas ? En termes juridiques, on appelle même cela une défense tautologique… Se défendre d'un mobile reposant sur la jalousie… par un excès supplémentaire de jalousie…

Dupain se lève. Il est à moins d'un mètre de Sérénac. Dupain est plus petit que l'inspecteur, d'au moins vingt centimètres.

— Ne jouez pas sur les mots, Sérénac. Je comprends, je comprends parfaitement votre petit jeu… Si vous vous approchez encore…

Sérénac ne lui accorde pas un regard. Il jette une botte et en enfile une autre dans sa main. Souriant.

— Vous n'êtes pas en train de me dire, monsieur Dupain, que vous voudriez entraver le bon déroulement de l'enquête ?…

Sylvio Bénavides ne saura jamais jusqu'où Jacques

Dupain aurait pu aller, ce jour-là. Il ne tient pas à le savoir, d'ailleurs. C'est pour cela qu'il pose à temps une main rassurante sur l'épaule de Jacques Dupain, tout en mimant un signe d'apaisement à destination de Sérénac.

– 33 –

Sylvio Bénavides a raccompagné Jacques Dupain en dehors du commissariat. Il a su formuler les politesses d'usage, les excuses voilées. L'inspecteur Bénavides est assez doué pour ça. Jacques Dupain est remonté furieux dans sa Ford et, en signe de dérisoire défi, a traversé le parking de la rue Carnot pied au plancher. Bénavides a fermé les yeux puis est retourné dans le bureau. Sylvio Bénavides est également doué pour écouter les états d'âme de son supérieur.

— Tu en penses quoi, Sylvio ?

— Que vous y avez été fort, patron. Trop fort. Beaucoup trop fort.

— OK, on va dire que c'est mon côté occitan. Mais à part ça, tu en penses quoi ?

— Je ne sais pas. Dupain n'est pas net, si c'est ce que vous voulez entendre. Cela dit, on peut le comprendre. Il a une femme à laquelle il est assez naturel de tenir. Ce n'est pas vous qui allez me dire le contraire. Mais ça ne fait pas pour autant de lui un assassin…

— Putain, Sylvio. Et le coup des bottes qu'on lui aurait volées ? Ça ne tient pas debout une seconde ! Son alibi non plus, sa femme, Stéphanie, m'a affirmé qu'il était parti à la chasse, le matin du crime…

— C'est troublant, patron, d'accord. On devra confronter leurs témoignages. Mais il faut aussi reconnaître que les éléments à charge s'accumulent un peu trop facilement. D'abord la photo de sa femme en promenade avec Morval envoyée par un corbeau, puis ses bottes de chasse qui disparaissent… On pourrait penser que quelqu'un cherche à faire peser les soupçons sur lui. Et puis, en ce qui concerne cette histoire d'empreinte de semelle, il n'est pas le seul à avoir besoin d'un mot d'excuse ! Nous sommes loin d'avoir réussi à dénicher tous les habitants de Giverny. On s'est aussi heurtés à des portes fermées, à des maisons vides, à des Parisiens absents presque tout le temps. Il nous faudra plus de temps, beaucoup plus de temps…

— Bordel…

Sérénac attrape une botte orange et la tient entre deux doigts, par le talon.

— C'est lui, Sylvio ! Me demande pas pourquoi, mais je sais que c'est Jacques Dupain !

Laurenç Sérénac lance soudain la botte orange dans une dizaine d'autres, posées sur l'étagère en face.

— Strike ! commente placidement Sylvio Bénavides.

Son chef demeure quelques instants silencieux, impassible, puis hausse soudain le ton :

— On piétine, Sylvio. On piétine ! Convoque-moi toute l'équipe pour dans une heure.

Laurenç Sérénac, les nerfs à vif, tente péniblement d'animer le brainstorming pour lequel il a rassemblé toute son équipe au commissariat de Vernon. La pièce claire aux rideaux déchirés est inondée de soleil. Sylvio Bénavides somnole au bout de la table. Il entend, entre deux apnées, le patron du commissariat de Vernon faire à nouveau le point sur les différentes pistes et énumérer l'impressionnante liste des recherches à couvrir : identifier les maîtresses de Morval et interroger leurs proches, creuser les affaires de trafic d'art autour de l'impressionnisme et en particulier serrer de près Amadou Kandy, en savoir davantage sur cette fameuse fondation Theodore Robinson, creuser également cette étrange histoire de noyade dans le ruisseau qui date de 1937, interroger encore les Givernois, notamment les voisins, notamment les proches des Morval, notamment ceux qui, comme par hasard, n'avaient pas de bottes chez eux, notamment ceux qui ont des gosses de onze ans… Voir aussi du côté des clients du cabinet d'ophtalmologie.

Ça fait beaucoup, l'inspecteur Sérénac en est conscient, beaucoup trop pour une équipe de cinq personnes, et encore, pas à temps plein, loin de là… Ils devront piocher au hasard et croire en leur chance. Attendre la bonne pioche… Les flics sont habitués, c'est tout le temps comme cela. La seule mission que Sérénac n'a pas rappelée à ses collègues, c'est la vérification de l'alibi de Jacques Dupain. Celle-ci, il se la garde… Le privilège du chef !

— D'autres idées ?

L'agent Ludovic Maury a écouté les injonctions musclées de son supérieur avec l'attention lassée d'un footballeur remplaçant dans un vestiaire. Le soleil dans son dos est en train de lui rôtir la nuque. Pendant le brainstorming, il a détaillé une nouvelle fois les photographies de la scène de crime étalées devant lui : le ruisseau, le pont, le lavoir. Le corps de Jérôme Morval, les pieds sur les berges et la tête dans l'eau.

Il se demande pourquoi les idées viennent parfois à un moment et pas à un autre et lève un doigt.

— Oui, Ludo ?

— Juste une idée comme ça, Laurenç. Au point où on en est, tu ne crois pas que l'on pourrait carrément draguer le fond du ruisseau de Giverny ?

— Tu veux dire quoi ? s'énerve la voix agacée de Sérénac, comme si, subitement, il appréciait peu le tutoiement méridional pratiqué par l'agent Maury.

Sylvio Bénavides se réveille en sursaut.

— Ben… continue Maury, nous avons fouillé partout sur la scène de crime, on a des photos, des empreintes, des échantillons. Nous avons aussi regardé dans le ru, bien entendu. Mais je ne crois pas qu'on ait dragué la rivière en profondeur. Remué le sable, je veux dire, creusé en dessous. L'idée m'est venue en regardant sur la photo l'orientation des poches de Morval : elles sont dirigées vers le ruisseau. Un objet, n'importe quel truc, a pu glisser dans l'eau, s'enfoncer dans le sable. Disparaître.

Sérénac se passe la main sur le front.

— C'est pas idiot… Pourquoi pas, après tout… Sylvio, t'es réveillé, là ? Tu me montes une équipe au plus vite, avec un sédimentologue, ou un type dans le genre. Tu vois ? Un scientifique qui soit capable de dater au jour près toute la merde qu'on va remonter de la vase du ruisseau !

— OK, fait Bénavides, qui soulève ses paupières dans un effort d'haltérophile. Tout sera prêt pour après-demain. Demain, je vous rappelle, pour nous deux, c'est la journée du patrimoine. Au programme, visite aux jardins de Claude Monet pour vous et au musée des Beaux-Arts de Rouen pour moi.

– 34 –

Rue Blanche-Hoschedé-Monet. La lumière du soir se faufile entre les volets des stores de la chambre mansardée des Dupain. Les chaumières normandes en vente sur le papier glacé se tordent dans les doigts nerveux de Jacques Dupain.

— Je vais prendre un avocat, Stéphanie. L'attaquer pour harcèlement. Ce flic, ce Sérénac, il n'est pas net, Stéphanie… On dirait que…

Jacques Dupain se tourne dans le lit. Il n'a pas besoin de vérifier. Il sait qu'il parle au dos de sa femme. À sa nuque. À ses longs cheveux clairs. À un quart de visage. À une main qui tient un livre. Parfois, quand les draps sont complices, à une chute de reins, un cul sublime qu'il se retient chaque soir de caresser.

— On dirait qu'il me cherche, ce flic, continue Dupain. Qu'il en fait une affaire personnelle,

— Ne t'inquiète pas, répond le dos. Calme-toi…

Jacques Dupain tente de se replonger dans sa brochure de maisons à vendre. Les minutes passent lentement sur le cadran du réveil posé juste face à lui.

21 h 12…

21 h 17…

21 h 24…

— Tu lis quoi, Stéphanie ?

— Rien.

Un dos, ce n'est pas bavard.

21 h 31…

21 h 34…

— J'aimerais te trouver une maison, Stéphanie. Autre chose que ce placard au-dessus de l'école. La maison de tes rêves. C'est mon métier, après tout. Un jour, je pourrai te l'offrir. Si tu es patiente, je pourrai…

Le dos bouge un peu. La main s'étire jusqu'à la table de nuit, pose le livre.

Aurélien.

Louis Aragon.

Elle appuie sur l'interrupteur de la lampe de chevet.

— Pour que tu ne me quittes jamais, glisse dans le noir la voix de Jacques Dupain.

21 h 37…

21 h 41…

— Tu ne le laisseras pas, Stéphanie ? Tu ne laisseras pas ce flic nous séparer ? Tu sais bien que je n'ai rien à voir avec le meurtre de Morval.

— Je le sais, Jacques. Nous le savons tous les deux.

Un dos, c'est lisse et froid.

21 h 44.

— Je le ferai, Stéphanie… Ta maison, notre maison, je la trouverai…

Un bruit de drap froissé.

Le dos s'efface. Deux seins, un sexe s'invitent dans la conversation.

— Fais-moi un enfant, Jacques. Un enfant avant tout.

– 35 –

James, allongé sur le dos, goûte les derniers rayons de soleil : encore une quinzaine de minutes avant qu'il ne se cache derrière le coteau. Il sait qu'il sera alors un tout petit peu plus de 22 heures. James n'a pas de montre, il vit au rythme du soleil, comme le faisait Monet, il se lève et se couche avec lui. Un peu plus tard chaque soir, en ce moment. Pour l'instant, l'astre joue à cache-cache avec les peupliers.

C'est agréable, cette chaleur alternative. James ferme ses paupières. Il est bien conscient qu'il peint de moins en moins et qu'il dort de plus en plus. Pour le dire comme doivent le penser les habitants du village, il devient de plus en plus clochard et de moins en moins artiste.

Quel délice ! Passer pour un clochard aux yeux des braves gens. Devenir le clochard du village, comme chaque village possède son curé, son maire, son instit, son facteur… Lui, il sera le clochard de Giverny. Il y en avait un avant, il paraît, du temps de Claude Monet. On le surnommait le Marquis à cause du chapeau de feutre avec lequel il saluait les passants. Mais surtout, le Marquis était connu parce qu'il récupérait devant la maison de Monet les mégots des cigarettes que le vieux peintre fumait à peine. Il s'en bourrait les poches. La grande classe !

Oui, devenir le clochard de Giverny, le Marquis. Voilà une sacrée ambition. Mais pour y parvenir, James est conscient qu'il a encore du chemin à parcourir ! Pour l'instant, à part la petite Fanette, personne ne s'intéresse à ce vieux fou qui dort dans les champs avec ses chevalets.

À part Fanette…

Fanette lui suffit.

Ce ne sont pas des mots en l'air, Fanette est réellement une jeune fille très douée. Tellement plus douée que lui. Cette gamine est un véritable don du ciel, comme si le bon Dieu l'avait fait naître exprès à

Giverny, comme si le bon Dieu l'avait placée exprès sur son chemin.

Elle l'a appelé « père Trognon », tout à l'heure ! Comme dans le tableau de Robinson. *Père Trognon*… James aimerait mourir comme ça, en savourant simplement ces deux mots prononcés par Fanette.

Père Trognon.

Deux mots comme une synthèse de sa quête… Du chef-d'œuvre de Theodore Robinson à l'impertinence d'un génie en herbe.

Lui.

Père Trognon.

Qui aurait pu l'imaginer ?

Le soleil ne brille plus.

Il n'est pourtant pas encore 22 heures. Il fait soudain sombre, comme si le soleil avait brusquement changé de jeu, comme si du cache-cache dans les peupliers il était passé au colin-maillard. Comme si le soleil était resté à compter jusqu'à vingt derrière un peuplier, laissant à la lune un peu d'avance pour se sauver…

James ouvre les yeux. Tétanisé ! Terrifié !

Il ne voit qu'une pierre, une pierre immense, au-dessus de sa figure, juste au-dessus, à moins de cinquante centimètres.

Vision surréaliste.

Il comprend trop tard qu'il ne rêve pas. La pierre écrase son visage comme un vulgaire fruit mûr. James sent sa tempe exploser en même temps qu'une douleur immense.

Tout bascule. Il se retourne sur le ventre. Il rampe

dans les épis de blé. Il n'est pas si loin du ruisseau, d'une maison, de ce moulin. Il pourrait crier.

Aucun son ne sort de sa bouche. Il lutte pour ne pas perdre conscience. Un bourdonnement terrible sature ses pensées, son crâne enfle telle une machine à vapeur qui va exploser.

James rampe encore. Il sent que son agresseur est là, debout, au-dessus de lui, prêt à l'achever.

Qu'est-ce qu'il attend ?

Ses yeux accrochent deux pieds de bois. Un chevalet. Ses mains s'agrippent, désespérées. Les muscles de ses bras se tendent en une ultime tentative pour se redresser.

Le chevalet s'effondre dans un fracas assourdissant. La boîte de peinture tombe juste devant lui. Pinceaux, crayons, tubes de peinture se répandent dans l'herbe. James repense fugitivement à ce message gravé à l'intérieur. *Elle est à moi ici, maintenant et pour toujours*. Il n'a pas compris cette menace. Ni qui l'a gravée ni pourquoi.

A-t-il vu quelque chose qu'il n'aurait pas dû ?

Il va mourir sans savoir. Il a l'impression que ses pensées l'abandonnent, qu'elles coulent dans la terre, avec le reste de son sang, de sa peau. Il se traîne maintenant sur les tubes de peinture, les écrase, les éventre. Il continue, droit devant lui.

Il perçoit l'ombre, toujours au-dessus.

Il sait qu'il devrait se calmer, se retourner. Essayer de se relever. Prononcer un mot. C'est impossible. Une peur panique le glace. L'ombre a cherché à le tuer. L'ombre va recommencer. Il doit fuir. Il n'arrive plus à raisonner autrement, il y a trop de bourdonnements dans son crâne. Il ne pense plus qu'en pulsions primaires. Ramper. S'éloigner. S'échapper.

Il renverse un deuxième chevalet. Du moins, c'est ce qu'il croit. Le sang inonde ses yeux, maintenant. Son regard se brouille. Le paysage devant lui se tache de rouge, de rouille, de pourpre. Le ruisseau ne doit pas être très loin. Il peut encore s'en sortir, quelqu'un peut arriver.

Ramper, encore.

Un chevalet, encore un autre, devant. Avec sa palette, ses pinceaux, ses couteaux.

L'ombre le devance.

Elle est devant lui maintenant. Dans un filtre rouge gluant, James voit une main se saisir de son couteau à gratter. S'approcher.

C'est fini.

James rampe encore quelques centimètres, puis pousse sur ses bras. Ses dernières forces. Son corps roule sur lui-même, une fois, deux fois, plusieurs fois. Un instant, James espère qu'il suivra le sens de la pente, qu'il roulera, loin, qu'il glissera le long de la légère inclinaison de la prairie, jusqu'à l'Epte ; qu'il s'en sortira, ainsi.

Un instant seulement.

Son corps s'échoue dans les épis couchés. Sur le dos. Il n'a pas parcouru deux mètres. Il ne voit plus rien, désormais. James crache un mélange de sang et de peinture. Il n'arrive plus à aligner deux pensées cohérentes.

L'ombre s'approche.

James essaye une dernière fois de bouger, un muscle,

un seul. Il en est incapable. Il ne commande plus son corps. Ses yeux, peut-être.

L'ombre est au-dessus.

James la regarde.

Brusquement, c'est comme si tout son cerveau lui était rendu. La dernière pensée du condamné. James a immédiatement reconnu l'ombre, mais il refuse encore de croire ses yeux. C'est impossible ! Pourquoi une telle haine ? Quelle folie a pu la nourrir ?

Une main le maintient contre le sol, l'autre va planter le couteau dans sa poitrine. James est incapable de bouger. Son cerveau ne le fait presque plus souffrir, maintenant. Il est terrifié.

Maintenant, il a compris.

Maintenant, James voudrait vivre !

Pas pour ne pas mourir. Sa vie a tellement peu d'importance. Il voudrait vivre pour empêcher ce qu'il devine, stopper cet enchaînement monstrueux, inéluctable, cette machination effroyable, dont il n'est qu'une scorie, un drame secondaire.

Il sent la lame froide fouiller sa chair.

Il est trop vieux. Il ne souffre même plus. La vie le quitte. Il se sent si inutile. Il a été incapable de s'opposer au drame qui se noue. Il était trop vieux pour protéger Fanette. Qui pourra aider la fillette, désormais ? Qui pourra la protéger de l'ombre qui va la recouvrir ?

James embrasse d'un dernier regard le champ de blé balayé par le vent. Qui trouvera son cadavre au milieu des épis ? Dans combien de temps ? Plusieurs heures ? Plusieurs jours ? Dans une dernière hallucination, il croit voir apparaître une dame à l'ombrelle, Camille Monet, au milieu des herbes folles et des coquelicots.

Il ne regrette plus rien, maintenant. Au fond, il avait quitté son Connecticut pour cela. Pour mourir à Giverny.

Le jour baisse doucement.

La dernière chose que James ressentira, avant de mourir, sera le frisson des poils de Neptune sur sa peau froide.

– NEUVIÈME JOUR –

21 mai 2010

(Chemin du Roy)

Sentiments

– 36 –

Deuxième journée de soleil de suite. À Giverny. Vous pouvez me croire, pour la saison, c'est presque un petit miracle.

Je longe le chemin du Roy. Plus je vieillis et plus j'ai du mal à comprendre ces touristes qui sont capables de patienter plus d'une heure pour entrer dans les jardins, rue Claude-Monet, à la queue les uns derrière les autres, sur plus de deux cents mètres de trottoir. Il suffit pourtant de se promener sur le chemin du Roy : n'importe qui peut observer les jardins et la maison de Monet, sans la moindre attente, à travers la barrière verte, le long de la route départementale, prendre des photographies inoubliables, sentir le parfum des fleurs.

Les voitures défilent, rasent les plantes qui séparent la route de la piste cyclable. À chaque passage de véhicule un peu trop pressé, les feuilles s'agitent, comme prises de spasmes. Autant de gars du coin qui travaillent à Vernon et qui depuis longtemps ne tournent plus la tête vers la maison rose aux volets verts. Le chemin du Roy, pour eux, c'est la D5, la route de Vernon. Rien d'autre.

À l'allure où je vais, moi, par contre, j'ai le temps d'admirer les fleurs. Je ne vais pas raconter d'histoires, bien entendu que le jardin est magnifique. La cathédrale de roses, le rond des dames, le Clos normand et ses cascades de clématites, le massif de tulipes roses et de myosotis… Autant de chefs-d'œuvre…

Qui dirait le contraire ?

Amadou Kandy m'a même raconté que depuis dix ans ils ont ouvert au Japon, dans un village en pleine campagne, une réplique exacte de la maison de Monet, du clos normand et du jardin d'eau. Vous y croyez, vous ? J'ai vu des photographies, il est presque impossible de différencier le vrai Giverny du faux, en toc. Vous me direz, à des photographies on fait dire ce que l'on veut… Mais tout de même, franchement, quelle idée de construire un second Giverny au Japon ! Décidément, tout cela me dépasse.

Je vais vous l'avouer, cela fait des années que je ne suis pas entrée dans les jardins de Monet. Ceux de Giverny, le vrai, je veux dire. Il y a trop de monde pour moi, maintenant. Avec ces milliers de touristes qui s'agglutinent, qui s'entassent, qui se marchent sur les pieds, ce n'est plus un lieu pour une vieille comme moi. En plus, lorsque les touristes visitent la maison de Monet, ils sont souvent surpris : il ne s'agit pas d'une galerie d'art. Il n'y a aucun tableau du maître dans la maison de Monet, aucune peinture de « Nymphéas », de pont japonais ou de peupliers. Rien qu'une maison, un atelier et un jardin. Pour voir les vraies toiles de Monet, il faut aller à l'Orangerie, à Marmottan, à Vernon… Oui, à tout prendre, je suis mieux de l'autre côté de la barrière. Et puis, mes émotions ne regardent que moi. Je n'ai qu'à fermer les yeux, la stupéfiante beauté du jardin y est gravée.

À jamais. Croyez-moi.

Ces fous furieux continuent de défiler sur le chemin du Roy. Une Toyota vient de passer, à plus de cent kilomètres à l'heure. Vous ne le savez peut-être pas, c'est Claude Monet qui a payé le goudron, il y a cent ans, parce que la poussière de la route recouvrait ses fleurs ! Il aurait mieux fait de payer une déviation. On n'a pas idée, franchement, un tel jardin coupé en deux par une départementale et les touristes qui passent dessous par un tunnel.

Enfin bon… Vous en avez peut-être assez des considérations passablement intéressantes d'une vieille Givernoise sur l'évolution de son village et de ses environs. Je vous comprends. Vous vous demandez surtout à quel jeu je joue. C'est ça qui vous intéresse, hein ? Quel est mon rôle, dans cette affaire ? À quel moment je cesse d'espionner tout le monde pour intervenir ? Comment ? Pourquoi ? Patience, patience. Quelques jours encore, plus que quelques jours. Laissez-moi profiter encore un peu de l'indifférence générale pour une vieille à laquelle on ne prête pas plus d'attention qu'à un poteau ou un panneau indicateur qui ont toujours été là. Je ne vais pas vous faire croire que je connais la fin de cette affaire, non, mais j'ai tout de même ma petite idée.

C'est moi qui refermerai la parenthèse de cette

histoire, faites-moi confiance. Et vous ne serez pas déçus, croyez-moi !

Un peu de patience, s'il vous plaît. Laissez-moi vous décrire encore un peu les jardins de Monet devant moi. Soyez attentifs, chaque détail compte. Les matins de mai sont souvent pris d'assaut par les sorties scolaires. Pendant tout le mois, chaque matin, le jardin est aussi bruyant qu'une cour d'école ! Enfin, cela dépend bien entendu de la capacité de l'institutrice à intéresser les mômes à la peinture. Et aussi de leur état d'excitation, selon le nombre d'heures qu'ils sont restés enfermés dans le car.

Parfois toute une nuit ! Il y a des institutrices sadiques ! Au moins, une fois à l'intérieur du jardin, les profs sont tranquilles, une surveillance discrète suffit. Les gamins sont comme dans un square, en plus pédagogique. Ils remplissent un questionnaire, ils dessinent. À part se noyer dans les nymphéas, ils ne risquent rien.

Sur le chemin du Roy, le camion de la boulangerie Lorin passe, me klaxonne, je lui adresse un petit signe de main. Richard Lorin est le dernier commerçant qui me connaisse, avec Amadou Kandy et sa galerie d'art. Beaucoup d'enseignes de Giverny changent tous les ans, les galeries, les hôtels, les gîtes. Ça va, ça vient. Giverny, c'est la marée, au gré des floraisons. Moi, maintenant, je vois ça de loin. Échouée sur le sable.

J'attends encore…

J'ai entendu le bruit de moto, un son caractéristique de Tiger Triumph T100. L'engin est parti se garer dans la ruelle Leroy, vers l'entrée des groupes. Cela aussi doit vous sembler étrange, qu'une femme de plus de quatre-vingts ans puisse reconnaître, seulement au bruit du moteur, la marque d'une moto. Une moto ancienne en plus, presque une antiquité. Si vous saviez… Croyez-moi sur parole, le son d'une Tiger Triumph T100, je crois que je pourrais le reconnaître entre mille.

Mon Dieu, comment l'oublier…

Je note d'ailleurs que je ne suis pas la seule à avoir tendu l'oreille. Stéphanie Dupain n'a pas mis longtemps avant de passer la tête par la fenêtre la plus haute de la maison de Claude Monet, le visage à moitié mangé par la vigne vierge. De son perchoir, elle fait mine de compter les enfants.

Tu parles…

Je la sens qui tremble rien qu'à entendre un bruit de moteur. Elle surveille, l'air vaguement attentive, les gosses qui courent entre les parterres de fleurs. Je crois qu'au contraire ils vont pouvoir faire ce qu'ils veulent pour un moment, les gosses de sa classe…

– 37 –

Stéphanie Dupain court dans l'escalier. Laurenç Sérénac est là, il l'attend dans le salon de lecture.

— Bonjour, Stéphanie. Ravi de vous revoir.

L'institutrice est essoufflée. Laurenç exécute un demi-tour sur lui-même.

— Mon Dieu, c'est la première fois que j'entre dans la maison de Claude Monet. Merci de me fournir cette occasion, vraiment. J'en avais entendu parler, mais c'est… c'est fascinant…

— Bonjour, inspecteur. Vous allez avoir droit à

la visite, alors. C'est vrai que vous avez une chance inouïe, le jardin de Monet n'est ouvert que pour l'école de Giverny ce matin. C'est exceptionnel ! Ça n'arrive qu'une fois par an, nous disposons des appartements de Monet rien que pour nous…

Rien que pour nous…

Laurenç Sérénac n'arrive pas à définir l'excitation qui le submerge. Entre fantasme et malaise.

— Et vos élèves ?

— Ils jouent dans le jardin. Ils ne risquent rien, rassurez-vous, je n'ai emmené que les plus grands. Et je les surveille du coin de l'œil, toutes les fenêtres de la maison donnent sur le jardin. Les plus sérieux sont censés peindre, chercher l'inspiration, ils doivent rendre leurs tableaux pour le concours « Peintres en herbe » de la fondation Robinson, dans quelques jours. Les autres s'en fichent et doivent jouer à cache-cache entre les ponts, autour du bassin… C'était déjà comme cela du temps de Monet, vous savez. Il ne faut pas croire le mythe d'une maison silencieuse habitée par un vieil artiste ermite, la maison de Claude Monet était peuplée de ses enfants et de ses petits-enfants.

Stéphanie avance et prend la pose d'un guide.

— Comme vous le remarquez, inspecteur, nous sommes ici dans le petit salon bleu… Il donne sur une étrange épicerie. Observez ces boîtes à œufs suspendues aux murs…

L'institutrice porte une étonnante robe de soie bleu et rouge, serrée par une large ceinture à la taille, fermée par deux boutons fleuris au ras du cou. La robe lui donne une allure de geisha descendue d'une estampe. Ses cheveux sont tirés en arrière. Son regard mauve se fond dans le pastel des murs. Sérénac ne sait où poser les yeux. Stéphanie, habillée ainsi, lui rappelle étrangement un tableau de Claude Monet qu'il avait admiré il y a des années, le portrait de sa première femme, Camille Doncieux, déguisée en geisha. Il se sent presque comme un intrus, vêtu de son jean, de sa chemise et de son blouson de cuir.

— On passe dans la pièce suivante ? propose la voix douce de sa guide.

Jaune.

La pièce est entièrement jaune. Les murs, les meubles peints, les chaises. Sérénac s'arrête, stupéfait.

Son hôtesse se rapproche de lui.

— Vous vous trouvez maintenant dans la salle à manger où Claude Monet recevait ses invités de marque…

Laurenç admire le lustre de la pièce. Son regard finit par se poser sur un tableau au mur. Un pastel de Renoir. Une jeune fille assise, de trois quarts, coiffée d'un immense chapeau blanc. Il s'approche, admiratif du jeu de dégradé des tons entre les longs cheveux bruns et la peau de pêche du modèle juvénile.

— Une très jolie reproduction, commente-t-il.

— Une reproduction ? En êtes-vous si certain, inspecteur ?

Sérénac détaille le tableau, surpris du commentaire.

— Eh bien… disons que si j'admirais ce tableau dans un musée parisien, je ne douterais pas une seconde qu'il s'agisse d'un original. Mais ici, dans la maison de Monet. Chacun sait que…

— Et si, coupe Stéphanie, je vous disais qu'il s'agit bel et bien d'un Renoir, d'un original ?

L'institutrice sourit devant la mine déconfite de l'inspecteur. Elle ajoute, un ton plus bas :

— Mais chut, c'est un secret… Il ne faut pas le répéter.

— Vous vous moquez de moi…

— Oh non. Tenez, je vais vous confier un autre secret, inspecteur. Plus stupéfiant encore. Dans la maison de Monet, si on cherche bien, dans certains placards, dans l'atelier, sous les combles, on trouve encore toute une série de chefs-d'œuvre. Des dizaines ! Des Renoir, des Sisley, des Pissarro. Authentiques. Des Monet aussi, bien entendu, des « Nymphéas » originaux… À portée de main !

Laurenç Sérénac observe Stéphanie avec consternation.

— Stéphanie, pourquoi me raconter de telles fables ? Tout le monde sait que c'est impossible. Des toiles de Renoir ou de Monet représentent une telle valeur financière… Culturelle aussi. Comment imaginer qu'elles puissent croupir ici dans la poussière ? C'est… c'est ridicule…

Stéphanie singe une délicieuse moue.

— Laurenç, que mes révélations vous semblent incroyables, je vous l'accorde volontiers. Mais que vous pensiez qu'elles sont impossibles, ou ridicules, là, vous me décevez, puisque je ne vous ai dit que la stricte vérité. D'ailleurs, beaucoup de Givernois sont au courant des véritables trésors dissimulés dans la maison de Monet. Mais… disons, c'est une sorte de secret ici, quelque chose dont on ne parle pas.

Laurenç Sérénac attend le moment où l'institutrice éclatera de rire. Il ne vient pas, même si les yeux de Stéphanie pétillent de malice.

— Stéphanie, finit-il par lâcher. Je suis désolé, il faudra tester votre blague sur un flic moins incrédule que moi.

— Vous ne me croyez toujours pas, Laurenç ? Tant pis. Après tout, ce n'est pas très important, n'en parlons plus…

L'institutrice se retourne brusquement. Sérénac est troublé. Il se dit qu'il n'aurait pas dû venir, pas ici, pas maintenant. Il aurait dû donner rendez-vous à Stéphanie ailleurs. C'est… c'est trop tard. Tout se bouscule. Même si ce n'est ni le lieu ni l'endroit. Il se lance :

— Stéphanie. Je ne suis pas seulement venu pour la visite guidée ou pour discuter peinture. Il faut que l'on parle…

— Chut…

Stéphanie pose un doigt devant sa bouche, comme pour lui signifier que ce n'est pas le moment. Sans doute une vieille ruse d'institutrice.

Elle désigne les buffets vitrés.

— Claude Monet tenait également au raffinement pour ses hôtes. Faïences bleues de Creil et Montereau, estampes japonaises…

Laurenç Sérénac n'a pas le choix, il saisit Stéphanie par les épaules. Immédiatement, il comprend qu'il n'aurait pas dû. Le tissu est soyeux, lisse, fuyant comme une peau sur la peau. Le tissu donne des idées, pas des idées de flic.

— Je ne plaisante pas, Stéphanie. Ça ne s'est pas bien passé, hier, avec votre mari…

Elle sourit.

— J'en ai eu un petit aperçu, hier soir.

— On le suspecte. C'est sérieux…

— Vous vous trompez…

Les doigts de Laurenç glissent sur la soie, malgré lui, comme s'il caressait ses bras. Il n'ose pas serrer plus fort. Il lutte pour conserver sa lucidité.

— Arrêtez de jouer avec moi, Stéphanie. Hier, lors de l'interrogatoire, votre mari m'a affirmé que, le matin du crime, il était resté au lit avec vous. Vous m'avez certifié le contraire, il y a trois jours. L'un de vous deux ment, donc... Votre mari ou...

— Laurenç, combien de fois devrai-je vous le répéter : je n'étais pas l'amante de Jérôme Morval. Pas même une amie intime. Laurenç, mon mari n'avait aucun mobile pour tuer Morval ! Je connais mes classiques, inspecteur. Pas de mobile, pas besoin d'alibi.

Elle rit, délicieuse, se faufile comme une anguille et continue :

— Vous avez le goût pour la mise en scène, Laurenç. Après votre fameuse opération de collecte de toutes les bottes de Giverny, allez-vous demander à tous les couples du village s'ils faisaient l'amour dans leur lit, le matin du crime ?

— Ce n'est pas un jeu, Stéphanie...

La voix de Stéphanie prend soudain un timbre d'institutrice cassante :

— J'en suis consciente, Laurenç. Alors cessez de m'ennuyer avec ce crime, cette enquête sordide. Ce n'est pas là l'important. Vous gâchez tout.

Elle se dégage, se sauve, semblant glisser sur les pavés brique et paille. Elle se retourne, à nouveau souriante. Ange et démon.

— La cuisine !

Cette fois-ci, c'est le bleu qui saute au visage de Laurenç Sérénac. Le bleu des murs, le bleu de la faïence, toutes les nuances, du ciel au turquoise.

Stéphanie adopte un ton de bonimenteuse de marché :

— Les ménagères apprécieront particulièrement la batterie de cuisine, immense… les cuivres… la faïence de Rouen…

— Stéphanie…

L'institutrice se plante devant la cheminée. Avant que Sérénac ait pu réagir, ses deux mains s'agrippent aux deux pans de sa veste en cuir.

— Inspecteur, soyons clairs. Mettons les points sur les *i*, une bonne fois pour toutes. Mon mari m'aime. Mon mari tient à moi. Mon mari est incapable de faire du mal à qui que ce soit. Cherchez un autre coupable !

— Et vous ?

Elle relâche un peu son étreinte, surprise.

— Comment cela ? Suis-je capable de faire du mal à quelqu'un, c'est ce que vous me demandez ?

Ses yeux mauves s'ouvrent sur une nuance qu'il n'avait pas encore explorée. Sérénac bafouille, troublé :

— N… non. Quelle idée. Je voulais dire : Et vous ? Vous l'aimez ?

— Vous devenez indiscret, inspecteur.

Elle lâche le cuir de la veste et s'engouffre à nouveau dans la salle à manger, le salon, l'épicerie. Laurenç la suit à distance, ne sachant plus quelle attitude adopter. De l'épicerie, un escalier de bois monte à l'étage. La robe de Stéphanie glisse sur les boiseries comme pour les faire briller.

Juste avant de disparaître dans les marches, l'institutrice jette un mot. Un seul mot :

— Enfin !

– 38 –

Sylvio Bénavides se tient debout sur la place de la cathédrale de Rouen. Cela fait longtemps qu'il n'est pas revenu à Rouen, presque un an. Avec son guide entre les mains, il se dit qu'on doit le prendre pour un touriste. Il s'en fiche. Il a rendez-vous avec le conservateur du musée des Beaux-Arts, un certain Achille Guillotin, dans une demi-heure, mais il a pris soin d'arriver en avance, comme s'il voulait se préparer psychologiquement et se plonger dans l'ambiance impressionniste du vieux Rouen.

Il se retourne vers l'office du tourisme et consulte sa brochure : c'est du premier étage de ce bâtiment que Claude Monet a peint la plupart de ses cathédrales de Rouen, au total vingt-huit tableaux, tous différents selon l'heure de la journée ou le temps. L'office du tourisme était, du temps de Monet, un magasin de vêtements, puis, bien avant, le premier monument Renaissance de Rouen : l'hôtel des finances. Sylvio détaille son guide. Claude Monet a également peint la cathédrale sous d'autres angles, de diverses maisons de la place, dont certaines ont été détruites pendant la guerre, rue Grand-Pont ou rue du Gros-Horloge.

L'inspecteur sourit en imaginant Claude Monet débarquant à l'aube avec son chevalet chez des particuliers endormis ou s'installant toute la journée, pendant des mois, dans un salon d'essayage pour dames, devant chaque fenêtre : tout cela pour peindre près de trente fois le même motif. On devait le prendre pour un fou…

Les gens, au fond, admirent les fous.

Sylvio se retourne vers la cathédrale. Oui, les gens admirent la folie. Rien que cette cathédrale, l'admirer, c'est finalement reconnaître qu'il a eu raison, le type qui a imaginé un jour construire ce monument invraisemblable, même si cela devait prendre cinq cents ans ; ce dingue qui a sans doute insisté pour que la flèche de sa cathédrale soit la plus haute de France, quitte à ce que quelques milliers d'ouvriers de plus y laissent leur peau. À l'époque, un tel chantier, ça devait être une boucherie, mais on oublie. On finit toujours par oublier. On oublie la boucherie, on oublie la barbarie et on admire la folie.

L'inspecteur consulte sa montre, il ne doit pas traîner s'il ne veut pas être en retard, il a conservé ce réflexe d'écolier d'être toujours ponctuel. Il sort de la place de la Cathédrale et passe sous les arcades de grands magasins. « Rue des Carmes », lit-il. Le musée est à gauche, d'après ce qu'il a compris. Il tourne dans une petite rue étroite bordée de maisons à colombages. Il a toujours eu du mal à se repérer dans le centre médiéval de Rouen. Cette ville lui donne l'impression d'être une sorte de labyrinthe imaginé par un type torturé. Tiens, peut-être le même qui voulait que sa cathédrale soit la plus haute. Difficulté supplémentaire, Sylvio n'est pas très concentré sur sa route. Depuis qu'il est à Rouen, il n'arrête pas de penser que dans cette affaire Morval il y a quelque chose qui cloche. Comme si quelqu'un tirait les ficelles de toute cette histoire, un Petit Poucet machiavélique qui laisserait tomber des indices devant eux pour les attirer où il le souhaite. Qui ?

Sylvio parvient à la place du 19-Avril-1944. Il hésite un instant puis tourne brusquement à droite, juste au moment où une poussette maniée par une mère énergique le croise. La maman lui roule sur le pied sans ralentir pendant que l'inspecteur bredouille des excuses sans lâcher le fil de ses pensées.

Qui ?

Jacques Dupain ? Amadou Kandy ? Stéphanie Dupain ? Patricia Morval ?

Giverny est un petit village, tous les Givernois le répètent : les Givernois se connaissent tous. Et si tous protégeaient un secret ? Cet accident par exemple, la noyade de ce garçon, en 1937 ? Bénavides en vient à imaginer les hypothèses les plus folles. Il en arrive même à se demander si son patron joue complètement franc jeu avec lui. Laurenç Sérénac a parfois une façon étrange d'aborder toutes ces histoires de peinture. Sylvio n'aime pas trop cette coïncidence, le fait que son patron soit amateur de peinture au point d'afficher des tableaux dans son bureau, qu'il ait enquêté dans le milieu du trafic d'art avant d'être nommé à Vernon et, comme par hasard, se trouve confronté au meurtre d'un collectionneur… À Giverny ! Sans parler de cette obsession à vouloir tout coller sur le dos de Jacques Dupain pendant qu'il flirte avec sa femme… Il en a parlé à Béatrice mais il ne sait pas pourquoi, sa femme adore Laurenç. Ils ne se sont vus qu'un soir pourtant, et encore.

Sylvio aperçoit devant lui un square bordant une place grise monumentale. Une dizaine de personnes attendent devant les marches. Il reconnaît l'entrée du musée des Beaux-Arts. Il hâte le pas sans cesser de réfléchir. Oui, Béatrice passe son temps à lui dire que Laurenç est un type charmant, intéressant, drôle. Elle a même ajouté un truc comme « pour un flic, il a une sensibilité étonnante, comme une sorte d'intuition féminine ». C'est peut-être pour cela, se raisonne Sylvio, qu'il formule des réserves sur son chef. Comment Béatrice peut-elle apprécier un type comme Sérénac, un type aussi différent de lui ? Un type qui ne s'intéresse qu'à la peinture et aux filles avec lesquelles Morval couchait. Ou voulait coucher.

Bénavides monte les marches du musée des Beaux-Arts et, sans qu'il sache pourquoi, une question revient et s'incruste dans son cerveau, comme une obsédante rengaine : Pourquoi les gens, au fond, admirent-ils les fous ? Surtout les femmes.

L'inspecteur Sylvio Bénavides attend dans le hall du musée des Beaux-Arts de Rouen depuis quelques minutes. Il s'y sent un peu écrasé par la hauteur des plafonds, la profondeur de la pièce, le lustre des immenses fresques. Soudain, comme surgit d'une trappe dans le marbre, un petit homme chauve couvert d'une blouse qui lui descend presque jusqu'aux chaussures se dirige vers lui et lui tend la main.

— Inspecteur Bénavides ? Achille Guillotin. Conservateur au musée. Bien, on y va. Je crains de n'avoir que peu de temps à vous consacrer, d'autant plus que je n'ai rien compris à ce que vous voulez.

Une drôle de pensée traverse Sylvio. Guillotin lui rappelle le professeur de dessin qu'il avait au collège, Jean Bardon. Un prof qui à vingt-cinq ans en paraissait déjà quarante. Ils ont la même taille, la même blouse, la même façon de lui parler. Pendant toute sa scolarité, bizarrement, Sylvio s'est toujours retrouvé le bouc émissaire des profs, surtout de ceux qui n'avaient pas d'autorité. Il se dit qu'Achille Guillotin doit appartenir à la même caste, celle des petits chefs obséquieux devant l'autorité et tyranniques dès qu'ils rencontrent plus faible qu'eux.

Guillotin est déjà loin, il grimpe l'escalier comme une souris grise. Sylvio a l'impression qu'à chaque marche il va poser le pied sur sa blouse trop longue et tout dévaler en sens inverse.

— Bon, vous venez ? C'est quoi, cette histoire de meurtre ?

Bénavides trottine derrière la blouse grise.

— Un type assez riche. Un ophtalmologiste de Giverny. Entre autres, il collectionnait les tableaux. Il s'intéressait particulièrement à Monet et aux « Nymphéas ». C'est peut-être même le mobile du crime.

— Et alors ?

— Et alors, j'aimerais simplement en savoir davantage.

— Et vous n'avez personne de compétent dans la police ?

— Si… L'inspecteur qui coordonne l'enquête a été formé à la police de l'art, mais…

Guillotin l'écoute comme s'il venait de proférer la pire des hérésies.

— Mais ?

— Mais je voudrais me faire une idée par moi-même…

Il est difficile de distinguer si Guillotin soupire ou souffle en parvenant sur le palier.

— Si vous le dites… Qu'est-ce que vous voulez apprendre ?

— On peut commencer par les « Nymphéas », si

vous voulez. J'aimerais savoir combien Monet en a peint ? Vingt ? Trente ? Cinquante ?

— Cinquante ?!

Achille Guillotin a combiné un cri d'horreur avec un rire sardonique, un son que seules les hyènes doivent être capables de produire. S'il avait une règle en fer entre les mains, ce serait pour en punir les doigts de l'ignare inspecteur. Tous les sévères portraits de la salle Renaissance semblent se tourner vers Sylvio pour le couvrir d'une honte suprême. Sylvio baisse malgré lui le visage pendant qu'Achille Guillotin hausse les épaules de dépit. L'inspecteur Bénavides remarque à l'occasion qu'il porte d'étranges chaussettes orange.

— Vous vous moquez du monde, inspecteur ? Cinquante « Nymphéas » ! Sachez que les spécialistes ont recensé pas moins de deux cent soixante-douze « Nymphéas » peints par Claude Monet !

Sylvio roule des yeux stupéfaits.

— On peut aussi chiffrer en mètres, si cela vous parle davantage. Monet a peint environ deux cents mètres carrés de « Nymphéas » pour une commande nationale, à la fin de la Première Guerre mondiale, exposée à l'Orangerie. Mais si l'on additionne toutes les œuvres que Monet n'a pas retenues, celles qu'il a peintes à moitié aveugle lorsqu'il souffrait de la cataracte, les experts parviennent à plus de cent quarante mètres carrés de « Nymphéas » « en trop », exposés aux quatre coins du monde, New York, Zurich, Londres, Tokyo, Munich, Canberra, San Francisco… J'en passe, croyez-moi. Sans parler d'au moins une centaine de « Nymphéas » qui appartiennent à des collections privées…

Sylvio évite tout commentaire. Il se dit qu'il doit

avoir l'air idiot d'un gamin à qui on apprend que derrière la vague qui vient lécher ses pieds sur la plage il y a l'océan. Guillotin continue de cavaler à travers les couloirs. À chaque fois qu'il entre dans une salle, les gardiens assoupis, dans un mouvement de panique, se figent au garde-à-vous.

L'Europe baroque succède au Grand Siècle.

— Les « Nymphéas », continue Achille Guillotin sans souffler, sont une collection très étrange, sans autre équivalent au monde. Au cours des vingt-sept dernières années de sa vie, Claude Monet n'a peint que cela. Son étang de nénuphars ! Progressivement, il éliminera tout le décor autour, le pont japonais, les branches de saule, le ciel, pour se concentrer uniquement sur les feuilles, l'eau, la lumière. L'épure la plus absolue… Les dernières toiles, quelques mois avant sa mort, touchent à l'abstraction. Juste des taches. Du tachisme, disent les experts. On n'avait jamais vu ça. Personne ne comprendra, du temps de Monet. Tout le monde prendra cela pour une lubie de vieillard… Quand il meurt, on colle aux oubliettes les « Nymphéas » du vieux Monet, surtout les derniers. Du pur délire, croit-on.

Sylvio n'a pas le temps de demander ce que Guillotin entend par « oubliettes ». Le conservateur continue, intarissable :

— Sauf qu'une génération plus tard, ce sont ces dernières toiles qui donneront naissance, aux États-Unis, à ce que le monde va appeler l'art abstrait… C'est cela, le testament du père de l'impressionnisme : l'invention de la modernité ! Vous connaissez Jackson Pollock ?

Sylvio n'ose pas dire non. N'ose pas dire oui non plus. Guillotin lâche un soupir de prof blasé.

— Tant pis pour vous. C'est un abstrait… Pollock et les autres puiseront leur inspiration dans les « Nymphéas » de Monet. Tout. C'est pareil en France, vous avez retenu ce que je vous ai dit, j'espère. Les plus grands « Nymphéas » sont exposés au musée de l'Orangerie, la chapelle Sixtine de l'impressionnisme, offerts par Monet à l'État français en l'honneur de l'armistice de 1918. Et ce n'est pas tout, si vous pensez au lieu où les « Nymphéas » sont exposés, il y a autre chose de fabuleux…

— Ah ?

Sylvio n'a rien trouvé de plus intelligent à dire. Guillotin s'en fiche.

— Les « Nymphéas » trônent sur l'axe triomphal ! L'axe majeur, qui passe par Notre-Dame, le Louvre, les Tuileries, la Concorde, les Champs-Élysées, l'Arc de triomphe, l'Arche de la Défense… Les « Nymphéas » derrière les murs de l'Orangerie s'alignent exactement sur cet axe qui symbolise toute l'histoire de la France, qui s'étend de l'est vers l'ouest, en suivant la course du soleil. Et comme par hasard, Monet a peint l'étang aux Nymphéas à différents moments de la journée, du matin au soir, en exposant lui aussi la course éternelle du soleil. La course des astres, l'histoire triomphale de la France, la révolution de l'art moderne… Vous comprenez maintenant pourquoi le moindre centimètre carré de ces nénuphars vaut une fortune… ce fut le tournant de l'art moderne. En Normandie, à quelques kilomètres de Vernon, dans un petit étang de rien du tout. Le seul et unique motif du travail obsessionnel, pendant près de trente ans, du plus grand génie de la peinture.

Dans les tableaux Grand Siècle, les étoffes des

saintes, reines et duchesses semblent s'envoler, comme agitées par le lyrisme du conservateur.

— Quand vous dites une fortune, vous entendez quoi au juste ?

Guillotin, comme s'il n'avait pas entendu, s'avance dans la pièce et ouvre la fenêtre. Bénavides n'a pas bougé.

— Bon, vous venez ?

Sylvio comprend qu'il doit suivre le conservateur au salon.

— Je vais vous donner une idée de ce que vaut un « Nymphéas », si on se fie aux dernières ventes aux enchères, à Londres ou à New York. Tenez par exemple, vous voyez les immeubles haussmanniens, juste en face, le long de la rue Jeanne-d'Arc ? Eh bien, disons qu'un « Nymphéas » de Monet, de proportion normale, mettons un mètre carré, cela correspondrait, allez, au bas mot, à une bonne centaine d'appartements… À raison de quatre étages par porte d'entrée, ça représente déjà une bonne portion de la rue…

— Cent appartements ? Vous plaisantez ?

— Non. Je crois que j'aurais pu dire le double, sans exagérer. Vous voyez toujours la rue Jeanne-d'Arc ? Les véhicules qui attendent au feu ? Je peux aussi vous l'estimer ainsi. Une toile pourrait valoir, disons, selon les dernières ventes, entre mille et deux mille voitures. Neuves, j'entends. Ou bien, je ne sais pas, à peu près la totalité du contenu des boutiques des rues du Gros-Horloge, Jeanne-d'Arc et de la République réunies. C'est inestimable, en réalité, c'est ce que je veux vous faire comprendre. Vous vous rendez compte ? Un « Nymphéas » !

— Vous vous moquez de moi…

— Le dernier Monet mis aux enchères à la maison Christie's, à Londres, a dû partir à 25 millions de livres… Et c'était une œuvre de jeunesse ! 25 millions de livres. Allez-y, convertissez en appartements ou en voitures.

Sylvio n'a pas le temps de se remettre, le conservateur a déjà grimpé un nouvel étage et parvient aux salles impressionnistes.

Pissarro, Sisley, Renoir, Caillebotte… Et Monet, bien entendu. La fameuse rue Saint-Denis sous une pluie de drapeaux tricolores, la cathédrale de Rouen par temps gris. Bénavides bredouille :

— Et… il en reste sur le marché, des « Nymphéas » ?

— Comment ça, « sur le marché » ?

— Ben. Dans la nature, précise l'inspecteur d'une voix timide.

— « Dans la nature » ? Ça veut dire quoi, « dans la nature » ? Vous ne pouvez pas être plus précis que ça, dans la police ? Vous vous demandez si un tableau de Monet pourrait traîner quelque part, c'est bien cela ? Oublié ? Dans un grenier de Giverny ou dans une cave. Vous vous dites qu'on pourrait tuer, sans aucun doute, pour une telle découverte, pour une telle fortune. Alors, inspecteur, écoutez bien ce que je vais vous dire…

– 39 –

Les marches de l'escalier de l'épicerie de la maison de Claude Monet grincent sous les pas de l'inspecteur Laurenç Sérénac.

Il essaye de chasser de son esprit les pensées parasites, la voix intérieure d'une sorte d'ange gardien qui murmure à son instinct de flic qu'il grimpe une à une les marches d'un piège grossier, que cet escalier mène aux chambres de Monet, qu'il n'a rien à faire là, à suivre cette fille, qu'il ne contrôle plus rien. Ce n'est pas difficile, au fond, de faire taire en lui cet ange raisonnable. Il lui suffit de repenser à l'instant d'avant, au rire de Stéphanie qui s'envole, ses jambes serrées dans cette robe de geisha, qui bondissent pourtant vers l'étage comme deux animaux joueurs, cette invitation à l'indiscrétion.

Lorsque Laurenç parvient à l'étage, Stéphanie se tient dans l'encadrement de la porte, dans le couloir, entre la chambre et la salle de bains. Droite comme une guide guindée. Cintrée dans sa robe rouge, plus précieuse et fragile qu'un vase de porcelaine.

— Les appartements privés des Monet. Plus classiques, j'en conviens. Plus intimes. Laurenç, vous n'avez pas l'air très à l'aise ?

Elle entre dans la première pièce et s'assoit sur le lit. L'immense édredon de plumes la dévore des cuisses au buste.

— C'est donc l'heure de l'interrogatoire ? Je suis à votre merci, inspecteur.

Le regard inquiet de Laurenç Sérénac embrasse les couleurs de la pièce, le tissu crème tendu au mur, le jaune vieilli de la parure du lit, le noir marbré de la cheminée, l'or des bougeoirs, l'acajou du chevet.

— Allez, inspecteur, détendez-vous. Vous étiez plus loquace, paraît-il, devant mon mari, hier soir…

Laurenç ne relève pas. Ils demeurent un moment silencieux. Sérénac ne s'est pas approché du lit. Les lanternes joyeuses des yeux de Stéphanie se muent peu à peu en un phare mélancolique. Elle se redresse dans une vague de plumes.

— Je vais commencer, alors. Inspecteur, connaissez-vous l'histoire de Louise, la chercheuse de pissenlits de Giverny ?

Sérénac l'observe, étonné, curieux.

— Non, bien entendu, enchaîne Stéphanie. C'est pourtant une jolie histoire. Louise est un peu notre Cendrillon, à Giverny. Louise était une ravissante fille de paysans, à ce qu'on raconte. La plus jolie du village. Jeune. Fraîche. Innocente. Vers 1900, elle posait dans les champs pour les artistes. Notamment pour Radinsky, un prometteur peintre tchèque venu rejoindre Monet et les artistes américains. Le beau Radinsky était également un pianiste renommé… Il roulait dans une incroyable voiture pour l'époque, une 222 Z. Il tomba amoureux de la petite chercheuse de pissenlits, il l'épousa, il l'emmena chez lui… Radinsky est aujourd'hui le peintre tchèque le plus célèbre de son pays… Louise la paysanne est devenue princesse de Bohême. C'est même Claude Monet qui rachètera leur carrosse devenu inutile, la 222 Z, pour son fils, Michel, qui l'écrasera contre un arbre de l'avenue Thiers, à Vernon, quelques mois plus tard. À l'exception de la lamentable fin du pauvre carrosse, c'est une belle histoire, non ?

Laurenç Sérénac résiste à l'envie de se rapprocher, de se laisser dévorer à son tour par l'édredon. Ses tempes le brûlent.

— Stéphanie, pourquoi me racontez-vous tout ceci ?

— Devinez…

Elle se redresse lentement dans l'édredon, comme si elle nageait dans un bain de plumes.

— Je vais vous faire une confidence, inspecteur. Une drôle de confidence. Il y a longtemps que je ne me suis pas retrouvée seule dans une pièce avec un autre homme que mon mari. Il y a longtemps que je n'ai pas ri dans un escalier en précédant un homme. Il y a longtemps que je n'ai pas parlé de paysages, de peinture, de poèmes d'Aragon, à un homme de plus de onze ans qui soit capable de m'écouter.

Sérénac pense à Morval. Il se garde bien de couper Stéphanie.

— Il y a tout simplement longtemps, inspecteur, que j'attendais ce moment-là. Toute ma vie, je dirais.

Un silence.

— Que quelqu'un vienne.

Fixer n'importe quoi, pense Sérénac à toute vitesse. Les bougies fondues, la peinture écaillée du mur, n'importe quoi d'autre que les yeux de Stéphanie.

Elle ajoute :

— Pas forcément un peintre tchèque… Juste quelqu'un…

Même sa voix a la couleur mauve.

— Si on m'avait dit que ce serait un flic…

Stéphanie se lève d'un bond, attrape en passant l'un des bras ballants de Laurenç Sérénac.

— Venez. Il faut bien que je surveille un peu mes élèves.

Elle l'entraîne vers la fenêtre. L'institutrice tend la main vers une dizaine d'enfants qui courent dans le jardin.

— Regardez ce parc, inspecteur, les roses, les serres, le bassin. Je vais vous révéler un autre secret. Giverny est un piège ! Un merveilleux décor, c'est certain. Qui pourrait rêver de vivre ailleurs ? Un si joli village.

Mais je vais vous avouer : le décor est figé. Pétrifié. Interdiction de décorer autrement la moindre maison, de repeindre un mur, de cueillir la moindre fleur. Dix lois l'interdisent. Nous vivons dans un tableau, ici. Nous sommes emmurés ! On croit qu'on est au centre du monde, qu'on vaut le déplacement, comme on dit. Mais c'est le paysage, le décor, qui finit par vous dégouliner dessus. Une sorte de vernis qui vous colle au décor. Un vernis quotidien de résignation. De renoncement… Louise, la chercheuse de pissenlits de Giverny, devenue princesse de Bohême, c'est une légende, Laurenç. Ça n'arrive pas. Ça n'arrive plus…

Elle crie soudain contre trois enfants qui traversent un parterre de fleurs :

— Vous faites le tour !

Laurenç Sérénac, fébrile, cherche une diversion pour endiguer la mélancolie de Stéphanie, pour lutter contre son propre désir de la serrer dans ses bras, là, maintenant, ici. Son regard fixe la profusion de fleurs du jardin. L'harmonie des couleurs. Il est subjugué par l'incroyable charme du parc.

— C'est vrai, lance-t-il soudain, ce que raconte Aragon dans son livre ? Que Monet ne supportait pas la vue d'une fleur fanée et que les jardiniers les changeaient pendant la nuit, une nouvelle couleur chaque matin, comme si tout le jardin avait été repeint ?

La manœuvre semble avoir fonctionné. Stéphanie sourit.

— Non, non, c'est très exagéré de la part d'Aragon. Mais vous avez lu *Aurélien*, alors ?

— Bien entendu… Lu et compris, je crois. Le grand roman sur l'impossibilité du couple ! Il n'y a pas d'amour heureux… C'est cela ? C'est le message ?

— Aragon le pensait quand il l'a écrit… Il devait le penser, définitivement, à ce moment-là, qu'il n'y avait pas d'amour heureux. Et pourtant, il vivra ensuite la plus belle, la plus longue, la plus éternelle histoire d'amour qu'un poète ait jamais vécue… Vous savez cela. Le fou d'Elsa !

Laurenç se tourne. Les lèvres pâles de Stéphanie sont restées entrouvertes. Il lutte contre l'envie de passer ses doigts sur cette bouche tremblante, de caresser ce délicat profil de porcelaine.

— Vous êtes une fille étrange, Stéphanie…

— Et vous, inspecteur, vous avez le don de déclencher les confidences. Je vais vous l'avouer, en matière d'interrogatoire, vous êtes beaucoup plus subtil que ce que mon mari a bien voulu me dire. Non, inspecteur, je vais vous décevoir. Je n'ai rien d'étrange, bien au contraire, je suis d'une banalité affligeante…

L'institutrice attend, hésite, puis parle d'une traite, comme si elle se jetait de la fenêtre :

— Banale, vous dis-je. J'aimerais élever un enfant, le mien, mais je crois que mon mari ne peut pas m'en donner. Est-ce pour cela que je ne l'aime plus ? Je ne le pense pas non plus. Je crois, aussi loin que je m'en souvienne, que je ne l'ai jamais aimé. Il était là. Pas pire qu'un autre. Disponible. Aimant. Je ne suis pas mal tombée. Vous voyez, inspecteur, je suis une femme banale. Piégée. Comme tant d'autres. Le fait que je sois jolie, je crois, que je sois née à Giverny et que j'adore les enfants de ma classe n'y change rien…

La main de Laurenç se pose sur celle de Stéphanie. Ils enroulent leurs dix doigts autour de la balustrade de fer forgé verte.

— Pourquoi me l'avouer ? Pourquoi à moi ?

Stéphanie le dévisage en riant.

N'est-elle pas consciente qu'au moins ses yeux, rien que ses yeux, sont uniques ?

— Ne vous faites aucune illusion, inspecteur. N'allez surtout pas vous faire des idées… Si je vous ai raconté tout ceci, ce n'est aucunement pour votre sourire de voyou, ou pour votre chemise un peu trop ouverte, ou pour vos yeux noisette qui trahissent le moindre de vos sentiments. N'allez surtout pas croire que je vous trouve du charme, inspecteur… C'est uniquement…

La main s'échappe vers l'horizon. Stéphanie laisse planer le suspense.

— Tout comme Louise, la cueilleuse de pissenlits, a succombé au charme de la 222 Z, c'est uniquement de votre Tiger Triumph que je suis tombée amoureuse !

Elle rit.

— Et peut-être aussi de la façon que vous avez de vous arrêter pour caresser Neptune…

Elle s'approche encore.

— Une dernière chose, inspecteur. Une chose importante ! Une confidence. Ce n'est pas parce que je n'aime plus mon mari que cela fait de lui un assassin. Bien au contraire…

Sérénac ne répond rien. Il s'aperçoit seulement à l'instant que, cinquante mètres devant eux, les passagers des voitures qui circulent sur le chemin du Roy tournent systématiquement la tête vers la maison Monet, les aperçoivent, tels des amants au balcon.

Sont-ils fous ?

Est-il fou ?

— Je crois qu'il est temps de me préoccuper des enfants, glisse Stéphanie.

Sérénac reste seul, il entend les pas de l'institutrice s'éloigner. Son cœur cogne en furie comme pour s'échapper de sa chemise ouverte, ses pensées explosent aux parois de son crâne.

Qui est Stéphanie ?

Femme fatale ? Fille perdue ?

– 40 –

Dans la salle des Impressionnistes du musée des Beaux-Arts de Rouen, l'inspecteur Sylvio Bénavides ouvre des yeux de hibou. Achille Guillotin a encore bougé. Le conservateur a sorti un mouchoir et nettoie une invisible marque de poussière sur le côté d'un tableau de Sisley. *L'Inondation à Port-Marly*, indique le carton sous le tableau. Au moment même où Sylvio se demande si Guillotin n'a pas oublié sa question, le conservateur se retourne. Il tamponne un coin de son mouchoir sur son front et déclame, d'une voix de prédicateur :

— Des toiles de Monet disparues, ou inconnues, mais qui pourraient refaire surface, c'est bien ce que vous me demandez, inspecteur ? Si vous y tenez, allons-y, je peux jouer avec vous au jeu des suppositions…

Le mouchoir éponge ses tempes.

— On sait que les ateliers de Claude Monet, à Giverny, contenaient des dizaines de tableaux, dont des croquis, des toiles de jeunesse, de grands panneaux de « Nymphéas » inachevés… Sans parler des dons des amis, Cézanne, Renoir, Pissarro, Boudin, Manet, plus d'une trentaine de toiles… Vous vous rendez compte ? Toute cette fortune, cette colossale fortune, plus précieuse que la collection de n'importe quel musée au monde, gardée tout au plus par un vieillard de quatre-vingts ans et son jardinier, seulement protégée par une porte qui devait à peine fermer, des vitres juste repoussées, des murs lézardés. N'importe qui aurait pu se servir. N'importe quel Givernois un peu malin aurait gagné davantage en un simple larcin qu'en braquant vingt banques…

Le mouchoir essuie une dernière fois son visage et termine en boule dans sa paume.

— Une telle fortune à portée de main, je ne vois pas d'autre exemple d'une telle tentation…

Sylvio commence à comprendre. Il observe autour de lui la dizaine de toiles accrochées aux murs. Le musée de Rouen, qu'on présente comme la plus belle collection impressionniste de province, ne possède pas le quart des tableaux que contenaient les ateliers de Monet. Il insiste :

— Pourrait-il encore rester des tableaux de maîtres dans les ateliers de Monet, à Giverny ?

Achille Guillotin hésite un instant avant de répondre :

— Eh bien, Claude Monet est mort en 1926. Michel Monet, son fils et héritier, a sans doute pris soin depuis très longtemps de chercher et de mettre à l'abri toutes les toiles de son père dont il n'a pas fait don à des musées. Donc, pour répondre à votre question, disons qu'il est fort peu probable qu'on découvre aujourd'hui de nouvelles toiles originales dans la maison rose de Giverny. Mais après tout, on ne sait jamais…

— Et sans aller jusqu'à parler de vol, continue

l'inspecteur avec un peu plus d'assurance, Monet aurait-il pu distribuer des tableaux, en donner ?

— La presse locale a gardé la trace du don d'un tableau à une tombola pour financer l'hôpital de Vernon. Quelqu'un a donc dû le gagner, ce tableau, pour une mise de cinquante centimes à l'époque… Pour le reste, on doit toujours se contenter de suppositions. On sait que les habitants de Giverny n'ont pas rendu la vie facile à Claude Monet. Il a dû négocier pour chaque once de sa passion, pour l'achat de sa propriété, pour conserver les paysages tels qu'il les peignait, et surtout pour détourner l'eau du ru vers son bassin aux Nymphéas. Monet a payé, beaucoup payé pour le village. Payé encore pour qu'une usine d'amidon ne s'installe pas juste devant son jardin. Payé pour figer tout son coin de nature en dehors de tout progrès. Là encore, un type malin, un conseiller municipal, un paysan futé aurait fort bien pu négocier, à la place d'une aumône de cinq cents francs, n'importe quel tableau du maître. J'ai conscience que les spécialistes ne croient pas en général à ce genre d'arrangement entre les artistes et les indigènes, mais peut-on vraiment exclure que parmi tous les Givernois l'un d'entre eux ait été capable de s'intéresser à la peinture, au moins à sa valeur marchande ? Monet aurait donné, bien entendu. Il n'avait pas le choix… Regardez par exemple l'étrange moulin, à côté des jardins de Monet, les Chennevières, j'y pense à chaque fois que je vais à Giverny, à cause de la toile de Theodore Robinson, le fameux *Père Trognon* ; eh bien, les paysans du moulin avaient tous les moyens de faire chanter Monet. Le ru passait par chez eux. Pas d'entente avec eux, pas de nymphéas !

Sylvio Bénavides n'a pas le temps de tout noter, il essaye de mémoriser le flux d'informations.

— Vous parlez sérieusement ?

— J'ai l'air d'un plaisantin, jeune homme ? Je vais vous dire, il existe des crétins de chasseurs au trésor qui parcourent le monde à la recherche de trois pièces d'or. S'ils étaient juste un peu plus malins, ils visiteraient les greniers des maisons de Giverny et des villages autour. Je sais bien ce que l'on raconte. Claude Monet détruisait les tableaux dont il n'était pas satisfait ou ses œuvres de jeunesse. Il avait tellement peur qu'après sa mort les antiquaires se ruent sur ses toiles inachevées ou ses esquisses qu'il incendia dans son atelier toutes les œuvres qu'il n'aimait pas, en 1921. Mais, malgré toutes les précautions du maître, ce serait bien le bout du monde qu'il ne reste pas quelque part une toile de Monet. Juste une vieille toile oubliée. De quoi s'acheter une île dans le Pacifique !

Le conservateur change encore de pièce et jette un regard noir sur une gardienne qui semble plus occupée par la couleur rouge de son vernis à ongle que par celle de la robe du cardinal qui interroge Jeanne d'Arc dans la toile de Delaroche.

— Autre chose, glisse l'inspecteur. Vous avez parlé de Theodore Robinson, le peintre impressionniste, l'ami de Claude Monet. Que pensez-vous de la fondation que ses héritiers ont fondée ?

Guillotin plisse des yeux étonnés.

— Pourquoi cette question ?

— Cette fondation revient souvent dans notre enquête. Bizarrement, pas mal de personnes dans notre affaire semblent avoir un lien avec elle, au moins indirect.

— Et vous voudriez savoir quoi ?

— Aucune idée. Juste ce que vous en pensez.

Le conservateur hésite, comme s'il cherchait les bonnes paroles :

— Comment vous dire, inspecteur… C'est compliqué, une fondation. Ce genre d'association est officiellement tout ce qu'il y a de plus désintéressé. Je vais essayer de trouver une image. Tenez, imaginez une association qui s'occupe des pauvres. Eh bien, le paradoxe, c'est que si le nombre de pauvres baisse, la raison d'être de l'association diminue. En d'autres termes, mieux elle travaille et plus elle se saborde. Pareil pour une fondation qui milite contre la guerre. La paix, pour elle, cela signifierait sa mort.

— Comme un médecin qui soignerait si bien ses patients qu'il se retrouverait au chômage ?

— Exactement, inspecteur.

— Je comprends, mais quel est le rapport avec la fondation Robinson ?

— Ils ont une devise, je crois. Les trois « pro », comme ils disent. Prospection, protection, promotion. C'est formidable, ça marche aussi bien en français qu'en anglais. En clair, cela veut dire qu'ils cherchent des toiles dans le monde entier, qu'ils les achètent, qu'ils les vendent, mais aussi qu'ils investissent sur de jeunes peintres, très jeunes même ; ils investissent sur eux, ils les achètent, ils les vendent…

— Et alors ?

— Un talent chasse l'autre, inspecteur. Une toile, ce n'est pas un disque ou un livre, la fortune d'un artiste peintre ne se calcule pas sur le plus grand nombre de ventes. C'est même tout l'inverse et c'est là-dessus que repose tout le système. Une toile vaut cher parce que les autres valent moins, ou rien du tout. Si le jeu est libre, s'il y a concurrence entre critiques, écoles, galeries, à la limite, tout va bien. Mais si une fondation se retrouve en situation de monopole, ou presque, vous comprenez ?

— Pas vraiment…

Guillotin ne dissimule pas un tic agacé.

— Eh bien, dans ce cas de monopole, plus cette fondation découvre de nouveaux talents, en d'autres termes, plus elle renouvelle l'art, le « pro » de « prospection » si vous voulez, et plus elle saborde la valeur marchande de ses autres toiles, le « pro » de « protection »… Vous saisissez ?

— Pour être honnête, plus ou moins…

Bénavides se gratte la tête.

— Je vais vous poser une question plus concrète, si un tableau de Monet s'était perdu dans la nature, la fondation Robinson aurait-elle les moyens de le retrouver ?

La réponse claque :

— Sans aucun doute. Davantage que n'importe qui d'autre ! Et sans doute par n'importe quel moyen.

— Bien, continue Bénavides, qui a définitivement adopté cet air de Droopy que le conservateur semble apprécier, j'ai une dernière question. Elle va peut-être vous surprendre… Existe-t-il des toiles inconnues de Monet ? Je ne sais pas, des toiles particulièrement rares, ou des toiles scandaleuses, quoi que ce soit qui pourrait se rapporter à une affaire de sang ?

Achille Guillotin arbore un sourire sadique, comme

s'il s'attendait à cette ultime question. L'apothéose de la conversation.

— Venez, susurre-t-il sur un ton de conspirateur.

Il l'emmène près du mur opposé, en direction d'une toile torturée où quatre hommes nus, visiblement des esclaves romains, tentent de dompter un cheval fou.

— Observez ces corps peints par Géricault, oui, le fameux Théodore Géricault. Le plus grand peintre né à Rouen ! Observez les corps. Le mouvement. Les peintres entretiennent un rapport étrange avec la mort, inspecteur. On sait que pour composer avec réalisme son *Radeau de la Méduse* Théodore Géricault récupérait dans les hôpitaux des bras et des pieds amputés, des têtes décapitées. Son atelier puait le cadavre ! À la fin de sa vie, pour soigner sa propre folie, il peindra à la Salpêtrière dix portraits de fous, les dix monomanes qui représentent tous les tourments de l'âme humaine…

Sylvio craint que le conservateur ne s'égare dans une nouvelle digression.

— Mais Monet n'était pas fou… Il ne peignait pas les cadavres !

La face cachée d'Achille Guillotin semble se dévoiler. Ses rares cheveux se dressent sur son crâne lunaire, telles des cornes sataniques atrophiées.

Le onzième monomane ?

— Venez voir, inspecteur.

Guillotin dévale les escaliers, les deux étages, se rue dans la boutique du musée, attrape un énorme livre et déchire le plastique transparent entre ses dents.

Il tourne les pages, comme habité.

— Monet n'a pas peint la mort ! Monet ne peignait pas les cadavres, seulement la nature ! Ah, ah… Regardez, inspecteur. Regardez !

Bénavides ne peut refréner un mouvement de recul.

Un spectre. Pleine page.

Le tableau représente un portrait de femme. Yeux clos. Comme enveloppée d'un suaire de glace, d'un tourbillon de coups de pinceaux gelés, comme prisonnière d'une toile d'araignée blanche qui dévore le visage pâle du modèle.

La mort…

— Je vous présente Camille Monet, explique la voix froide de Guillotin. Sa première femme. Son plus joli modèle. La demoiselle à l'ombrelle dans les coquelicots, la compagne radieuse des dimanches à la campagne. Morte à trente-deux ans ! Monet a peint ce tableau maudit au chevet du lit de mort de sa femme ; il s'en voudra toute son existence de ne pas avoir pu résister à la tentation de fixer sur la toile les couleurs de la vie qui s'envole, d'avoir traité son amour à l'agonie comme un vulgaire objet d'étude. Comme Géricault et sa fascination pour les corps écartelés. Comme si le peintre avait pris possession de l'amant désespéré. Monet, devant le frais cadavre de sa femme, raconta qu'il avait été victime d'une sorte de peinture automatique, comme sous hypnose. Qu'en pensez-vous, inspecteur ?

Jamais Sylvio Bénavides n'a ressenti une telle émotion devant un tableau.

— Il… il existe d'autres œuvres de ce type ? Des toiles de Monet, je veux dire…

La face ronde d'Achille Guillotin rougit encore, comme si un diable assoupi se réveillait en lui.

— Qu'y a-t-il de plus fascinant que de peindre la

mort de sa femme, inspecteur ? Y avez-vous pensé ? Rien, bien entendu…

Le rouge lui monte aux tempes.

— Rien, sinon pouvoir peindre sa propre mort ! Les derniers mois de vie, Monet peignait des « Nymphéas » inachevés, l'égal des partitions du *Requiem* de Mozart, si vous comprenez ce que je veux dire… Des coups de pinceau affolés, une course contre la mort, contre la fatigue, contre la cécité. Des toiles hermétiques, douloureuses, torturées, comme si Monet avait plongé à l'intérieur de son cerveau. On a découvert des nymphéas jetés en urgence sur la toile de toutes les couleurs, rouge feu, bleu monochrome, vert cadavre… Rêves et cauchemars mêlés. Une seule couleur manquait…

Sylvio voudrait bafouiller une réponse. Rien ne sort. Il sent que l'enquête dérape, lui échappe.

— La couleur que Monet avait bannie à jamais de ses toiles. Celle qu'il se refusait à utiliser. L'absence de couleur, mais aussi l'union de toutes.

Un silence. Sylvio renonce à chercher à répondre, il griffonne nerveusement sur la page de son bloc.

— Le noir, inspecteur. Le noir ! On raconte que les derniers jours avant sa mort, début décembre 1926, quand Claude Monet a compris qu'il allait partir, il l'a peint.

— Qu… quoi ? bafouille Bénavides.

Guillotin soliloque, il n'écoute plus :

— Vous comprenez bien ce que je vous dis, inspecteur ? Monet a observé sa propre mort dans le reflet des nymphéas et il l'a immortalisée sur la toile. *Les « Nymphéas ». En noir !*

Le stylo de Sylvio pend au bout de sa main, le

long de sa jambe. Incapable, désormais, de prendre la moindre note.

— Qu'en dites-vous, inspecteur ? demande le conservateur dont l'exaltation retombe. Les « Nymphéas », en noir. Comme le dahlia…

— C'est… c'est une certitude, cette histoire de « Nymphéas en noir » ?

— Non. Bien sûr que non. Bien entendu, personne n'a jamais retrouvé cette toile, ces fameux « Nymphéas en noir »… Vous pensez, c'est une légende, simplement une légende…

Sylvio ne sait plus quoi dire. Il pose la première question qui lui vient à l'esprit :

— Et les enfants… Monet a peint des enfants ?

– 41 –

Je regarde Stéphanie à la fenêtre de la maison rose de Monet. Elle ressemble à la maîtresse de maison d'une bâtisse coloniale surveillant un essaim de domestiques.

Laurenç Sérénac est redescendu.

Les fous ! Vous êtes d'accord, cette fois-ci, vous pensez la même chose que moi. Les idiots ! S'afficher ainsi ! Au balcon de la maison de Monet, devant le jardin, face au chemin du Roy, à la vue de tous. Ils l'auront bien cherché, après tout !

J'écoute le bruit de la Tiger Triumph qui démarre. Stéphanie l'entend également, mais elle n'a pas le courage de tourner la tête. Elle demeure pensive tout en observant les enfants qui jouent dans le jardin. C'est vrai qu'elle est ravissante, la petite institutrice. C'est vrai qu'elle sait y faire, avec sa tenue de geisha qui moule sa taille de guêpe et son regard mouillé. Vous pouvez me faire confiance, elle possède tous les atouts pour faire tourner la tête de tout garçon qui passerait trop près d'elle, flic ou médecin, marié ou non. Jolie comme un cœur !

Profites-en, ma belle. Ça ne durera pas.

Des garçons courent au milieu des fleurs. L'institutrice les réprimande d'une voix douce.

L'esprit ailleurs.

Tu ne sais plus, hein, ma belle ?

C'est le moment où ta vie peut basculer, tu l'as compris, par la grâce du plus improbable des sauveurs. Un flic. Séduisant. Drôle. Cultivé. Prêt à tout, y compris à te débarrasser de tes chaînes. De ton mari.

C'est le moment. Qu'est-ce qui te retient, alors ?

Rien ?

Ah, si seulement ça ne tenait qu'à toi… Si seulement la mort ne rôdait pas autant autour de toi ; comme si tu l'attirais, ma chérie. Comme si, au final, tu ne récoltais que ce que tu méritais.

Des rires d'enfants transpercent mes méchantes idées. Des garçons courent après des filles.

Classique.

Profitez-en vous aussi, les petits. Profitez. Piétinez les pelouses et les fleurs. Arrachez les roses. Lancez les pierres et les bâtons dans l'étang. Trouez les nymphéas. Profanez le temple du romantisme. Ne vous nourrissez pas de faux espoirs. Ce n'est qu'un jardin, après tout. Ce n'est pas parce que des croyants imbéciles viennent de l'autre bout du monde pour y prier que c'est autre chose que de l'eau croupie !

Je sais, je suis méchante. Pardonnez-moi... Ces deux-là m'ont énervée, ce matin, Stéphanie Dupain et son flic, ces deux idiots ! Il faut me comprendre, aussi. Je veux bien jouer les témoins muets, les petites souris noires invisibles, mais ce n'est pas toujours si simple de rester indifférente. Vous ne me comprenez plus ? Vous vous demandez encore quel rôle je joue dans toute cette histoire ? Je vous rassure, je ne dispose pas d'antennes sophistiquées pour capter à travers les murs de la maison Monet la conversation de ces deux imbéciles, tous les détails de leur parade amoureuse. Oh non. C'est beaucoup plus simple. Dramatiquement simple.

Je me retourne vers la rive droite du chemin du Roy, vers le jardin d'eau. Le long de la rue, quelques planches de la palissade ont été écartées, sans doute par des touristes indélicats pressés de prendre les nymphéas en photo et effrayés par l'attente devant le guichet. L'espace dégagé offre une vue inédite sur l'étang. J'observe Fanette, un peu à l'écart des autres enfants de la classe, entre les saules et les peupliers. Elle a posé son chevalet sur le pont japonais, calé sur les glycines. Elle peint, calme, concentrée, malgré le chahut tout autour.

Je traverse le chemin du Roy, je m'approche, histoire de mieux voir, je touche presque le grillage.

Je n'aurais pas dû. Un petit morveux m'a repérée.

— Madame, madame, vous pouvez me prendre en photo avec mes copains ?

Il me colle dans la main un appareil photo dernier

cri. Je ne comprends rien, il m'explique, je n'écoute pas. Tout en prenant sa photo, je tente de regarder en coin le bassin aux Nymphéas et Fanette qui peint.

– 42 –

— Viens, Fanette.

Vincent insiste :

— Allez, Fanette. Viens jouer !

— Non ! Tu vois bien que je peins !

Fanette essaye de fixer son attention sur un nénuphar. Un solitaire qui flotte à l'écart du troupeau, la feuille possède presque une forme de cœur, avec une petite fleur rose qui vient de naître. Le pinceau glisse sur la toile. Fanette peine à se concentrer.

Ça pleurniche dans mon dos. À croire que le saule a trouvé plus pleureur que lui : Mary ! Qu'elle se taise, avec sa petite voix aiguë, mais qu'elle se taise !

— Vous avez triché, j'en ai assez, plus qu'assez. Je rentre !

Y a pas que les pleurs dans mon dos, y a aussi Vincent qui reste là, sans rien faire, à mater par-dessus mon épaule.

— Tu n'as qu'à aller jouer avec Mary.

— Elle est pas drôle, elle pleure tout le temps…

— Parce que moi, à peindre tout le temps, je suis plus drôle ?

Il ne bougera pas. Vincent ne bougera pas. Il est capable de rester là des heures. Il aurait fait un super peintre, si ça se trouve. Observer, ça, c'est son truc. Mais je crois qu'il n'a aucune imagination.

Ça continue de courir autour de Fanette, de crier, de pouffer, de jouer. La fillette se force à rester dans sa bulle. Égoïste, comme a dit James.

Camille surgit, s'arrête sur le pont japonais. Essoufflé.

Ça ne s'arrête jamais ! Manquait plus que lui !

Il rentre son gros ventre sous sa chemise.

— Je suis crevé, je fais une pause.

Il regarde Fanette, occupée à peindre.

— Tiens, Vincent, Fanette, ça tombe bien, j'ai une devinette à propos des nénuphars. Vous savez, il paraît que les nénuphars doublent de surface chaque jour. Donc, vous m'écoutez, si on dit, par exemple, que les nénuphars mettent cent jours pour recouvrir tout un étang, combien de jours mettront les mêmes nénuphars pour recouvrir la moitié de l'étang ?

— Ben, cinquante, répond aussitôt Vincent. Elle est con, ta devinette…

— Et toi, Fanette, tu dirais quoi ?

Je m'en fous, Camille, si tu savais comme je m'en fous.

— J'en sais rien. Cinquante. Pareil que Vincent…

Camille triomphe.

Si un jour il devient prof, je suis sûre qu'il sera le plus chiant du monde.

— J'étais certain que vous alliez tomber dans le piège ! La réponse, c'est pas cinquante, bien entendu, c'est quatre-vingt-dix-neuf…

— Pourquoi ? demande Vincent.

— Cherche pas, glisse Camille d'un ton méprisant. Fanette, tu as compris, toi ?

Merde !

— Je peins…

Camille sautille d'une jambe à l'autre sur le pont

japonais. De grosses taches de sueur inondent sa chemise sous ses bras.

— OK, OK. J'ai compris, tu peins. Juste une dernière devinette, une autre, et après je te laisse tranquille. Est-ce que vous savez quel est le nom latin des nymphéas ?

Lourd ! Lourd ! Lourd !

— Aucune idée ?

Ni Vincent ni Fanette ne répondent. Ça ne dérange pas Camille, bien au contraire. Il arrache une feuille de glycine et la jette dans l'étang.

— Ben, c'est *nymphea*, banane. Mais avant, ça venait du grec, *numphaia*. Le nom français, c'est nénuphar. Et le nom anglais de nénuphar, vous le connaissez, le nom anglais ?

Ça ne s'arrête jamais ?

Camille n'attend même pas une réponse. Il fait mine de se pendre à la branche de glycine la plus proche, mais un craquement l'en dissuade.

— *Waterlily !* déclame-t-il.

En plus, il est content de son coup. Il m'énerve, qu'est-ce qu'il m'énerve, celui-là aussi, même s'il faut bien reconnaître que waterlily, c'est très joli comme nom, beaucoup plus que nénuphar... Mais je préfère nymphéa !

Camille se penche vers la toile de Fanette. Il sent la transpiration.

— Qu'est-ce que tu fais, Fanette ? Tu copies les « Nymphéas » de Monet ?

— Non !

— Ben si ! Je vois bien.

Camille, il ramène toujours sa science, mais son

problème, c'est qu'il sait tout mais qu'il ne comprend rien.

— Mais non, idiot, non ! C'est pas parce que je peins la même chose que Monet que je fais la même chose…

Camille hausse les épaules.

— Monet en a peint plein. Tu en feras forcément un qui ressemble ! Même un tondo. Tu sais ce que c'est qu'un tondo ?

Il va prendre mon pinceau dans la figure. Y a que comme ça qu'il va comprendre à quel point il est lourd. En plus, il fait toujours les questions et les réponses.

— Un tondo, c'est une toile ronde, comme celle exposée au…

Poooouuuuu…

— Vous venez, les garçons ? crie soudain la voix de Mary, qui semble avoir séché.

Camille soupire. Vincent rit.

— Je crois que je vais la pousser dans l'étang. Tu pourras peindre, ça, hein, Fanette ? Ce sera original ! *Mary in the Waterlilies.*

Il rit tout en poussant doucement Camille hors du pont.

— Bon, on va te laisser travailler, Fanette, fait Vincent. Allez, viens, Camille.

Parfois, Vincent me comprend. Parfois non et parfois oui. Comme tout de suite…

Fanette est seule, enfin. Elle scrute avec attention le reflet des saules dans l'étang tronqué par les feuilles de nénuphar. Elle se souvient de ce que lui a appris James ces derniers jours. Les lignes de fuite !

Si j'ai bien retenu, toute l'originalité des « Nym-

phéas » de Claude Monet, c'est que la composition des tableaux repose sur deux lignes de fuite qui s'opposent. Il y a la ligne de fuite des feuilles et des fleurs de nénuphar, qui correspond, en gros à la surface de l'eau. James a appelé ça la ligne horizontale. Si ça lui fait plaisir... Mais il y a aussi celle des reflets dans l'eau : les fleurs de glycine sur les berges, les branches de saule, la lumière du soleil, les ombres des nuages. En gros, d'après James, des lignes verticales, à l'envers, comme dans un miroir. C'est cela, m'a expliqué James, le secret des « Nymphéas ». Oui, bon, d'accord, c'est pas sorcier, comme secret. Il n'y a pas besoin de s'appeler James ou Claude Monet pour l'avoir trouvé... Il n'y a qu'à regarder l'étang. Ça se voit comme le nez au milieu de la figure, ces deux lignes qui se fuient. Enfin, qui se fuient... C'est un bien grand mot. Tout ça, quand même, l'étang et les feuilles collées dessus, ça reste carrément immobile. Ça ne bouge pas, je veux dire. Il n'y a pas de mouvement, rien du tout. Une illusion de mouvement, à la limite, je veux bien.

C'est nul ! Maintenant, que je suis seule, j'ai presque envie de rejoindre les autres, de courir avec eux autour du bassin. Mais non ! Je dois être égoïste, a dit James. Penser à mon talent, au concours Robinson. Je les rejoindrai tout à l'heure.

Fanette se penche sur sa palette et mélange avec précaution ses couleurs.

Soudain tout s'arrête. Le noir ! Il n'y a plus que le noir.

Fanette va hurler lorsqu'elle reconnaît Paul à son odeur d'herbe coupée.

— Coucou !

— Paul ! Tu étais ou ?

— On s'est fait six parties d'épervier dans le jardin, maintenant c'est bon. J'ai donné !

Il se penche vers le tableau.

— Waouh, Fanette, c'est magnifique ce que tu peins !

— J'espère. C'est pour le concours de la fondation Robinson. Je crois bien que je vais être la seule à rendre quelque chose à la maîtresse.

— Tu m'étonnes… Tu vas gagner ! C'est certain, tu vas gagner. C'est trop fort, ta façon de peindre.

— Tu parles ! Enfin, j'ai mon idée. C'est James qui me l'a soufflée.

— Ton fameux peintre américain ?

— Oui, je vais le retrouver juste après l'école, il doit encore faire la sieste dans le champ de blé depuis hier. Je vais lui montrer ma toile. Avec ses conseils, j'ai peut-être une chance… C'est vrai qu'il fatigue vite, il dort plus qu'il ne peint. Mais bon…

— C'est drôle. Ça ne ressemble pas aux « Nymphéas », ta toile…

Fanette embrasse Paul sur la joue.

Paul, lui, je l'adoooore !!!

— T'es génial ! C'est exactement ce que je voulais. Je t'explique en deux mots mon idée. Quand tu regardes un « Nymphéas » de Monet, tu as l'impression, comment dire, de t'enfoncer, d'entrer dans le tableau, de le traverser, je ne sais pas, comme dans un puits ou comme dans du sable, tu vois ? C'est ce que voulait Monet, de l'eau qui dort, l'impression de voir défiler toute une vie… Moi je veux faire l'inverse, je veux que devant mes « Nymphéas » on ait l'impression de flotter sur l'eau, tu comprends, de pouvoir sauter dessus, de rebondir, de s'envoler. De l'eau vive ! Je veux peindre mes « Nymphéas » comme Monet les aurait peints s'il avait eu onze ans. Des « Nymphéas » en arc-en-ciel !

Paul la contemple avec une infinie tendresse.

— Je ne comprends pas tout ce que tu me dis, Fanette.

— Ce n'est pas grave, Paul. Ce n'est pas sérieux, tout ça. Tiens, tu sais ce que Monet faisait des grandes peintures de « Nymphéas » qui ne lui plaisaient pas ?

— Non.

— Il les donnait aux enfants de sa maison rose ! Quand ils avaient notre âge. Les toiles rejetées servaient à fabriquer des canoës ! Si ça se trouve, au fond de l'Epte et de la Seine, dans la vase, il y a encore des toiles de « Nymphéas » ! Tu y crois à ça ?

— Je te crois, Fanette…

Paul marque un silence.

— Mais si, c'est sérieux. Je me rends bien compte que tu es d'une autre planète que nous, qu'un jour tu vas partir, loin. Que tu deviendras célèbre, et tout, et tout. Mais, tu vois, ce qui est génial, c'est que toute ma vie je pourrai raconter que je t'ai connue, là, sur ce pont japonais. Et même…

— Et même…

— Et même que je t'ai embrassée…

Il est nul, Paul. Trop nul. Quand il dit des trucs comme ça, il me fait trembler de partout.

Les nénuphars dérivent lentement sur l'étang. Fanette frissonne et ferme les yeux. Paul pose doucement ses lèvres sur celles de la fillette.

— Et même, murmure Fanette, que tu pourras raconter que je t'avais promis qu'on vivrait ensemble, qu'on se marierait, dans une grande maison avec des enfants. Et même que c'est ce qui va se passer…

— Tu es…

Les glycines s'agitent.

Vincent surgit entre les lianes tordues avec la sauvagerie d'un fauve sortant d'une jungle. Il fixe Paul et Fanette avec une étrange insistance, un inquiétant regard vide, comme s'il les espionnait depuis longtemps.

Il me fait peur. Vincent me fait de plus en plus peur.

— Vous faites quoi ? demande la voix blanche de Vincent.

– 43 –

Tout en continuant de surfer sur le site Au Bon Coin à la recherche d'un hypothétique escabeau de bois de cinq marches à rénover pour y poser ses plantes vertes, l'agent Liliane Lelièvre glisse un œil vers sa montre, une Longines élégante argentée : 18 h 45. Encore un quart d'heure et elle va pouvoir fermer l'accueil du commissariat de Vernon. Ça ne se bouscule pas, en ce moment, le soir.

Elle ne reconnaît pas tout de suite la silhouette qui monte avec lenteur les marches du commissariat. Par contre, dès que le vieil homme entre, tourne son visage vers le sien, la salue, un feu d'artifice de souvenirs lui explose à la figure.

— Bonjour, Liliane !

— Commissaire Laurentin !

Mon Dieu ! Des années qu'elle ne l'avait pas croisé.

Le commissaire Laurentin a pris sa retraite il y a quoi, près de vingt ans ? Au début des années 1990, juste après la résolution du vol des tableaux de Monet au musée Marmottan. À l'époque, Laurentin, tout en dirigeant le commissariat de Vernon, était reconnu comme l'un des meilleurs spécialistes sur les questions de trafic d'art. L'Office central de lutte contre le trafic des biens culturels faisait systématiquement appel à lui. Avant cela, Liliane et lui avaient travaillé plus de quinze ans ensemble…

Le commissaire Laurentin. Un monument. Toute l'histoire de la police du pays de Vernon à lui tout seul !

— Ça alors, commissaire ! Quel plaisir de vous revoir !

Liliane est sincère. Laurentin était un enquêteur brillant, sensible, attentif. Une personnalité comme il n'en existe plus. Ils discutent un long moment. Liliane ne peut résister à la curiosité qui la taraude :

— Qu'est-ce qui vous amène ici, après tout ce temps ?

Le commissaire Laurentin met son doigt sur sa bouche.

— Chut… Je suis en mission spéciale. Vous m'attendez, Liliane, j'en ai pour quelques minutes, je reviens.

Laurentin s'enfonce dans les couloirs qui lui sont si familiers. Liliane n'ose pas insister. Un type qui a dirigé la maison pendant trente-six ans !

L'ancien policier se fait la réflexion que la peinture du mur du couloir est toujours aussi écaillée. Rien ne change ! Bureau 33. L'ex-commissaire sort une clé de sa poche. Ouvrira ? Ouvrira pas ? Vingt ans que cette clé n'est pas entrée dans la serrure de ce bureau…

Sésame…

Elle s'ouvre ! Ils n'ont donc pas changé la serrure du bureau depuis… 1989. Après tout, raisonne Laurentin, cela semble logique. Pourquoi changer la clé de la porte du bureau d'un commissariat ? Tout en poussant la porte, il se dit que son dernier successeur doit être un jeune loup de la police judiciaire, féru d'informatique et de technologies de pointe, toutes ces avancées techniques dont les séries policières à la télévision sont truffées et auxquelles il ne comprend rien depuis longtemps.

Il s'arrête brusquement au bord du bureau et détaille la décoration. Les murs sont couverts de tableaux impressionnistes ! Pissarro. Gauguin. Renoir. Sisley. Toulouse-Lautrec. Il sourit pour lui-même. Finalement, son successeur, s'il le rencontrait, pourrait peut-être le surprendre. Il a bon goût !

Le bureau est plus conforme à ce qu'il attendait : il est encombré d'un ordinateur, d'une imprimante, d'un scanner. Le commissaire en retraite traîne dans la pièce. Il hésite, déçu par sa visite. Il se rend compte qu'en 2010 le bureau d'un flic qui fait bien son travail, c'est un bureau vide ! Tout tient dans le disque dur d'un ordinateur. Il ne va pas entrer par effraction sur le poste de travail personnel de son successeur, qui est d'ailleurs sûrement protégé par des tas de mots de passe. Et puis, il n'y connaît strictement rien en informatique. Ce serait ridicule d'insister. Il n'a pas eu l'occasion de suivre les dernières avancées de la police de l'art. C'est devenu une affaire de scientifiques.

On lui a dit que désormais l'OCBC travaille à partir d'une gigantesque base de données internationales, le « Thesaurus de recherche électronique et d'imagerie en matière artistique ». La base TREIMA recense plus de soixante mille œuvres disparues, partagées avec l'Art Crime Team américain ou l'Art and Antiques Intelligence Focus Desk de la police métropolitaine de Londres.

Laurentin soupire.

Autre époque, autres méthodes…

Il sort du bureau et retourne voir Liliane à l'accueil.

— Liliane, les archives sont toujours en bas ? Porte rouge ?

— Exactement comme il y a vingt ans, commissaire ! Aux archives au moins, rien n'a changé !

Une fois encore, sa vieille clé lui permet d'entrer. À croire que n'importe qui pourrait entrer ici. Enfin non, il n'est pas n'importe qui… Un flic, seulement un flic. C'est sans doute pour cela que Patricia Morval a fait appel à lui. Pas si folle, la veuve.

Liliane avait raison, rien n'a changé, les dossiers sont toujours classés par ordre alphabétique. Les générations se succèdent mais il y aura toujours des flics maniaques pour bien ranger les boîtes à archives à la bonne lettre sur la bonne étagère, même à l'époque des disques durs et des clés USB.

M... comme Morval.

Le gros dossier rouge est là. Pas très épais.

Laurentin hésite une nouvelle fois. Il sait qu'il n'a aucun droit de violer un tel secret d'enquête, sans mandat, sans autorisation, sans aucune raison, à part sa curiosité personnelle. Pourquoi ouvrirait-il ce dossier ? Des picotements d'excitation qu'il n'avait pas ressentis depuis des années lui hérissent la peau. Pourquoi est-il venu jusqu'ici, si ce n'est pour l'ouvrir ? Il prend soin de refermer la porte derrière lui, de laisser la clé engagée dans le barillet, puis pose la boîte à archives sur la table. Il l'ouvre et inspecte les pièces du dossier lentement, en prenant bien soin de les remettre ensuite à leur place exacte.

Ses yeux se posent successivement sur différentes photographies d'un cadavre, Jérôme Morval, le long d'un ruisseau. Les pièces à conviction défilent entre ses doigts : d'autres photographies de la scène de crime, celle d'une empreinte de semelle, en plâtre ; des analyses scientifiques d'empreintes digitales, de sang, de boue. Il passe un peu plus rapidement, pour s'arrêter sur de nouveaux clichés : cinq photographies de couples, du plus platonique au plus scabreux. Seul point commun entre tous, le mort, Jérôme Morval, est présent sur toutes les photos.

Le commissaire Laurentin relève la tête, aux aguets, cherchant à percevoir à travers la porte rouge le moindre bruit de pas dans l'escalier. Rien, tout est calme. Il détaille maintenant des liasses de papiers : une liste d'enfants de l'école de Giverny ; la biographie plus ou moins fouillée d'individus liés à l'affaire, Jérôme et Patricia Morval, Jacques et Stéphanie Dupain, Amadou Kandy, d'autres commerçants de Giverny, quelques voisins, des critiques d'art, des collectionneurs ; des notes manuscrites, nombreuses, pratiquement toutes signées de l'inspecteur Sylvio Bénavides.

Presque tous les documents sont retournés sur la table, maintenant. Le picotement qui électrise l'épiderme de Laurentin devient plus intense encore. Il ne lui reste plus qu'une pièce à examiner : un compte rendu jauni de la gendarmerie de Pacy-sur-Eure, celui d'un accident : un enfant noyé, en 1937 ; un certain Albert Rosalba. Les mains du commissaire Laurentin tremblent. Il demeure longtemps dans la pièce sombre, cherchant à comprendre, à n'oublier aucun détail, à se construire une opinion, sans *a priori*. Il serait plus simple de tout emporter ou de faire des photocopies. C'est impensable.

Ce n'est pas très grave. Il se rend compte non sans fierté qu'il a encore une bonne mémoire.

Il ne remonte à l'accueil que plus d'une demi-heure plus tard. Brave Liliane, elle l'a attendu !

— Vous avez trouvé ce que vous cherchiez, commissaire ?

— Oui, oui. Merci, Liliane.

Le commissaire Laurentin observe avec tendresse Liliane. Il se souvient du jour où elle a été nommée au commissariat de Vernon, il y a plus de trente ans maintenant, il l'avait accueillie dans son bureau, le « 33 ». Elle n'avait pas vingt-cinq ans. Elle avait déjà cette sorte d'élégance assez rare chez les fliquettes.

— Il est comment, Liliane, le nouveau patron ?

— Pas mal. Moins bien que vous…

L'élégance…

— Liliane, je peux vous demander un service ? Je n'y connais rien en informatique. Vous êtes sans doute plus calée que moi, maintenant.

— Je ne sais pas. De quoi s'agit-il ?

— D'une sorte… de contre-enquête, je dirais. Liliane, je suppose que vous vous y connaissez en Internet…

Liliane sourit avec assurance. Le commissaire continue :

— Pas moi. J'ai pris ma retraite trop tôt. Et je n'ai ni enfants ni petits-enfants pour me tenir à la page. Il faudrait que je consulte un site, attendez, j'ai noté cela quelque part…

Le commissaire Laurentin fouille ses poches, en sort un Post-it jaune griffonné d'une écriture maladroite.

— Voilà. Un site qui s'appellerait Copains d'avant. Je cherche une photo de Giverny. Une photo de classe. 1936-1937.

– 44 –

— James ! James !

Fanette court près du lavoir et traverse le champ de blé où James peint, tous les jours. Elle porte, enveloppé dans un grand papier marron, le tableau qu'elle vient d'ébaucher sur le pont japonais de l'étang aux Nymphéas.

— James !

Fanette ne distingue personne dans le champ, pas même un chevalet, pas même un chapeau de paille. Aucune trace de James. Fanette voudrait faire la surprise au peintre américain, lui montrer ses « Nymphéas » en arc-en-ciel, écouter ses conseils, lui expliquer sa façon de peindre les lignes de fuite. Elle hésite. Elle regarde autour d'elle, cherche un instant, puis dissimule son tableau derrière le lavoir, dans un petit espace qu'elle a repéré sous le ciment.

Ni vu ni connu.

Elle se relève, des gouttes de sueur perlent dans

son cou. Elle a couru pour venir, pour rejoindre au plus vite ce gros fainéant de James. Fanette franchit à nouveau le pont.

— James ! James !

Neptune, qui dormait à l'ombre du cerisier dans la cour du moulin de la sorcière, l'a entendue. Il franchit le porche et trottine vers elle.

— Neptune, tu as vu James ?

Neptune n'en a rien à faire, il s'en va renifler dans les fougères d'à côté.

Il m'énerve, des fois, ce chien.

— James !

Fanette tente de se repérer au soleil, James suit toujours le soleil, comme un gros lézard, moins pour la luminosité du paysage que pour le confort de sa sieste.

Si ça se trouve ce vieux fainéant est endormi dans le champ.

— James, réveille-toi, c'est Fanette. J'ai une surprise.

Elle marche, elle marche encore. Le blé la fouette jusqu'à la taille.

Mon Dieu !

Ses jambes s'effondrent sous elle.

Le blé est rouge devant elle ! Pas seulement rouge. Vert, bleu, orange. Les épis colorés sont couchés, comme si on s'était battu ici, comme si on y avait renversé une palette de peinture et éventré des tubes. Qu'a-t-il pu se passer ?

Il faut que je réfléchisse. Je me doute que les habitants du village n'apprécient pas trop les peintres vagabonds, mais de là à se battre avec James... Un vieil artiste inoffensif.

Un immense frisson transperce Fanette. Elle s'arrête,

tétanisée. Devant elle s'ouvre un chemin de blé couché, d'épis rougis, comme une piste sanglante. Comme si quelqu'un s'était traîné dans le champ.

James.

Les pensées de Fanette s'affolent.

James a été victime d'un accident, il est blessé, il attend mon aide, quelque part dans la prairie.

Le chemin de blé courbé s'arrête brusquement, en plein champ. Fanette continue de progresser au hasard, écarte les épis, crie, trépigne. La prairie est immense.

— Neptune. Aide-moi, aide-moi à chercher…

Le berger allemand hésite, comme s'il se demandait ce qu'on attend de lui. Puis, soudain, il court à travers la plaine. Il trace une droite. Fanette tente de le suivre, ce n'est pas facile, les épis lui cinglent les bras, les cuisses.

— Attends-moi, Neptune !

Le chien attend, sagement, cent mètres plus loin, presque au milieu du champ. Fanette s'avance.

Son cœur cesse soudain de battre.

Derrière le berger allemand, le blé est couché, un mètre sur deux, juste la place pour un corps allongé.

Un cercueil de paille. C'est cette image qui me vient en premier.

James est là. Il ne dort pas.

Il est mort ! Une entaille ensanglantée s'ouvre entre sa poitrine et sa gorge. Fanette tombe sur ses genoux. Une atroce remontée de bile inonde son palais. Elle s'essuie avec maladresse à l'aide d'un morceau de chemise.

James est mort. Quelqu'un l'a tué !

Des mouches bourdonnent sur la plaie ouverte. Elles font un bruit d'épouvante. Fanette voudrait hurler mais elle n'y parvient pas. La bile acide lui brûle la gorge, elle vomit un liquide visqueux sur son pantalon et ses chaussures. Elle n'a pas le courage de les frotter. Elle n'a plus aucun courage. Ses mains se tordent. Un essaim de mouches lèchent ses pieds. Il lui faut de l'aide. Elle se lève, court comme une folle. Le blé mord ses chevilles et ses genoux. Son ventre la torture. Elle tousse, crache, un filet de bave lui éclabousse la joue, elle court encore, l'essuie d'un revers de main. Elle passe le ruisseau, le moulin, le pont, le chemin du Roy, sans ralentir. Une voiture pile juste devant elle.

Connard !

Fanette traverse la route, elle est dans le village.

— Maman !

Elle remonte la rue du Château-d'Eau. Elle hurle, maintenant :

— Maman !

Fanette pousse violemment la porte qui heurte le portemanteau cloué sur le mur. Elle entre chez elle. Sa mère se tient debout dans la cuisine, derrière le plan de travail, comme toujours. Blouse bleue. Cheveux noués à l'arrière. Elle lâche tout, couteau, légumes, sans réfléchir.

— Ma petite, ma toute petite…

Sa mère ne comprend pas. Elle ouvre les bras, elle tend les mains, instinctivement. Fanette n'en saisit qu'une.

La tire.

— Maman, il faut que tu viennes… Vite !

Sa mère ne bouge pas.

— Je t'en supplie, maman…

— Qu'est-ce qui se passe, Fanette ? Calme-toi, explique-moi.

— Maman… il est… il est…

— Calme-toi, Fanette. De qui parles-tu ?

Fanette tousse, suffoque. Elle sent que les haut-le-cœur reviennent. Elle ne doit pas craquer. Sa mère lui tend un torchon, elle s'essuie, s'effondre en larmes.

— Doucement, Fanette, doucement. Dis-moi ce qui se passe…

Elle lui caresse les mains, pose son épaule contre sa tempe, comme un bébé que l'on veut endormir.

Fanette suffoque, encore, puis parvient à articuler :

— C'est James, maman. James est mort, le peintre. Là-bas, dans le champ !

— Qu'est-ce que tu racontes ?

— Viens. Viens !

Fanette se redresse soudain, tire la main.

— Viens ! Vite !

Écoute-moi, maman, pour une fois, je t'en prie.

Sa mère hésite. La fillette scande son ordre, de plus en plus fort :

— Viens ! Viens !

Elle semble proche de l'hystérie. Quelques rideaux se tirent dans la rue du Château-d'Eau. Les voisines doivent prendre cela pour une crise de la petite. Un caprice ! Sa mère n'a pas le choix.

— Je viens, Fanette, je viens.

Elles franchissent le pont sur le ruisseau. Neptune est sagement retourné dormir sous le cerisier, dans la cour du moulin. Fanette tire sa mère par la main.

Plus vite, maman.

Elles avancent dans la prairie.

— Là-bas !

Fanette marche dans le champ. Elle se souvient du chemin, même sans Neptune, elle reconnaît le blé couché. Elle progresse encore, elle parvient à l'endroit précis où repose James, elle est certaine que c'est là.

— C'est ici, maman, c'est exactement ici.

La main que tient sa mère tombe, molle. Fanette a l'impression d'être prise de vertige. Ses yeux s'écarquillent, incrédules.

Il n'y a personne devant elles.

Aucun corps.

J'ai dû confondre, me tromper, de quelques mètres...

— C'était ici, maman… Ou juste à côté.

La mère de Fanette regarde étrangement sa fille. Elle continue pourtant de se laisser guider par la main qui la tire. Fanette cherche encore, parcourt longtemps le champ, s'énerve, contre elle, contre tout.

— C'était là, il était là…

Sa mère ne dit rien, elle suit, calmement. Une petite voix sournoise s'insinue dans la tête de Fanette, un minuscule ver dans un fruit.

Elle me prend pour une folle, maman est en train de me prendre pour une folle.

— C'était…

Soudain, sa mère n'avance plus.

— Cela suffit, Fanette !

— Il était là, maman. Il avait une blessure, profonde, entre le cœur et le cou…

— Ton peintre américain ?

— Oui, James.

— Fanette, je ne l'ai jamais vu, ton peintre américain. Personne ne l'a jamais vu.

Jamais vu. Qu'est-ce qu'elle veut dire ? Vincent l'a vu, Paul aussi le connaît... Tout le monde...

— Il faut appeler la police, maman. Il était mort.

Quelqu'un l'a tué. Quelqu'un a pris son corps, l'a mis ailleurs.

Ne me regarde pas ainsi, maman. Je ne suis pas folle. Je ne suis pas folle. Crois-moi, tu dois me croire...

— Personne ne va appeler la police, Fanette. Il n'y a pas eu de crime, il n'y a pas de cadavre. Il n'y a pas de peintre. Tu as trop d'imagination, ma petite Fanette. Beaucoup trop.

Qu'est-ce qu'elle raconte ? Qu'est-ce qu'elle veut dire ?

Fanette hurle :

— Non ! Tu n'as pas le droit…

Sa mère se baisse doucement, se place à la hauteur des yeux de sa fille.

— D'accord, Fanette. Je retire ce que j'ai dit. Je veux bien te croire, te faire confiance, une fois de plus. Mais si ton peintre existe, s'il est mort, si on l'a assassiné, quelqu'un s'en apercevra. Quelqu'un le cherchera, le trouvera. Ce quelqu'un préviendra la police…

— Mais…

— Ça ne regarde pas une fille de onze ans, Fanette. La police a mieux à faire en ce moment, crois-moi. Elle a déjà un autre cadavre sur le dos, un vrai cadavre que tout le monde a vu, celui-là, et aucun meurtrier. Et nous avons assez d'ennuis comme ça pour ne pas attirer en plus l'attention sur nous…

Je ne suis pas folle !

— Je ne suis pas folle, maman…

— Bien entendu, Fanette. Personne n'a dit cela. Il est tard, maintenant, il est temps de rentrer.

Fanette pleure. Elle n'a plus aucune force, elle suit la main qui la guide.

Il était là.

James était là. Je ne peux pas tout avoir inventé ! James existe, bien entendu. James existe.

Et ses chevalets ? hurle une voix dans sa tête. Ses quatre chevalets ? Sa belle boîte de peinture ? Ses toiles ? Ses couteaux de peintre ?

Où sont-ils passés ?

On ne disparaît pas ainsi !

Je ne suis pas folle !

La soupe a mauvais goût.

Bien entendu, sa mère a effacé les questions que Fanette avait posées sur l'ardoise et les a remplacées par une liste de courses. Des légumes, toujours. Une éponge. Du lait. Des œufs. Des allumettes…

La maison est sombre.

Fanette monte dans sa chambre.

Ce soir-là, elle ne dort pas. Elle se demande si elle devrait désobéir à sa maman, aller tout de même tout raconter à la police ! Demain.

Je ne suis pas folle... Mais si je vais voir la police, toute seule, maman ne me le pardonnera jamais. La première chose que les flics feront, ce sera de venir tout lui raconter. Maman ne veut pas avoir affaire aux flics. Ça doit être à cause de ses ménages. Si les bourgeois savaient qu'elle a affaire à la police, après ils hésiteraient à l'embaucher. C'est sûrement ça.

Mais je ne peux pas rester non plus sans rien faire ! J'ai du mal à réfléchir, mon pauvre cerveau est en compote.

Je dois chercher. Je dois comprendre ce qui s'est

passé. Je dois trouver les preuves, les apporter à maman, à la police, à tout le monde.

Pour cela, il faut que quelqu'un m'aide !

Dès demain, je vais m'y mettre, je vais mener l'enquête. Non, demain, il y a l'école toute la journée, ce sera long, très long d'attendre, enfermée. Mais dès la sortie de l'école, demain après-midi, je vais chercher.

Avec Paul. Je vais tout dire à Paul. Paul comprendra.

Je ne suis pas folle.

– 45 –

Laurenç Sérénac décroche avec une pointe d'inquiétude. Il est rare qu'on l'appelle à 1 h 30 du matin, surtout sur son numéro personnel. La voix à l'autre bout du fil ne le rassure pas. Elle chuchote des mots incompréhensibles. Il parvient simplement à comprendre les mots « maternité » et « États-Unis ».

— Qui est à l'appareil, bordel ?

La voix devient à peine plus audible :

— C'est Sylvio, patron. Votre adjoint.

— Sylvio ? Putain, il est une heure du matin… Parle plus fort, nom de Dieu, je comprends un mot sur trois.

L'intensité du timbre augmente un peu :

— Je suis à la maternité. Béatrice dort dans la chambre, j'en profite, je suis sorti dans le hall… Il y a du neuf !

— C'est le grand jour, alors ? Tu voulais que ton patron préféré soit le premier au courant ? Félicite Béatr…

— Mais non, coupe Sylvio. Je ne vous parle pas du

bébé, je vous téléphone pour l'enquête, patron. C'est pour l'enquête qu'il y a du nouveau. Pour le bébé et Béatrice, c'est *wait and see*. On s'est déplacés tout à l'heure en urgence à la maternité de l'hôpital de Vernon. Béatrice pensait avoir des contractions. On a attendu deux heures aux soi-disant urgences. Pour rien ! Juste pour nous entendre dire que l'accouchement n'était pas pour tout de suite, que le bébé était tranquille, peinard, au chaud, que tout allait bien. Au final, Béa a tellement insisté qu'ils ont fini par lui donner une chambre. Tiens, d'ailleurs, patron, Béatrice vous dit bonjour.

— Moi aussi. Tu lui souhaiteras bon courage…

Sérénac bâille.

— Bon, Sylvio, raconte alors, c'est quoi, ton scoop ?

— Au fait, répond Bénavides, comme s'il n'avait rien écouté. Votre journée, les appartements et les jardins de Claude Monet, c'était comment ?

Laurenç Sérénac hésite, cherchant le mot juste :

— Troublant ! Et toi, les Beaux-Arts de Rouen ?

Bénavides hésite à son tour :

— Instructif…

— Et c'est pour ça que tu m'appelles ?

— Non. Pour les Beaux-Arts, j'ai pas mal d'informations nouvelles, mais cela complique encore un peu plus tout ce qu'on savait déjà, il faudra trier…

Un bruit de pas résonne dans l'appareil, rendant inaudible durant quelques secondes la suite des paroles.

— Attendez, patron, ils amènent une gamine sur un brancard, et j'ai l'impression que le brancard est plus grand que la cage de l'ascenseur…

Sérénac patiente un peu, puis s'énerve :

— C'est bon ? Alors, ton info ? Accouche !

— C'est amusant, ça, patron…

Sérénac soupire.

— Ils ont fini, avec leur brancard ?

— Oui, finalement, il passait… à la verticale.

— Je vois que tu t'amuses bien, Sylvio.

— J'essaye de me mettre au diapason, patron.

— C'est bien, c'est bien. Alors, on continue à jouer aux devinettes jusqu'à l'aube ?

— J'ai retrouvé Aline Malétras.

Laurenç Sérénac étouffe un juron.

— Tu parles bien de la bombe à talons ? La maîtresse de Morval, celle qui bosse pour les galeries d'art de Boston ?

— Ouais, celle-là. À cause du décalage horaire, je n'arrivais pas à la joindre dans la journée. Impossible. Mais finalement, j'ai réussi à la coincer il y a un quart d'heure, entre deux cocktails. Il doit être à peu près 20 heures sur la côte est.

— Et alors ? Elle t'a appris quelque chose ?

— Sur le meurtre de Morval, non. Elle semble avoir un alibi en béton, le matin du meurtre elle sortait tout juste d'une boîte dans la banlieue de New York, attendez…

Il lit :

— Le Krazy Baldhead, avec une palanquée de témoins. Faudra vérifier mais…

— On vérifiera, Sylvio, mais c'est vrai que ça n'a pas l'air d'être le genre de poule à rentrer seule à la ferme. Et côté boulot, peinture, galerie et collection, tu vois un lien avec Morval ?

— Plus aucun, d'après ce qu'elle m'a dit. Cela fait près de dix ans qu'elle n'avait plus aucune nouvelle de notre ophtalmologiste.

— T'en penses quoi ?

— Elle était pressée. Elle a coupé court. Elle se souvenait juste qu'il était dingue des tableaux de Claude Monet, et qu'elle trouvait à l'époque cela un peu, comment dire, « commun », c'est un mot comme ça qu'elle a dû employer.

— Et elle bosse toujours pour la fondation Robinson ?

— Oui. D'après elle, elle s'occupe des échanges entre la France et les États-Unis. Expositions, accueil d'artistes des deux côtés de l'Atlantique, échanges de tableaux…

— À quel niveau ?

— Elle était pas loin de laisser sous-entendre qu'elle tutoyait tous les peintres à la mode des deux continents et qu'elle allait directement chercher leurs tableaux sous son bras dans leur atelier, mais si ça se trouve elle se contente dans les vernissages d'offrir du champagne, des boudoirs et son décolleté derrière une nappe blanche…

— Mouais… Il va vraiment falloir qu'on en sache plus sur cette foutue fondation Theodore Robinson…

Il bâille à nouveau.

— Dis donc, Sylvio, sans vouloir t'offenser, elle ne t'a pas appris grand-chose, la belle Aline. Ça valait le coup de m'appeler en pleine nuit pour si peu ?

La voix de Sylvio chuchote à nouveau :

— Il y a autre chose, patron.

— Ah…

Sérénac tend l'oreille sans couper son adjoint.

— D'après Aline Malétras, elle est sortie avec Jérôme Morval une quinzaine de fois, dont celle de la photo, c'était au club Zed, rue des Anglais, à Paris, dans le Ve. C'était il y a dix ans. Aline Malétras avait vingt-deux ans, à l'époque. Elle n'était pas farouche, Morval avait du fric, tout allait bien jusqu'à ce que…

— Parle plus fort, bordel…

— Jusqu'à ce qu'Aline Malétras tombe enceinte !

— Quoi ?

— Comme je vous le dis.

— Et… elle l'a gardé, le petit Morval ?

— Non.

— Comment ça, « non » ?

— Non. Elle s'est fait avorter.

— C'est sûr, ou c'est ce qu'elle t'a raconté ?

— C'est ce qu'elle m'a raconté. Mais à vingt-deux ans elle n'était sans doute pas le genre de femme à rêver d'un destin de fille-mère…

— Morval était au courant ?

— Oui. Il a fait jouer ses relations dans le milieu médical et tout payé, d'après elle.

— Retour au point de départ, alors… On n'est pas plus avancés, question mobile de meurtre.

Un nouveau bruit de piétinement résonne dans le hall de l'hôpital. La sirène d'une ambulance hurle, au loin. Bénavides attend un peu avant de continuer :

— Sauf qu'il aurait eu dix ou onze ans, ce môme.

— Il n'y a pas de môme, elle a avorté…

— Oui, mais si…

— Il n'y a pas de môme, Sylvio.

— Elle a peut-être menti.

— Pourquoi t'avoir raconté qu'elle est tombée enceinte, alors ?

Un long silence. La voix de Bénavides augmente d'un ton :

— Peut-être qu'elle n'a pas été la seule ?

— La seule à quoi ?

— La seule à tomber enceinte de Jérôme Morval !

Un nouveau long silence. Bénavides continue. Il parle plus fort encore.

— Je pense par exemple à la cinquième maîtresse, patron, la gâterie dans le salon de Morval, la fille en blouse bleue qu'on n'a toujours pas pu identifier. Peut-être que si on arrivait à percer le code, ces foutus nombres au dos des photos…

Dans le combiné, Sérénac entend des pas se rapprocher, comme si l'infirmière en chef accourait dans le hall pour signifier à l'inspecteur Bénavides que son cirque avait assez duré.

— Putain, tu me troubles, Sylvio, avec tes hypothèses tordues et tes trois colonnes à la con…

Il soupire.

— On va plutôt essayer de dormir un peu. On se lève tôt demain pour aller faire trempette dans la rivière de Giverny. Oublie pas ton épuisette.

– DIXIÈME JOUR –

22 mai 2010

(Moulin des Chennevières)

Sédiment

– 46 –

Jadis, celui qui a construit le moulin, le donjon au milieu surtout, devait déjà avoir cette idée derrière la tête, ce n'est pas possible autrement : pouvoir ainsi surveiller tout le village par la fenêtre du quatrième étage. Appelez-la comme vous voulez, cette tour située juste au-dessus de la cime des arbres : mirador, tour de guet ou conciergerie, mais une chose est certaine : avec le clocher de l'église peut-être, c'est le meilleur point d'observation de Giverny.

Une vue imprenable, croyez-moi, sur tout le village, sur la prairie presque jusqu'à l'île aux Orties, sur le ru jusqu'aux jardins de Monet, et vous vous en doutez, c'est avant tout la meilleure et la plus discrète des loges sur le lieu du crime. Celui de Jérôme Morval, je veux dire.

Regardez, rien qu'à l'instant, dans l'eau du ruisseau, avec leurs pantalons retroussés, ils n'ont pas l'air malins, les flics. Pieds nus. Sans bottes… Ils ont dû être traumatisés. Même l'adjoint, Sylvio Bénavides, patauge dans l'eau. L'inspecteur Sérénac est le seul flic resté sur la rive, il discute avec un type curieux, à lunettes, qui plante des instruments étranges dans la rivière et passe du sable dans des sortes d'entonnoirs qui s'emboîtent les uns dans les autres.

Neptune est là aussi, bien entendu, il n'en rate pas une, vous pensez. Il passe d'une fougère à l'autre, reniflant je ne sais quoi. Ce chien, du moment qu'il y a de l'animation, il est content. En plus, je crois qu'il a pigé maintenant que l'inspecteur Sérénac l'a à la bonne et n'est pas avare de caresses.

Remarquez, je me moque un peu, mais ce n'est pas idiot de la part des flics, comme idée, draguer la rivière… Simplement, ils auraient pu y penser avant. Vous allez en déduire qu'ils ne sont pas rapides, les flics de province, ce genre de critiques faciles… Mais n'oubliez pas que le bel inspecteur qui dirige la manœuvre avait ces derniers jours les pensées embrouillées par autre chose. Si j'osais, je dirais que ce n'est pas la rivière qu'il a choisi de draguer en premier. Mais bon, vous comprenez, quand on n'est qu'une vieille sorcière qui ne parle plus à personne, se raconter des calembours à soi-même, ça n'a pas grand sens. Alors je me contente d'espionner en silence derrière mon rideau.

– 47 –

Trois agents du commissariat de Vernon ratissent le lit du ru. Décimètre carré par décimètre carré. Ils n'y mettent pas une intense conviction. Le maire de Giverny leur a affirmé que la rivière était nettoyée tous les mois par les agents verts de la commune. « C'est la moindre des choses, a-t-il ajouté, ce minuscule ru revendique le titre de première rivière impressionniste de France ! Cela mérite bien quelques égards... »

Le maire n'a pas menti. Les agents pêcheurs ne retirent du fond vaseux que peu de détritus. Quelques papiers gras, des capsules de soda, des os de poulet...

Dire que toute cette merde sera examinée par la police scientifique...

Sylvio Bénavides peine à maintenir ouvertes ses paupières. Il se dit que si ça continue il va s'endormir là, dans l'eau. Il pense que ça arrive vite, ces choses-là. On s'assoupit. Avec un peu de malchance on tombe le crâne sur une pierre, une entaille pas grave, mais qui suffit à vous assommer sur le coup, qui suffit à faire glisser votre tête dans l'eau, sous l'eau, à vous noyer, au bout du compte.

Sylvio a des idées noires, ce matin. Après avoir raccroché hier avec Laurenç Sérénac, il n'a pas pu se rendormir. Les infirmières voulaient qu'il rentre chez lui, mais pas question ! Être flic présente quelques privilèges. Il a passé la nuit à regarder Béatrice dormir et à somnoler sur deux chaises de la salle d'attente, face aux affiches qui dénoncent les méfaits de la cigarette et de l'alcool chez les femmes enceintes. Il a eu le temps de penser et repenser à ses putains de trois colonnes, toujours aussi cloisonnées.

Amantes, « Nymphéas », gosses.

À faire le point sur ces mystères qui s'accumulent, depuis quelques jours. Que penser de ces légendaires « Nymphéas en noir » ? Amadou Kandy devait être au courant, bien entendu. Morval aussi. Et que vient faire dans cette histoire l'accident de ce gamin, Albert Rosalba, en 1937, à cet endroit précis, cette carte postale d'un gamin de onze ans, illustrée d'une reproduction de « Nymphéas » et d'une citation d'Aragon ? Et pourquoi Aragon ? Pourquoi cette citation, « Le crime de rêver je consens qu'on l'instaure », qu'est-ce que cela peut bien signifier ? Pourquoi ces nombres, au dos des photos des maîtresses de Morval ? Il devine pourtant, il le sent, que toutes ces pièces s'emboîtent, qu'il ne faut en négliger aucune, que toutes ont leur importance.

Il observe Sérénac. Il n'est pas facile de déterminer s'il est particulièrement concentré sur les méthodes de datation du sédimentologue, ou s'il se désintéresse de toute cette opération. Le problème, c'est que la technique du puzzle, ce n'est pas vraiment la méthode du patron. Côté sac de nœuds, Sérénac aurait plutôt tendance à ne vouloir tirer que sur un fil de la pelote, fort, très fort. Sylvio a l'impression que ce n'est pas la solution, que cela ne fera qu'emmêler davantage le tout, et que tout ce que risque Sérénac, c'est que le fil lui pète entre les doigts. Il sera bien avancé.

Sylvio note que Louvel vient de désensabler sa troisième bouteille de plastique. Elle n'est pas si nickel que cela, si on la fouille en profondeur, la voie fluviale royale de l'impressionnisme. Le sédimentologue analyse toutes les pièces exhumées avec un systématisme professionnel, histoire de confirmer que si elles n'ont pas connu Claude Monet vivant, elles n'ont pas croisé à l'inverse le cadavre de Jérôme Morval.

Sylvio repense à Sérénac. Ce n'est pourtant pas faute d'avoir essayé de lui expliquer, à son chef. Il est d'accord, Sérénac, d'accord avec tout, les colonnes, les mystères, l'imbroglio total. Mais ça ne l'empêche pas de s'enfermer dans son intuition : pour lui, tout tourne autour de Stéphanie Dupain. L'institutrice est en danger. Ce danger a un nom : Jacques Dupain. Il ne sort pas de là. Objectivement, s'il examine les faits, Sylvio trouve que l'institutrice a autant le profil d'une suspecte que d'une victime potentielle. Il l'a dit à Sérénac, mais cette tête de mule d'Albigeois a l'air de préférer suivre son instinct que les faits objectifs. Qu'est-ce qu'il y peut ?

Il y a beaucoup pensé cette nuit, Sylvio est comme Béatrice, il l'aime bien, au fond, Sérénac. Paradoxalement, même s'ils sont différents, il apprécie de bosser en binôme avec lui. Une question de complémentarité peut-être. Mais il a comme l'impression que Sérénac ne fera pas long feu au commissariat de Vernon. Ça sent la mutation express ! Les intuitions, dans le Nord, c'est pas trop la méthode. Surtout quand ces intuitions sont moins influencées par ce qui s'agite dans le cerveau d'un flic que par ce qui se passe dans son panta…

— Je crois que j'ai quelque chose !

C'est l'agent Louvel qui a crié. Aussitôt, tous les flics s'approchent.

Louvel plonge deux mains dans le sable et en ressort un objet rectangulaire, assez plat. Le sédimentologue tend une caisse de plastique pour que le sable s'écoule dedans. Progressivement, on devine ce que le policier tient dans la main. Bientôt, il n'y a plus de doute.

L'agent Louvel a découvert une boîte de peinture en bois.

Sylvio soupire. Encore un coup pour rien, pense-t-il. C'est sans doute un peintre qui l'aura laissée là, pour avoir voulu peindre trop près de la rivière. N'importe qui. En tout cas pas Morval, il collectionnait les tableaux mais il ne peignait pas.

Louvel pose sa trouvaille sur la berge pendant que le sédimentologue verse le sable qui recouvrait la boîte de peinture dans ses tamis et entonnoirs. Le sable file.

— Depuis combien de temps est-elle là ? demande l'agent Maury, qui s'intéresse à ces choses-là.

Le sédimentologue examine un cadran, dans le plus petit des entonnoirs.

— Moins de dix jours, tout au plus. Cette boîte est tombée dans le ru entre hier, au plus tôt, et, disons, le jour de l'assassinat de Morval au plus tard… Je me fie à la pluie qui est tombée le 17 mai. Les alluvions charriées pendant l'averse sont caractéristiques. Elles viennent de l'amont, et il n'a pas plu depuis. Je me donne une marge de cinq jours avant et cinq jours après.

Sylvio se rapproche de la rive. Ça l'intrigue, maintenant, cette découverte. La boîte de peinture est donc ensablée dans le ruisseau depuis dix jours, au plus… La date pourrait correspondre au meurtre. Sérénac lui aussi s'est avancé. Ils sont tous les deux à moins d'un mètre de la boîte en bois.

— Je t'en prie, Sylvio, fait Sérénac. À toi l'honneur… Tu as bien mérité d'être le premier à ouvrir ce trésor, ajoute-t-il en adressant un clin d'œil à son adjoint. Mais on partage le butin en cinq parts égales.

— Comme les pirates ?

— T'as tout compris…

Ludovic Maury se marre derrière eux. L'inspecteur Bénavides ne se fait pas prier et porte la boîte de peinture à quelques centimètres de ses yeux. Le bois est ancien, laqué, curieusement très peu abîmé malgré son séjour dans l'eau. Seules les charnières de fer apparaissent rouillées. Sylvio déchiffre, un peu effacé, ce qui lui semble une marque, *WINSOR & NEWTON*, inscrite en lettres capitales sous un logo figurant une sorte de dragon ailé. En plus petit, un sous-titre précise *The World's Finest Artists' Materials*. Il n'y connaît rien, mais Bénavides suppose que c'est un bel objet, prestigieux, américain, ancien ; il faudra vérifier.

— Alors, s'impatiente Sérénac, tu l'ouvres, ton coffre ? On veut savoir ce qu'on a trouvé. Pièces d'or, bijoux, carte de l'Eldorado…

Ludovic Maury éclate encore de rire. Ce n'est pas facile de savoir si l'agent apprécie réellement l'humour de son patron ou s'il en rajoute. Sylvio, sans pour autant se presser, fait jouer les charnières rouillées. La boîte s'ouvre, comme si elle était neuve, comme si elle avait servi encore hier. Sylvio s'attend à trouver des pinceaux, des tubes de peinture trempés, une palette, une éponge. Rien de particulier…

Mon Dieu !

L'inspecteur Bénavides a failli en lâcher la boîte dans le ruisseau. Mon Dieu… Tout se bouscule dans sa tête. Et s'il s'était trompé depuis le début, et si c'était Sérénac qui avait raison ?

Il crispe ses doigts sur le bois et crie :

— Nom de Dieu, patron, venez voir ça ! Vite, venez voir ça !

Sérénac approche d'un pas. Maury et Louvel également. La stupeur de l'inspecteur Bénavides les a cueillis par surprise. Sylvio Bénavides tient la boîte ouverte devant leurs yeux. Les policiers fixent les pans de bois avec le recueillement craintif d'orthodoxes devant une icône byzantine.

Tous lisent le même message, gravé au couteau, sur le bois clair de la boîte : *Elle est à moi ici, maintenant et pour toujours.*

Le texte gravé est suivi de deux entailles qui se croisent. Une croix. Une menace de mort…

— Bordel ! hurle l'inspecteur Sérénac. Quelqu'un a balancé cette boîte dans le ruisseau il y a moins de dix jours ! Peut-être même le jour où Morval a été assassiné !

Il essuie de sa manche la sueur qui perle sur son front, poursuit :

— Sylvio, tu me trouves illico un expert en graphologie et tu me compares ce message gravé sur le bois à l'écriture de tous les cocus du village. Et tu me mets Jacques Dupain en premier sur la liste !

Sérénac regarde sa montre. Il est 11 h 30.

— Et je veux ça avant ce soir !

Il regarde longuement le lavoir, juste en face. Il laisse retomber l'excitation et adresse un sourire sincère aux quatre hommes qui l'entourent.

— Bien joué, les garçons ! On termine vite la fouille de la rivière et on libère les lieux. Je pense qu'on a pêché le plus gros poisson qui s'y cachait.

Il lève un pouce vers l'agent Maury.

— C'est une putain d'idée lumineuse que t'as eue là, Ludo. Draguer la rivière. On tient une preuve, les gars. Enfin !

Maury n'en peut plus. Il sourit comme un gosse qui a reçu un bon point. De son côté, Sylvio Bénavides, par habitude, se méfie des enthousiasmes trop précipités. Pour son patron, le « elle » du message « Elle est à moi ici, maintenant et pour toujours » ne peut désigner qu'une femme, et la menace a obligatoirement été rédigée par un mari jaloux… De préférence Jacques Dupain. Mais, pense Sylvio, le « elle » du message pourrait au contraire désigner n'importe quoi, n'importe qui. Pas forcément une femme. « Elle est à moi » pourrait aussi se rapporter à une enfant de onze ans, ou à n'importe quel objet féminin. Une peinture, par exemple.

Les policiers continuent méthodiquement la fouille de la rivière, avec de moins en moins de conviction. Ils ne déterrent plus que de rares détritus. Doucement, le soleil tourne et l'ombre du donjon du moulin des Chennevières recouvre la scène de crime que les policiers commencent à quitter. Avant de partir, Sylvio Bénavides lève plusieurs fois les yeux vers la tour du moulin : il jurerait avoir vu un rideau s'agiter tout en haut, au quatrième étage. L'instant suivant, il a déjà oublié. Il a bien d'autres choses à penser.

– 48 –

— Claude Monet a-t-il des héritiers ? Vivants, je veux dire ?

La question du commissaire Laurentin surprend Achille Guillotin. Le commissaire en retraite n'y est pas allé par quatre chemins, d'après ce que lui a dit la secrétaire du musée des Beaux-Arts de Rouen. Il a téléphoné au musée et a demandé à parler au meilleur spécialiste de Claude Monet. Bref, autant dire à lui, Achille Guillotin ! La secrétaire l'a joint en catastrophe, sur son portable. Il était en pleine réunion avec le service culturel du conseil général pour l'opération

« Normandie impressionniste ». Encore une réunion interminable. Il est presque sorti avec plaisir dans le couloir.

— Claude Monet, des héritiers… Eh bien, commissaire, c'est difficile à dire…

— Comment ça, « difficile » ?

— Eh bien… je vais essayer d'être le plus clair possible : Claude Monet a eu deux enfants avec sa première femme, Camille Doncieux : Jean et Michel. Jean épousera Blanche, la fille de sa seconde femme, Alice Hoschedé. Jean est mort en 1914, Blanche en 1947 ; le couple n'a pas eu d'enfants. Michel Monet est mort en 1966, il était le dernier héritier de Claude Monet. Quelques années plus tôt, dans son testament, Michel Monet avait fait du musée Marmottan, c'est-à-dire l'académie des Beaux-Arts, son légataire universel. Le musée Marmottan, à Paris, abrite encore aujourd'hui la collection « Monet et ses amis », soit plus de cent vingt toiles. La plus importante collection de…

— Plus d'héritiers donc, coupe Laurentin. La descendance de Claude Monet s'est ainsi éteinte en une seule génération.

— Pas tout à fait, précise Guillotin avec une évidente jubilation.

Laurentin tousse dans le combiné.

— Pardon ?

Guillotin laisse planer un court suspense, puis :

— Michel Monet a eu une fille naturelle avec son amante, Gabrielle Bonaventure, une femme ravissante qui exerçait la profession de mannequin. Michel Monet finira par officialiser sa relation et se marier avec Gabrielle Bonaventure, à Paris, en 1931, après la mort de son père.

Le commissaire Laurentin explose dans le téléphone :

— Dans ce cas, c'est donc cette fille naturelle qui est la dernière héritière ! Elle est la petite-fille de Claude Monet…

— Non, répond calmement Guillotin. Non. Curieusement, Michel Monet n'a jamais reconnu sa fille naturelle, même après son mariage. Elle n'a donc jamais touché le moindre centime du fabuleux héritage de son grand-père.

La voix du commissaire Laurentin devient blanche :

— Et comment s'appelait cette fille naturelle ?

Guillotin soupire.

— On trouve son nom dans n'importe quel bouquin sur Monet. Elle s'appelait Henriette. Henriette Bonaventure. D'ailleurs, je ne sais pas pourquoi j'emploie le passé. Elle doit être toujours vivante, du moins, je crois.

– 49 –

16 h 31. Pile.

Fanette, en sortant de l'école, ne perd pas une seconde. Elle dévale la rue Blanche-Hoschedé-Monet et court tout droit à l'hôtel Baudy ! Elle le sait, c'est là que dormaient les peintres américains du temps de Monet, Robinson, Butler, Stanton Young. Elle connaît l'histoire, la maîtresse leur a raconté. C'est forcément là, aujourd'hui, qu'un peintre américain doit dormir. Elle jette un bref coup d'œil aux tables et chaises vertes à la terrasse en face, de l'autre côté de la rue, puis entre en trombe dans l'hôtel-restaurant.

Les murs sont couverts de peintures, de toiles et de dessins. On se croirait dans un musée ! Fanette se rend compte que c'est la première fois qu'elle entre dans l'hôtel Baudy. Elle aimerait prendre un peu plus de temps pour détailler les signatures prestigieuses dans le coin des affiches, mais un serveur la regarde de derrière son comptoir. Fanette s'approche. C'est un très haut comptoir de chêne clair, Fanette doit se mettre sur la pointe des pieds pour que sa tête dépasse. Elle se hisse devant le type en s'aidant de ses mains. Il a une longue barbe noire, qui ressemble un peu aux portraits de Renoir que peignait Monet.

Il a pas l'air drôle !

Fanette parle vite, s'embrouille, bafouille, mais Renoir semble finir par comprendre que la petite fille recherche un peintre américain, « James », non, elle ne connaît pas son nom de famille. Vieux, une barbe blanche. Quatre chevalets…

Renoir prend un air désolé.

— Non, mademoiselle. Nous ne logeons personne qui ressemble à votre James.

La barbe lui mange la bouche, il n'est pas facile de deviner s'il s'amuse ou s'il est agacé.

— Vous savez, mademoiselle, les Américains, il y a bien longtemps qu'on n'en voit plus autant que du temps de Monet…

Connard ! T'es qu'un connard, Renoir !

Fanette ressort rue Claude-Monet. Paul l'attend dehors, elle lui a tout raconté pendant la récré.

— Alors ?

— Rien, personne !

— Qu'est-ce que tu vas faire ? Essayer les autres hôtels ?

— Je ne sais pas ; je ne connais même pas son nom de famille, de toute façon. En plus, j'ai l'impression que James dormait dehors, le plus souvent.

— On pourrait en parler aux autres. Vincent. Camille. Mary. Si on s'y met à tous, on…

— Non !

Fanette a presque crié. Quelques clients de l'hôtel Baudy, attablés à la terrasse en face, se sont retournés.

— Non, Paul. Vincent, avec ses airs fourbes, je ne peux plus le sentir, depuis quelques jours… Camille, si tu le mets au courant, il va nous citer tous les peintres américains venus à Giverny depuis la préhistoire. Ça va bien nous avancer.

Paul rit.

— Et Mary encore, pire, d'abord elle va pleurer, et juste après elle va tout aller raconter aux flics. Tu veux que ma mère m'arrache les yeux ?

— Alors, qu'est-ce qu'on fait ?

Fanette contemple le parc devant l'hôtel Baudy, jusqu'au chemin du Roy : les bottes de foin enroulées qui font un peu d'ombre sur la pelouse coupée ras, la prairie qui s'étend derrière, jusqu'à l'embouchure de l'Epte et de la Seine, la fameuse île aux Orties.

Ce sont ces paysages qui faisaient rêver James… Les paysages pour lesquels il avait tout quitté. Son Connecticut, sa femme et ses enfants. Il me l'avait dit.

— Je ne sais pas, Paul. Tu penses que je suis folle, hein ?

— Non…

— Il était mort, je te jure…

— Où, exactement ?

— Dans le champ de blé, après le lavoir, après le moulin de la sorcière.

— On y va…

Ils descendent la rue des Grands-Jardins. La hauteur des murs de pierre des façades des maisons semble avoir été tout juste calculée pour que le maximum d'ombre inonde la ruelle. La fraîcheur ferait presque frissonner Fanette.

Paul tente de rassurer son amie :

— Tu m'as dit que James installait quatre chevalets pour peindre ! Plus tous ses instruments, ses palettes, ses couteaux, sa boîte de peinture. Il y a forcément une trace, il reste forcément une trace là-bas…

Fanette et Paul passent plus d'une heure dans le champ de blé. Ils ont simplement découvert des épis de blé couchés, comme si quelqu'un était mort, là…

Au moins, ce cercueil de paille je ne l'ai pas rêvé...

… ou, a précisé Paul, comme si quelqu'un s'était couché ici quelques minutes. Comment faire la différence ?

Paul et Fanette finissent également par repérer des épis tachés de peinture. Certains sont teintés de rouge, c'est peut-être du sang, ils ne savent pas. Comment faire la différence entre une goutte de sang et une goutte de peinture rouge ? Il y a aussi des morceaux de tubes de peinture, écrasés. Mais ça ne prouve rien, rien du tout. À part que quelqu'un peignait ici, souvent… Mais cela, Fanette le sait déjà.

Je ne suis pas folle.

— Qui d'autre pourrait l'avoir vu, ton peintre ? demande Paul.

— Je ne sais pas, Vincent ?

— Et à part Vincent ? Qui, comme adulte ?

Fanette regarde vers le moulin.

— Je ne sais pas, un voisin… La sorcière du moulin peut-être… Du haut de sa tour, elle doit tout voir !

— On y va !

Donne-moi la main, Paul. Donne-moi la main !

– 50 –

Je ne peux pas les rater. Je les vois s'approcher, les gamins ! Ils passent le pont sur le ruisseau et jettent juste un œil sur les berges. Le lieu même où les flics viennent de ramasser cette boîte de peinture ensablée.

Maintenant, il n'y a plus un seul flic, plus de bande jaune, plus de type à lunettes avec ses entonnoirs. Il n'y a plus que le ru de l'Epte, les peupliers, le champ de blé. Comme si de rien n'était, comme si la nature s'en foutait.

Et ces deux gamins qui ne se doutent de rien, qui approchent. Innocents. S'ils savaient le danger qu'ils courent, les pauvres fous. Approchez, mes enfants, approchez-vous, n'ayez pas peur, osez entrer chez la sorcière… Comme dans les contes pour enfants, comme dans *Blanche-Neige*. N'ayez pas peur de la sorcière. Approchez, les enfants… Méfiez-vous tout de même, ce n'est pas ma pomme qui est empoisonnée. Ce sont les cerises.

Question de goût…

Je m'éloigne lentement de ma fenêtre. J'en ai assez vu.

De l'extérieur, personne ne peut me repérer, personne ne peut savoir si je suis là ou non. Si mon moulin est déserté ou habité. Aucune lumière ne me trahit. L'obscurité ne me gêne pas, bien au contraire.

Je me tourne vers mes « Nymphéas » noirs. Maintenant, j'aime de plus en plus les observer ainsi, dans l'obscurité. Avec la pénombre de la pièce, l'eau figurée sur la toile semble presque disparaître, les rares reflets à la surface de l'étang s'estompent, on ne distingue plus que les fleurs jaunes des nénuphars dans la nuit, comme des étoiles perdues dans une galaxie lointaine.

– 51 –

— Y a personne, je te dis, fait Fanette.

La fillette observe avec attention la cour du moulin. Des pales de bois vermoulu trempent dans l'eau du ruisseau. Sur la margelle du puits de pierre trône un seau rouillé, rongé par la mousse. L'ombre du grand cerisier plane sur presque toute la cour.

Paul insiste :

— On va bien voir…

Il frappe à la lourde porte de bois. À son tour, il s'attarde sur les ombres qui dansent dans la cour de terre, comme si les objets, les murs, les pierres avaient été abandonnés là, au soleil, pour sécher, pour l'éternité.

— Tu as raison, il colle la frousse, ce moulin, dit Paul.

— En fait, non, répond Fanette. En vrai, je crois que j'adorerais habiter plus tard dans un tel endroit.

Ça doit être trop bien d'habiter une maison pas comme les autres.

Des fois, Paul, il doit me trouver bizarre.

Paul contourne le moulin et tente de regarder par une fenêtre du premier étage. Il lève les yeux vers le donjon puis se retourne vers Fanette et mime avec maladresse une bouche tordue et des doigts crochus.

— Je suis sûûûûr qu'il y a une sorcière qui habite làààà, Faaanette… elle détesssssste la peinture, elle va nous…

— Ne dis pas ça !

Il a les jetons, Paul. Je le vois bien. Il fait son crâneur, mais il a les chocottes !

Soudain, un chien hurle, de l'autre côté du moulin.

— Merde, on se tire.

Paul attrape Fanette par la main mais la fillette éclate de rire.

— Idiot ! C'est Neptune, il dort toujours là, à l'ombre sous le cerisier.

Fanette a raison. Dans les secondes qui suivent, Neptune approche, jappe encore une fois et vient se frotter aux jambes de la fillette. Elle se penche vers le berger allemand.

— Neptune, tu le connaissais bien, toi, James, tu l'as vu, hier, dans le champ. Tu l'as trouvé. Tu l'as senti. Où il est passé, maintenant ?

Toi au moins tu le sais, Neptune, que je ne suis pas folle !

Neptune s'est assis. Il observe un long moment Fanette. Son regard suit un instant un papillon qui passe, puis, avec une sorte de lassitude de lézard sur un mur de pierre, il se traîne jusqu'à l'ombre du cerisier.

Fanette le suit des yeux. Elle réalise, stupéfaite, que Paul est grimpé dans l'arbre.

— T'es fou, Paul ! Qu'est-ce que tu fais ?

Pas de réponse. Fanette insiste :

— Elles sont pas mûres, les cerises. T'es dingue !

— Mais non, c'est pas ça ! souffle Paul.

L'instant suivant, le garçon est déjà redescendu. Dans sa main droite brillent deux rubans d'argent.

Des fois, il est idiot, Paul. S'il croit qu'il a besoin de faire son Tarzan pour que je l'aime...

— C'est... explique Paul en reprenant sa respiration. C'est pour éloigner les oiseaux qui tournent autour des fruits trop jolis !

Il saute sur ses deux pieds, soulevant un léger nuage de poussière, puis s'avance, pose un genou au sol et tend ses bras dans une attitude de chevalier médiéval.

— Pour toi, ma princesse, de l'argent pour faire briller tes cheveux, pour toujours te protéger des méchants vautours, quand tu seras partie loin, célèbre, à l'autre bout du monde.

Fanette tente de retenir ses larmes. Impossible ! C'est trop, c'est beaucoup trop pour une petite fille comme elle : la disparition de James, les disputes avec sa mère à propos de la peinture, de son père, de tout, ce concours de la fondation Robinson, ses « Nymphéas », et surtout cet idiot de Paul, et ses drôles d'idées romantiques.

T'es trop con, Paul ! Trop trop con !

Fanette déroule les rubans d'argent au creux de sa main et de l'autre caresse la joue de Paul.

— Relève-toi, idiot.

Mais c'est elle qui se penche, jusqu'à sa bouche, y dépose un baiser.

Long long long. Comme pour toujours.

Elle pleure sans se retenir, maintenant.

— Idiot. Triple idiot. Tu les supporteras toute ta vie dans mes cheveux, ces rubans d'argent. Je t'ai dit qu'on allait se marier !

Paul se relève doucement et prend Fanette dans ses bras.

— Allez, on s'en va. On est fous. Il y a eu un mort, hier. Et puis encore un autre, le type assassiné, il y a quelques jours. On devrait laisser les flics s'en occuper. C'est dangereux, il ne faut pas rester là…

— Et James ? il faut que je…

— Pas ici, il n'est pas ici… il n'y a personne. Fanette, si tu es sûre de toi, je crois qu'il faut en parler à la police ! On ne sait jamais, la mort de James a peut-être un rapport avec l'autre type retrouvé assassiné, tu vois ce que je veux dire, le meurtre dont tout le monde parle dans le village.

La réponse de Fanette est sans appel :

— Non !

Non ! Non ! Ne viens pas mettre le doute dans ma tête, Paul. Non !

— Qui alors, qui te croira, Fanette ? Personne ! James vivait comme un clochard. Personne ne faisait attention à lui.

Ils s'arrêtent un instant devant le chemin du Roy, attendent que la départementale soit dégagée, puis traversent. Quelques rares nuages commencent à s'accrocher à la cime des coteaux de la Seine. Ils remontent sans se presser vers Giverny. Soudain, Paul s'arrête.

— Et la maîtresse ? Pourquoi tu ne parlerais pas à la maîtresse ? Elle aime la peinture. Elle a lancé le concours des peintres en herbe, de la fondation Robinson machin chose. Si ça se trouve, elle l'a croisé, James… En tout cas, elle te comprendra… Elle saura quoi faire…

— Tu crois ?

Plusieurs passants doublent les deux enfants dans la rue. Paul tourne sur lui-même.

— J'en suis certain ! C'est LA bonne idée.

Il se penche vers Fanette comme pour lui faire une confidence.

— Je vais te confier un secret, Fanette. J'ai remarqué que la maîtresse porte elle aussi des rubans d'argent dans les cheveux… Pour tout te dire, je crois que c'est ainsi que les princesses se reconnaissent dans les rues de Giverny.

Fanette lui attrape la main.

Je voudrais que le temps s'arrête là. Que Paul et moi, on ne bouge plus, que ce soit juste le décor qui défile autour de nous, sans cesse, comme au cinéma.

— Tu dois me faire une promesse, Fanette.

Leurs mains se tordent comme des lianes.

— Il faut que tu termines ton tableau, Fanette. Il faut que tu gagnes ce concours Robinson, quoi qu'il arrive ! C'est le plus important.

— Je ne sa…

— C'est ce que James aurait dit, Fanette, tu le sais bien. C'est ce que James aurait voulu…

– 52 –

Les gamins vont tourner vers la rue du Château-d'Eau, je vais les perdre de vue. Déjà, à travers le rideau tiré, les silhouettes sont un peu floues… Neptune, lui, il s'en fout de tout ça. Il dort sous le cerisier.

Cette pauvre gamine croit pouvoir s'échapper. Vous voulez rire ! Elle croit peindre un chef-d'œuvre, celui qu'elle a caché sous le lavoir, elle croit pouvoir s'envoler au-dessus de l'étang de Monet. Au-dessus de Giverny. Défier l'apesanteur de son seul art, de son petit génie dont on lui rabâche les oreilles.

Des « Nymphéas » en arc-en-ciel ! Pauvre petite Fanette.

Quelle dérision !

Je me retourne vers mes « Nymphéas » noirs. Les corolles jaunes luisent entre les teintes de deuil jetées par le pinceau d'un peintre désespéré.

Quelle vanité !

Une chute libre dans l'étang, voici tout ce qui attend la petite Fanette. Noyée, coincée sous la surface des nénuphars comme sous la couche de glace dans l'eau d'un lac en hiver.

Bientôt, très bientôt maintenant.

Chacun son tour.

ONZIÈME JOUR

23 mai 2010

(Moulin des Chennevières)

Acharnement

– 53 –

Pour une fois, je ne suis pas à ma fenêtre en train d'épier. Comme quoi, vous voyez, malgré les apparences, je ne passe pas uniquement mes journées à espionner les alentours. Enfin, pas seulement.

Ce matin d'ailleurs, dehors, le bruit des tronçonneuses était infernal. J'ai appris ça il y a peu de temps. Ils ont décidé, à ce qu'il paraît, de scier quatorze hectares de peupliers. Oui, abattre des peupliers ! Ici, à Giverny ! D'après ce que j'ai compris, ces peupliers ont été plantés au début des années 1980, des petits arbrisseaux de rien du tout à l'époque, sans doute pour rendre le paysage plus impressionniste encore. Sauf que, depuis, des spécialistes, d'autres sûrement, ont expliqué que ces peupliers n'existaient pas du temps de Monet, que le paysage de la prairie qu'admirait le peintre à la fenêtre de sa maison était ouvert, et que plus les peupliers poussent, plus leur ombre recouvre le jardin, l'étang, les nénuphars… Et moins l'arrière-plan des tableaux de Monet devient reconnaissable à l'horizon par les touristes. Donc, c'est apparemment décidé, après avoir planté les peupliers, maintenant, on les coupe ! Pourquoi pas après tout, si ça les amuse. Il y a des Givernois qui gueulent, d'autres qui applaudissent. Moi, je vais vous dire, aujourd'hui, je m'en fous.

J'ai bien d'autres occupations. Ce matin, je range de vieux souvenirs, des trucs qui datent d'avant-guerre, des photos en noir et blanc, ce genre de reliques qui n'intéressent plus que les vieilles comme moi. Vous avez compris, j'ai fini par me décider à vider mon garage pour retrouver ce vieux carton corné, fermé avec une corde de lin. Il était caché sous trois couches de cassettes vidéo, une couche de disques vinyles et dix centimètres de relevés de compte du Crédit agricole. J'ai plié en quatre le napperon sur la table et j'ai étalé les photographies.

Après le moteur des tronçonneuses il y a une heure, ce coup-ci, c'est la sirène qui m'a brusquement ramenée à la réalité, comme la sonnerie d'un réveil disperse vos rêves du matin, vous voyez ce que je veux dire ?

La sirène des flics, qui hurlait le long du chemin du Roy.

L'instant juste avant, j'étais en train de mouiller de mes larmes la seule photographie importante, au fond, une photographie de classe. Giverny. 1936-1937. Je vous l'accorde, ça ne date pas d'hier ! Je détaillais le portrait d'une vingtaine d'élèves qui ont tous les fesses sagement posées sur trois gradins en bois. Les noms des enfants sont inscrits au dos, mais je n'ai pas eu besoin de retourner la photographie.

Sur le banc, Albert Rosalba est assis à côté de moi. Bien entendu.

J'ai longtemps regardé le visage d'Albert. La photographie avait dû être prise un peu après la rentrée, à la Toussaint, ou dans ces semaines-là.

Avant le drame…

C'est à ce moment-là que la sirène des flics m'a vrillé les oreilles.

Je me suis levée, vous vous en doutez. Comme si un gardien de prison, même distrait, ne se précipitait pas à la vigie de son mirador quand sonne l'alerte ! J'ai couru à ma fenêtre, donc. Enfin, j'ai couru, c'est une façon de dire. J'ai attrapé ma canne et péniblement je me suis dirigée vers la vitre, poussant discrètement le rideau à l'aide de mon bâton.

Je n'ai rien raté. Il était impossible de les manquer, les flics ! Toute la cavalerie est de sortie. Trois voitures. Sirènes et gyrophares.

Rien à dire, il fait fort, l'inspecteur Sérénac !

– 54 –

Sylvio Bénavides lève les yeux vers la tour du moulin qui défile à toute vitesse sur sa droite.

— Tiens, glisse Sylvio entre deux bâillements. Je suis passé au moulin, vous savez, patron, vous m'aviez dit de ne négliger aucun témoin, surtout les voisins…

— Et alors ?

— C'est étrange. Le moulin est comme désert. Abandonné, si vous préférez.

— T'en es certain ? Le jardin semble entretenu, la façade aussi. Plusieurs fois, lorsqu'on était sur la scène de crime, à côté du ruisseau, j'ai cru voir du mouvement dans le moulin, surtout en haut, au dernier étage de la tour… Un rideau qui bouge à la fenêtre, quelque chose comme ça.

— Moi aussi, patron, j'ai eu la même impression. Moi aussi. Pourtant, personne ne m'a répondu, et les voisins m'affirment que plus personne n'habite les lieux depuis des mois.

— Bizarre… Tu ne vas pas me refaire le coup d'une omerta villageoise, d'un mensonge complice de tous les habitants, comme pour cette histoire de gosse de onze ans ?

— Non…

Sylvio hésite un instant.

— Pour tout vous dire, les habitants surnomment ce lieu le moulin de la sorcière.

Sérénac sourit en regardant le reflet de la tour disparaître dans son rétroviseur.

— En l'occurrence, ce serait plutôt celui d'un fantôme, non ? Allez, laisse tomber, Sylvio. Pour l'instant, on a d'autres urgences.

Sérénac accélère encore. Les jardins de Monet défilent sur leur gauche en une demi-seconde. Jamais un passager n'aura eu une vue aussi impressionniste du jardin.

— Tiens, ajoute Laurenç. En parlant d'omerta villageoise… sais-tu ce que Stéphanie Dupain m'a raconté hier, à propos de la maison de Monet et des ateliers ?

— Non…

— Qu'en cherchant un peu on y trouverait, à peine cachées, des dizaines de toiles de maîtres. Renoir, Sisley, Pissarro… et bien entendu, des « Nymphéas » inédits de Monet.

— Vous les avez vues ?

— Un pastel de Renoir. Peut-être…

— Elle s'est foutue de vous, patron !

— Bien entendu… Mais pourquoi m'avoir raconté une telle histoire ? Elle a même ajouté que c'était une sorte de secret de Polichinelle, à Giverny…

Sylvio repense fugitivement à l'entretien qu'il a eu avec Achille Guillotin à propos des toiles perdues de Monet. Une toile perdue et qui aurait été retrouvée par un inconnu, pourquoi pas ? Comme ces fameux « Nymphéas » noirs. Mais des dizaines !

— Elle joue avec vous, patron. Elle vous mène en bateau. Je vous l'ai dit depuis le début… Et j'ai l'impression qu'elle n'est pas la seule, dans ce village.

Sérénac ne relève pas et se concentre à nouveau sur la route, sans décélérer. Sylvio penche son visage livide à la fenêtre ouverte. Ses narines tentent d'aspirer des bribes d'air frais.

— Ça va, Sylvio ? s'inquiète Sérénac.

— Limite… j'ai dû m'enfiler une dizaine de cafés cette nuit pour tenir. Ce matin, cela dit, les toubibs ont décidé de garder Béatrice jusqu'au bout.

— Je croyais que tu ne buvais que du thé, sans sucre ?

— Moi aussi, je croyais…

— Qu'est-ce que tu fous ici, alors, si ta femme est à la maternité ?

— Ils m'appellent s'il y a du nouveau… Le gynéco doit passer… Le bébé est toujours au chaud dans son cocon, peinard, ça peut encore durer des jours, d'après eux…

— Et du coup, t'as encore passé ta nuit sur l'affaire ?

— Gagné… Faut bien que je m'occupe, non ? Béatrice, elle, elle a ronflé comme un loir dans sa chambre tout le reste de la nuit.

Sérénac braque en épingle à cheveux en direction des hauteurs de Giverny, rue Blanche-Hoschedé-Monet. Sylvio jette un coup d'œil dans le rétroviseur. Les deux véhicules de police suivent derrière. Maury et Louvel s'accrochent. Sylvio retient in extremis un haut-le-cœur.

— T'en fais pas, continue Sérénac. L'affaire Morval sera pliée dans moins de trente minutes maintenant. Tu pourras installer un lit de camp à l'hôpital ! Jour et nuit. Les experts en graphologie ont été clairs : ce putain de message gravé dans la boîte de peinture, « Elle est à moi ici, maintenant et pour toujours », correspond à l'écriture de Jacques Dupain… Reconnais que j'avais raison, Sylvio. C'était signé !

Sylvio happe par de longues respirations l'air extérieur. La route Hoschedé-Monet serpente en grimpant le long du coteau et Sérénac roule toujours comme un fou. Bénavides se demande s'il va pouvoir tenir toute la montée. Il s'impose une longue apnée puis rentre la tête dans l'habitacle.

— Deux experts sur trois seulement, patron… Et leurs conclusions sont plus que nuancées… D'après eux, il y a certes des similitudes entre les mots gravés dans le bois et l'écriture de Dupain, mais aussi pas mal de critères divergents. J'ai plutôt l'impression que les experts n'y comprennent rien…

Les doigts de Sérénac tapotent le volant avec nervosité.

— Écoute, Sylvio, je sais lire comme toi les rapports. Il y a similitude avec l'écriture de Dupain, c'est l'analyse des experts, non ? Pour le reste, les divergences, je pense tout simplement que graver dans du bois avec une lame, ce n'est pas tout à fait comme signer un chèque. Tout s'enchaîne, Sylvio, ne va pas te compliquer la vie. Dupain est un jaloux fou furieux. Primo, il menace Morval par le message de la carte postale, le texte d'Aragon, l'extrait du poème « Nymphée », « Le crime de rêver je consens qu'on l'instaure » ; deuzio, il réitère ses menaces par le message de la boîte de peinture ; tertio, il bute le rival…

La route Hoschedé-Monet se réduit maintenant à un ruban de deux mètres de bitume qui continue de tourner avant de rejoindre le plateau du Vexin. Sylvio hésite une nouvelle fois à contredire Sérénac, à préciser que face aux incohérences de l'expertise graphologique Pellissier, le spécialiste du palais de justice de Rouen, évoque la possibilité d'une tentative maladroite d'imitation…

Un court virage à gauche.

Sérénac, qui roulait au milieu de la route, évite de peu un tracteur qui descend en sens inverse. Le fermier tétanisé braque en catastrophe vers le fossé. Il fait bien. Il regarde, incrédule, deux autres bolides bleus lui couper la priorité.

— Nom de Dieu ! hurle Sylvio en louchant dans le rétro.

Il prend une longue inspiration, puis se retourne vers Laurenç Sérénac.

— Mais, patron, que vient faire la boîte de peinture dans toute cette histoire ? D'après les analyses, cette boîte de peinture aurait au moins quatre-vingts ans. Une pièce de collection ! Une *Winsor & Newton*, la marque la plus connue dans le monde, visiblement, qui fournit les peintres depuis plus de cent cinquante ans… À qui pouvait-elle bien appartenir, cette foutue boîte ?

Sérénac continue d'anticiper les lacets étroits. Les moutons blasés sur les pelouses du coteau tournent à peine la tête au passage des véhicules hurlants.

— Morval était collectionneur, fait Sérénac. Il aimait les beaux objets…

— Personne ne l'avait jamais vu avec cette boîte de peinture ! Patricia Morval, sa veuve, est formelle. Sans oublier que le lien avec le crime n'est pas établi. Cette boîte de peinture a pu être balancée dans la rivière par n'importe qui, même plusieurs jours après le meurtre de Morval…

— On a retrouvé du sang sur la boîte…

— C'est trop tôt, patron ! On n'a aucun retour d'analyses. Aucune certitude qu'il s'agisse du sang de Morval… Excusez-moi, mais je crois que vous allez trop vite…

Comme pour lui répondre, l'inspecteur Sérénac coupe enfin la sirène et se gare au frein à main sur un petit parking de terre.

— Écoute, Sylvio, j'ai un mobile, j'ai une menace envers la victime écrite de la main de Dupain, lequel n'a pas d'alibi mais nous sert au contraire une histoire grotesque de bottes volées… Je fonce ! Quand les pièces de ton puzzle s'emboîteront autrement, tes putains de trois colonnes, tu me feras signe. Et puis, à charge contre Dupain, il y a… même si je sais que tu n'es pas d'accord… mon intime conviction !

Sérénac sort du véhicule sans attendre de réponse. Lorsque Sylvio pose à son tour le pied hors de la voiture, il sent le sol tourner autour de lui. Il se dit que décidément le café, comme les excès en général, ne lui réussit pas et qu'il irait bien se vider derrière les sapins, au bout du parking.

Sauf que ce ne serait pas très discret… Trois camions de gendarmerie sont garés à chaque extrémité dudit parking et une dizaine de flics en sortent en s'étirant. Dans l'instant qui suit, Louvel et Maury se croient eux aussi obligés de bloquer leurs roues avant et de déraper sur le gravier.

Les cons !

Il a déployé les grands moyens, le patron. Au bas mot, une quinzaine d'hommes, une bonne partie du commissariat de Vernon, plus les gendarmeries de Pacy-sur-Eure et d'Écos. Il a mis les petits plats dans les grands, pense Sylvio en mâchant le chewing-gum à la chlorophylle que Louvel vient de lui offrir. Et fait preuve d'un goût de la mise en scène peut-être un peu superflu.

Tout ça pour un seul homme.

Certes, sans doute armé !

Mais dont on n'est même pas sûrs qu'il soit coupable.

Le lapin roux détale en zigzags désespérés sur la pelouse calcicole, comme si quelqu'un lui avait appris que les longs tubes d'acier que portent les trois ombres devant lui étaient capables de lui ôter la vie en un éclair blanc.

— Il est pour toi, celui-là, Jacques.

Jacques Dupain ne lève même pas son arme. Titou l'observe, étonné, puis braque son fusil. Trop tard. Le garenne a disparu entre deux genévriers.

À chacun sa magie.

Il n'y a plus devant eux que l'herbe nue broutée

par les troupeaux de moutons récemment réintroduits. Ils continuent de descendre vers Giverny par le sentier de l'Astragale.

— Putain, Jacques, t'es pas en forme, glisse Patrick. Même un mouton, je crois que tu le raterais.

Titou, le troisième chasseur, hoche la tête pour confirmer. Titou est plutôt un bon tireur. Le garenne, s'il ne l'avait pas laissé à Jacques, il n'aurait pas fait deux mètres, avec lui… Fine gâchette, comme lui disent souvent les potes. Parce que pour le reste, question finesse…

— C'est à cause de l'enquête sur l'assassinat de Morval, hein ? commente-t-il en se tournant vers Jacques Dupain. T'as peur que le flic te mette au trou rien que pour te piquer Stéphanie ?

Titou éclate de rire tout seul. Jacques Dupain le dévisage avec un énervement contenu. Patrick soupire. Titou insiste :

— Faut dire, t'as pas de chance avec Stéphanie. Juste après Morval, voilà que c'est un flic qui lui court après…

Le gravier du sentier de l'Astragale dévale sous leurs pas. Derrière, sur la pelouse du coteau, pointent deux oreilles blanc et noir.

Titou, quand il commence…

— Faut dire que si t'étais pas mon pote, moi, Sté…

La voix de Patrick claque dans le silence :

— Ta gueule, Titou !

Titou laisse mourir la fin de sa phrase dans sa moustache. Ils continuent de descendre dans le sentier, dérapant plus que marchant. Titou semble ruminer dans sa tête, puis explose de rire avant même de parler :

— Au fait, Jacques, elles te font pas mal aux pieds, mes bottes…

Titou ne s'en remet pas. Il rit aux éclats, les larmes aux yeux. Patrick le regarde avec incrédulité. Jacques Dupain n'a pas l'ombre d'une réaction. Titou s'essuie les paupières avec sa manche.

— Je déconne, les gars. Tu te doutes, Jacques, je déconne. Je sais bien que tu l'as pas buté, Morval !

— Putain, Titou, arrête de…

Cette fois-ci, c'est la fin de la phrase de Patrick qui se perd au fond de sa gorge.

Devant eux, le parking où ils ont laissé leur fourgonnette s'est transformé façon Fort Alamo. Ils comptent six bagnoles à gyrophare et près d'une vingtaine de flics… Policiers et gendarmes leur font face, positionnés en demi-cercle, la main sur la hanche, les doigts sur l'étui de cuir blanc de leur revolver.

L'inspecteur Sérénac se tient un mètre devant les chasseurs. Instinctivement, Patrick effectue un pas sur le côté. Sa main se referme autour du tube froid du canon du fusil de Jacques Dupain.

— Doucement, Jacques. Doucement.

L'inspecteur Sérénac s'avance.

— Jacques Dupain. Vous êtes en état d'arrestation pour le meurtre de Jérôme Morval. Veuillez nous suivre sans résistance…

Titou se mord les lèvres, jette son fusil à terre et lève deux mains tremblantes… Comme il a vu faire dans les films.

— Doucement, Jacques, continue Patrick. Va pas faire le con…

Patrick connaît bien son pote. Des années qu'ils

sortent, qu'ils marchent, qu'ils chassent ensemble. Il n'aime pas, pas du tout, ce visage de marbre, cette absence d'expression, presque comme s'il ne respirait plus.

Sérénac s'avance encore. Seul. Désarmé.

Deux mètres…

— Non ! crie Sylvio Bénavides.

L'inspecteur coupe le demi-cercle de flics et se poste presque à côté de Sérénac. C'est peut-être symbolique, mais Bénavides a l'impression de casser ainsi une sorte de symétrie ; comme s'il espérait perturber la mécanique implacable d'un duel de western en traversant la rue au mauvais moment. Jacques Dupain pose sa main sur le poignet de Patrick. Sans un mot. Patrick a compris, il n'a pas d'autre choix que de lâcher le canon d'acier.

Il espère ne pas le regretter. Toute sa vie.

Il voit avec effroi la main de Jacques se crisper sur la détente, le canon du fusil se lever doucement.

En temps normal, Jacques vise mieux encore que Titou.

— Arrêtez, Laurenç, murmure Sylvio, blême.

— Jacques, fais pas le con, chuchote Patrick.

Sérénac avance, un pas de plus. Moins de dix mètres le séparent de Jacques Dupain. L'inspecteur lève lentement la main, fixe droit dans les yeux le suspect. Sylvio Bénavides regarde avec effroi un sourire de défi s'accrocher au coin des lèvres de son patron.

— Jacques Dupain, vous…

Le canon du fusil de Jacques Dupain est maintenant braqué sur Sérénac. Un impressionnant silence a envahi le sentier de l'Astragale.

Titou, Patrick, les agents Louvel et Maury, l'inspecteur Sylvio Bénavides, les quinze flics, même les moins malins, même les moins habiles à deviner ce qui peut se dissimuler derrière un cerveau… tous lisent la même chose dans le regard froid de Jacques Dupain.

La haine.

– 55 –

La fille derrière le guichet des archives de la cité administrative d'Évreux commence toujours ses phrases par cinq mots, « Vous avez bien vérifié si… ». Elle mime avec application l'attitude de l'employée débordée derrière le double écran de son ordinateur et de ses lunettes dorées, puis finit par regarder le vieil homme qui lui demande maintenant des exemplaires du regretté *Républicain de Vernon*, l'hebdomadaire du coin qui après la Seconde Guerre mondiale est devenu *Le Démocrate*. Tous les numéros, entre janvier et septembre 1937.

— Vous avez bien vérifié s'ils n'avaient pas des archives, à Vernon, au siège du *Démocrate* ?

Le commissaire Laurentin conserve son calme. Depuis deux heures qu'il hante les archives départementales, il essaye de singer avec humilité l'attitude du petit vieux charmant, prévenant avec les femmes beaucoup plus jeunes que lui. D'habitude, cela fonctionne !

Pas là !

La fille derrière son guichet se fiche de ses roucoulades. Il faut dire qu'autour des tables de bois de la salle de consultation des archives les dix personnes présentes sont toutes des hommes de plus de soixante ans, historiens septuagénaires en herbe ou archéologues généalogistes creusant leurs racines… et tous adoptent la même stratégie que le commissaire Laurentin : la galanterie un poil démodée. Laurentin soupire. Tout était plus simple quand il pouvait coller sa carte tricolore sous le nez d'un fonctionnaire désabusé. Bien entendu, la demoiselle derrière son guichet ne peut pas se douter qu'elle a affaire à un commissaire de police.

— J'ai déjà vérifié, mademoiselle, précise le commissaire Laurentin avec un sourire forcé. Au siège du *Démocrate*, ils n'ont aucune archive avant 1960…

La fille récite sa litanie habituelle :

— Vous avez bien vérifié aux archives communales de Vernon ? Vous avez bien vérifié l'annexe des revues, à Versailles, aux Archives nationales ? Vous avez vérifié si…

Elle est payée par la concurrence, cette fille ?

Le commissaire Laurentin se réfugie dans la résignation patiente du retraité qui a tout son temps.

— Oui, j'ai vérifié ! Oui ! Oui !

Ses recherches sur Henriette Bonaventure, la mystérieuse dernière héritière potentielle de Claude Monet, n'ont strictement rien donné pour l'instant. Ce n'est pas très important. C'est une autre piste qu'il veut suivre, une piste *a priori* sans aucun rapport. Pour cela, il sait qu'il suffit de tenir jusqu'au moment où la demoiselle au guichet comprendra qu'elle perdra plus de temps à éconduire ce petit vieux têtu qu'à accéder à sa demande.

Sa ténacité finit par payer. Plus de trente minutes plus tard, le commissaire Laurentin tient devant lui l'hebdomadaire.

Le Républicain de Vernon...

Un vieux numéro jauni qu'il doit être le premier à exhumer : l'édition du samedi 5 juin 1937. Il s'attarde un instant sur la une du journal qui mêle événements nationaux et faits divers locaux. Le commissaire survole un émouvant éditorial sur l'Europe en feu : Mussolini célèbre son entente avec Hitler, les biens des Juifs sont confisqués en Allemagne, les franquistes écrasent les républicains en Catalogne... Sous le dramatique éditorial explosent sur une photographie floue la coiffure blond platine et les lèvres noires de Jean Harlow, l'idole américaine morte quelques jours plus tôt, à vingt-six ans. La partie inférieure de la première page est consacrée aux débats plus régionaux : l'inauguration prochaine, à moins de cent kilomètres de Vernon, de l'aérogare du Bourget, la mort d'un ouvrier agricole espagnol, retrouvé au matin, le cou tranché, dans une péniche Freycinet amarrée à Port-Villez, presque en face de Giverny...

Le commissaire Laurentin ouvre enfin la page deux. L'article qu'il recherche s'étend sur une demi-page : « Accident mortel à Giverny ».

Le journaliste anonyme détaille en une dizaine de lignes, sur deux colonnes, les circonstances tragiques de la mort par noyade d'un jeune garçon de onze ans, Albert Rosalba, au lieu-dit La Prairie, à proximité du lavoir offert par Claude Monet et du moulin des Chennevières, dans le bief de dérivation creusé à partir de l'Epte. Le garçon était seul. La gendarmerie a conclu à un accident : le jeune garçon aurait glissé, sa tête aurait heurté une pierre sur la berge. Inconscient, Albert Rosalba, par ailleurs excellent nageur, s'est noyé dans vingt centimètres d'eau. L'article évoque ensuite la douleur de la famille Rosalba et des camarades de classe du petit Albert. Il glisse même quelques lignes sur la polémique qui enfle. Claude Monet est mort depuis plus de dix ans maintenant : ne devrait-on pas désormais couper ce bras de rivière artificiel et assécher cet étang de nénuphars insalubre laissé presque à l'abandon ?

Une photographie floue accompagne l'entrefilet. Albert Rosalba pose, la blouse noire boutonnée jusqu'au cou, les cheveux coupés court, souriant derrière son pupitre d'école. Une émouvante photographie d'enfant sage.

C'est bien lui, pense le commissaire Laurentin.

Il sort une photographie de classe de la sacoche posée à ses pieds. La date et le lieu sont indiqués sur une ardoise noire, accrochée à un arbre de la cour de l'école : « École municipale de Giverny – 1936-1937 ».

C'est Liliane Lelièvre qui, en trois clics, lui a déniché cette image d'archives sur le site Copains d'avant, exactement comme Patricia Morval le lui avait indiqué par téléphone. D'après ce que Liliane lui a dit, il s'agit d'un site où vous pouvez vous promener dans les classes que vous avez suivies depuis la maternelle, où l'on peut retrouver les visages des gens croisés pendant une vie entière, et pas seulement sur les bancs d'une école : tous ceux avec qui on a fréquenté une usine, un régiment, une colo, un club de sport, une école de musique… ou de peinture…

C'en est même surréaliste ! pense le commissaire Laurentin. C'est comme s'il n'y avait plus besoin de se souvenir par soi-même… Tchao, Alzheimer. C'est comme si toute votre vie était archivée, classée, dévoilée, et même ouverte au partage… Enfin, presque. La plupart des photographies sur le site datent de dix ans ; vingt ou trente, au maximum. Bizarrement, cette photo de classe de l'année 1936-1937 est de loin la plus ancienne.

Étrange...

Comme si Patricia Morval l'avait justement mise en ligne pour qu'il la découvre. Le commissaire Laurentin se concentre à nouveau sur les clichés.

Oui, c'est bien lui...

La photographie du *Républicain de Vernon* correspond parfaitement à ce petit garçon sur la photo de classe, assis, au milieu du deuxième rang.

Albert Rosalba.

Il n'y a par contre aucun nom d'enfant sur la photographie de classe extraite du site Copains d'avant. Les noms devaient être inscrits au dos, sur l'original... Tant pis. Laurentin referme *Le Républicain de Vernon* du 5 juin 1937 et ouvre les numéros suivants. Il prend le temps de lire les pages locales, d'examiner les détails. Dans l'édition du 12 juin 1937, il est fait mention de l'inhumation d'Albert Rosalba, à l'église Sainte-Radegonde de Giverny. De la douleur de ses proches.

Trois lignes.

Laurentin continue, ouvre et referme les journaux qui s'empilent, sous le regard inquiet de la fille au guichet.

Le 15 août 1937...

Le commissaire Laurentin a enfin trouvé ce qu'il cherchait. C'est un petit article de rien du tout, quelques lignes, pas de photographie, mais le titre est explicite :

LA FAMILLE ROSALBA QUITTE GIVERNY.
ELLE N'A JAMAIS CRU À LA THÈSE DE L'ACCIDENT.

Hugues et Louise Rosalba, ouvriers depuis plus de quinze ans dans les fonderies de Vernon, ont pris la décision de quitter le village de Giverny. Rappelons qu'ils ont été touchés il y a deux mois par un fait divers tragique : leur fils unique, Albert, après une chute inexpliquée, s'est noyé accidentellement dans le ru de l'Epte qui longe le chemin du Roy. La noyade avait déclenché une brève polémique dans le conseil municipal à propos de l'assèchement du bras de l'Epte et des jardins de Monet. Pour expliquer leur départ, les époux Rosalba évoquent l'impossibilité pour eux de continuer à vivre dans le décor où leur enfant a trouvé la mort. Détail plus embarrassant cependant, Louise Rosalba prétend que ce qui la pousse avant tout à quitter le village, c'est le silence troublant des habitants. Selon elle, son fils Albert ne se promenait jamais seul dans le village. Comme elle l'a indiqué plusieurs fois devant les gendarmes, elle l'a réaffirmé devant moi : selon elle, « Albert n'était pas seul au bord du ruisseau. Il y a forcément des témoins. Il y a forcément des gens qui savent ». Toujours selon Louise Rosalba, « Cet accident arrange tout le monde. Personne n'a envie d'un scandale à Giverny. Personne n'a envie d'affronter la vérité ».

Émouvante conviction de la part d'une mère meurtrie... Souhaitons bonne chance aux époux Rosalba pour reconstruire leur vie loin de ces souvenirs macabres.

Le commissaire Laurentin relit plusieurs fois l'article, referme le journal, puis détaille longuement tous les autres exemplaires du *Républicain de Vernon* de l'année 1937, mais aucun autre article n'est consacré à « l'affaire Rosalba ». Il demeure un long moment immobile. L'espace d'un instant, il se demande ce qu'il fait là. Son existence est-elle devenue à ce point vide pour qu'il passe ses journées à la poursuite de la première chimère venue ? Son regard embrasse la salle et la dizaine d'autres amateurs d'archives, tous concentrés sur des piles de documents jaunis. À chacun sa quête… Le stylo du commissaire glisse sur son bloc-notes. *2010 – 1937 = 73...*

Il calcule rapidement. Le petit Albert avait onze ans en 1937, il est donc né en 1925 ou 1926… Les époux Rosalba pourraient avoir aujourd'hui un peu plus de cent ans. Une lueur passe devant les yeux du commissaire Laurentin.

Peut-être vivent-ils encore...

La fille derrière le guichet regarde s'approcher le commissaire avec la tête du préposé qui voit débouler un client à l'heure de la fermeture. Sauf qu'il est à peu près 11 heures du matin et que les archives restent ouvertes toute la journée… Le commissaire Laurentin se risque à un numéro de charme façon vieux acteurs de l'âge d'or de Hollywood, de ceux dont on ne saurait dire s'ils sont encore en vie ou non. Mélange de Tony Curtis et de Henry Fonda.

— Mademoiselle, vous avez un annuaire électronique sur Internet ? Je cherche une adresse, c'est assez urgent…

La fille met une éternité à relever la tête, pour lâcher :

— Vous avez bien vérifié si…

Le commissaire explose littéralement, en lui collant sa carte d'identité sous le nez :

— Commissaire Laurentin ! Du commissariat de Vernon ! En retraite, je vous l'accorde, mais ça ne m'empêche pas de continuer de faire mon boulot. Alors, ma petite, vous allez accélérer un peu le mouvement…

La fille soupire. Sans panique, ni colère apparente. Comme si elle était habituée aux excentricités des anciens qui fouillent les archives et qui, de temps à autre, allez savoir pourquoi, piquent leur crise. Elle accélère cependant ostensiblement le rythme de ses doigts sur le clavier.

— Vous recherchez quel nom ?

— Hugues et Louise Rosalba.

La fille pianote. *Allegro.*

— Vous voulez une adresse ? demande Laurentin.

— Pour Hugues Rosalba, ce ne sera pas la peine, fait sobrement la fille. Je vérifie toujours avant d'ameuter Interpol. Question d'habitude ! Hugues Rosalba est mort en 1981, à Vascœuil…

Laurentin encaisse. Rien à dire. La fille au guichet est organisée…

— Et sa femme, Louise ?

La fille pianote encore.

— Aucune mention de décès… Aucune adresse connue non plus.

L'impasse !

Laurentin scrute la pièce blanche autour de lui, à la recherche d'une idée. À tout hasard, il essaye à l'intention de la fille un regard d'épagneul à la Sean Connery. Un soupir exaspéré lui répond, de l'autre côté du guichet.

— Généralement, glisse la fille d'une voix lasse, pour retrouver les gens, à partir d'un certain âge, plutôt que l'annuaire, mieux vaut chercher parmi les pensionnaires des maisons de retraite… Y en a un sacré paquet dans l'Eure, mais si votre Louise habitait Vascœuil, on peut commencer par les plus proches…

Sean Connery retrouve le sourire. Pour un peu, l'autre se prendrait pour Ursula Andress. La fille tape maintenant en mitraillette sur le clavier. Les minutes passent.

— J'ai consulté les résidences sur Google Maps, lâche enfin la fille. La plus près de Vascœuil, pas de doute, c'est la résidence Les Jardins, à Lyons-la-Forêt. On doit bien pouvoir trouver des informations sur les résidents. Comment vous dites, déjà ?

— Louise Rosalba…

Les touches crépitent.

— Ils doivent bien avoir un site… Ah, voilà.

Laurentin se tord le cou à essayer d'apercevoir une bribe d'écran d'ordinateur. Quelques autres minutes s'écoulent. La fille relève la tête, triomphante :

— Gagné ! J'ai déniché la liste complète des résidents. Eh bien, vous voyez, c'était pas si compliqué. Je la tiens, votre cliente. Louise Rosalba. Elle est entrée il y a quinze ans à la résidence de Lyons-la-Forêt et visiblement, elle y est encore… cent deux ans ! Autant vous avertir, je ne vous garantis pas le service après-vente, commissaire…

Laurentin sent son cœur s'accélérer dangereusement. Repos, repos, lui serine son cardiologue… Mon Dieu ! Serait-ce possible ? Resterait-il un témoin ?

Un dernier témoin ?

Vivant !

– 56 –

Les trois estafettes de gendarmerie descendent la rue Blanche-Hoschedé-Monet, toutes sirènes hurlantes. Elles ne prennent même pas la peine de contourner le village, elles coupent au plus court, rue Blanche-Hoschedé-Monet, rue Claude-Monet… chemin du Roy.

Giverny défile…

La mairie…

L'école…

Lorsqu'ils entendent les sirènes, tous les enfants de la classe tournent la tête et n'ont qu'une envie : se précipiter à la fenêtre. Stéphanie Dupain les retient d'un geste calme. Pas un enfant n'a remarqué son trouble. Pour conserver son équilibre, l'institutrice pose la main sur le bureau.

— Les… les enfants… Du calme ! Revenons à notre programme…

Elle s'éclaircit la voix. Les sirènes de police résonnent encore dans sa tête.

— Les enfants, je vous parlais donc de ce concours « Peintres en herbe » organisé par la fondation Robinson. Je vous rappelle qu'il ne reste plus que deux jours pour rendre vos tableaux… J'espère que cette année vous serez plusieurs à tenter votre chance…

Stéphanie est incapable de chasser l'image de son mari lui souriant ce matin, alors qu'elle était encore au lit, l'embrassant en lui posant une main sur l'épaule, « Bonne journée, mon amour ».

Elle continue à réciter une leçon longtemps répétée :

— Je sais bien qu'aucun enfant de Giverny n'a jamais gagné ce concours, mais je suis également certaine que lorsque le jury international voit qu'une candidature est issue de l'école de Giverny, c'est un sacré avantage pour vous !

Stéphanie revoit Jacques enfilant sa cartouchière… Jacques décrochant le fusil de chasse du mur…

— Les enfants, Giverny est un nom qui fait rêver les peintres du monde entier…

Deux autres bolides bleus traversent le village. Stéphanie sursaute malgré elle, paniquée. Impuissante. Les véhicules n'ont pour ainsi dire pas ralenti dans le village.

Laurenç ?

Stéphanie tente de se concentrer à nouveau. Elle regarde sa classe, passe en revue un par un les visages devant elle. Elle sait que parmi ses élèves certains sont particulièrement doués.

— J'ai remarqué que parmi vous certains, certaines ont beaucoup de talent.

Fanette baisse les yeux. Elle n'aime pas trop quand la maîtresse les observe ainsi. Ça la gêne.

Je sens que ça va être pour moi…

— Je pense à toi, Fanette. Je pense particulièrement à toi. Je compte sur toi !

Qu'est-ce que je disais…

La fillette rougit jusqu'aux oreilles. L'instant suivant, l'institutrice se retourne vers le tableau. Au fond de la classe, Paul adresse un clin d'œil à Fanette. Le garçon s'étale sur la table, juste devant Vincent qui est assis à côté de lui, et tend le cou pour se rapprocher encore un peu plus de la fillette :

— Elle a raison, Fanette, la maîtresse ! C'est toi qui vas le gagner, ce concours. Toi et personne d'autre !

Mary est assise juste devant eux, elle partage sa table avec Camille. Elle se retourne vers eux.

— Chut…

Toutes les têtes se figent soudain.

On frappe à la porte.

Stéphanie ouvre, inquiète. Elle découvre le visage défait de Patricia Morval.

— Stéphanie… Il faut que je te parle… C'est… c'est important.

— A… attendez-moi, les enfants.

Une nouvelle fois, l'institutrice essaye de faire en sorte qu'aucun de ses gestes ne trahisse devant les enfants sa terrible panique.

— Je n'en ai que pour un instant…

Stéphanie sort. Elle ferme la porte derrière elle et s'avance dans la cour de la mairie, sous les tilleuls. Patricia Morval ne masque pas son état d'excitation. Elle a enfilé une veste froissée qui jure avec sa jupe vert bouteille. Stéphanie remarque que son chignon, habituellement impeccable, a été coiffé à la hâte. Tout juste si elle ne s'est pas précipitée dans la rue en peignoir…

— C'est Titou et Patrick qui m'ont prévenue, débite Patricia d'une traite. Ils ont arrêté Jacques, en bas du chemin de l'Astragale, au retour de la chasse.

Stéphanie pose la main sur le tronc du tilleul le plus proche. Elle ne comprend pas.

— Quoi ? Qu'est-ce que tu racontes ?…

— L'inspecteur Sérénac… Il a arrêté Jacques. Il l'accuse du meurtre de Jérôme !

— Lau… Laurenç…

Patricia Morval dévisage étrangement Stéphanie.

— Oui, Laurenç Sérénac… Ce flic…

— Mon Dieu… Et Jacques n'a…

— Non, non, rassure-toi, ton mari n'a rien. D'après ce qu'ils m'ont raconté, heureusement que Patrick était là. L'adjoint de Sérénac aussi, l'inspecteur Bénavides. Ils ont évité de peu que cela tourne au carnage. Tu te rends compte, Stéphanie, ce fou de Sérénac pense que c'est Jacques qui a tué mon Jérôme…

Stéphanie sent que ses jambes peinent à la porter, elle laisse son corps s'effondrer contre le tronc clair de l'arbre. Elle a besoin de respirer. Elle a besoin de réfléchir calmement. Elle doit retourner dans sa classe, ses enfants l'attendent. Elle doit courir au commissariat. Elle doit…

Les mains de Patricia Morval tordent le col de sa veste fripée.

— C'est un accident, Stéphanie, depuis le début, j'ai voulu croire que c'était un accident. Mais si je m'étais trompée, Stéphanie ? Si je m'étais trompée, si quelqu'un a vraiment tué Jérôme ? Dis-le-moi, Stéphanie : ça ne peut pas être Jacques ? Dis-le-moi, que ça ne peut pas être Jacques…

Stéphanie pose sur Patricia Morval son regard Nymphéas. De tels yeux ne peuvent pas mentir.

— Bien sûr que non, Patricia. Bien sûr que non…

– 57 –

J'espionne les deux femmes. Enfin, j'espionne, c'est un bien grand mot… Je suis simplement assise en face, de l'autre côté de la rue, à quelques mètres de l'Art Gallery Academy, pas trop près de l'école tout de même. Pas tout à fait invisible, juste discrète. Juste au bon endroit pour ne rien rater de la scène. Je suis assez douée pour cela, vous vous en êtes rendu compte, je pense. Ce n'est pas bien difficile, en fait. Patricia et Stéphanie parlent fort. Neptune est couché à mes pieds. Comme tous les jours, il attend la sortie des enfants. Il a de ces manies, ce chien… Et moi, comme une gâteuse, je lui cède, je viens là, presque tous les jours, guetter avec lui la fin de l'école.

En attendant, Neptune doit se contenter d'une sortie des classes qui lui donne beaucoup moins envie de frétiller de la queue : le départ des peintres de l'Art Gallery Academy : une quinzaine d'artistes aussi prometteurs qu'un banc de sénateurs. Bien entendu, ils traînent leurs caddies à peinture et arborent leurs badges rouges, des fois qu'on les perde. La sortie des classes du troisième âge ! Section internationale : Canadiens, Américains, Japonais.

Je tente de me concentrer sur la conversation entre Stéphanie Dupain et Patricia Morval. Le dénouement est proche, c'est bientôt le dernier acte de la tragédie antique. Le sacrifice sublime…

Tu n'as plus le choix, ma pauvre Stéphanie.

Tu vas devoir…

Je n'y crois pas !

Un peintre se plante pile devant moi : un pur octogénaire américain, la casquette « Yale » vissée sur la tête, les chaussettes enfilées dans les sandalettes en cuir.

Qu'est-ce qu'il me veut ?

— Toutes mes excuses, miss…

Il prononce chaque mot avec un accent texan. Il met trois secondes entre chaque syllabe, du genre moins d'une phrase à la minute…

— Vous êtes sûrement d'ici, miss ? Vous devez sûrement connaître une place originale pour peindre…

Je suis à peine polie !

— Au-dessus, à cinquante mètres, il y a un panneau indicateur. Il y a un plan avec tous les sentiers, tous les panoramas.

Dix secondes la phrase, record battu ! Je l'ai limite envoyé chier mais l'Américain sourit toujours.

— Grand merci, miss… Très bonne journée à vous.

Il s'éloigne. Je peste toute seule contre cette saleté d'invasion ! Le Texan m'a fait perdre le fil de la scène. Patricia Morval se tient maintenant seule sur la place de la mairie et Stéphanie est déjà rentrée dans sa classe. Forcément bouleversée. Évidemment tiraillée par le dilemme suprême.

Son mari dévoué coffré par son bel inspecteur.

Ma pauvre chérie, si tu savais… Si tu savais qu'en réalité tu glisses sur une planche qu'on a savonnée pour toi. Inexorablement.

Une nouvelle fois, j'hésite. Je ne vais pas vous le cacher, moi aussi, je suis tiraillée par le dilemme. Me taire ou prendre l'autocar et aller tout raconter au commissariat de Vernon ? Si je ne me décide pas maintenant, ensuite, je n'en aurai sans doute plus jamais le courage. J'en suis consciente. Les flics pataugent… Ils n'ont pas interrogé les bons témoins, ils n'ont pas déterré les bons cadavres. Jamais, laissés à eux-mêmes, ils ne découvriront la vérité. Jamais, même, ils ne pourront la soupçonner. Ne vous faites aucune illusion, aucun flic, aussi génial soit-il, ne pourrait maintenant enrayer cet engrenage maudit.

Les Américains se dispersent dans le village comme des représentants de commerce dans un lotissement pavillonnaire. La casquette Yale, pas rancunière, m'adresse même un petit signe de la main. Patricia Morval demeure un long moment pensive sur la place de la mairie, puis redescend vers chez elle.

Forcément, elle passe devant moi.

Sale gueule !

Elle a ce visage fermé de la femme résignée à ne jamais connaître un autre amour que celui qui vient de lui être enlevé. Elle doit obligatoirement repenser à notre conversation, celle d'il y a quelques jours. Mes confidences… Le nom de l'assassin de son mari. Qu'en a-t-elle fait ? M'a-t-elle crue, au moins ? Une chose est certaine, elle n'en a pas parlé à la police. Je serais déjà au courant !

Je me force à lui dire quelque chose, je ne parle plus beaucoup, vous avez remarqué, même lorsque les Américains me draguent.

— Ça va, Patricia ?

— Oui, ça va… Ça va…

Elle n'est pas bavarde, elle non plus, la veuve Morval.

– 58 –

— Où est mon mari ?

— Incarcéré à la maison d'arrêt d'Évreux, répond Sylvio Bénavides. Ne vous inquiétez pas, madame Dupain. Il s'agit simplement d'une inculpation. Le juge d'instruction va tout reprendre…

Stéphanie Dupain fixe tour à tour les deux hommes

qui lui font face, les inspecteurs Sylvio Bénavides et Laurenç Sérénac. Elle crie plus qu'elle ne parle :

— Vous n'avez pas le droit !

Sérénac lève les yeux aux murs du bureau et s'attarde sur les toiles accrochées : son regard se perd dans les méandres des jeux de lumière du dos nu de la femme rousse brossée par Toulouse-Lautrec. Il laisse Sylvio répondre. Son adjoint le fera d'autant mieux qu'il cherchera à se persuader lui-même.

— Madame Dupain. Il faut voir la réalité en face. L'accumulation d'indices convergents qui accusent votre mari. Tout d'abord cette paire de bottes, disparue…

— On les lui a volées !

— Cette boîte de peinture retrouvée sur la scène du crime, continue Bénavides, impassible. Des menaces gravées à l'intérieur, rédigées de la main de votre mari, la plupart des experts le confirment…

L'argument a ébranlé Stéphanie Dupain. Elle découvre apparemment cette histoire de boîte de peinture et semble puiser dans les ombres de sa mémoire. Elle aussi tourne la tête et détaille les posters fixés aux murs. Elle se fige de longues secondes sur la reproduction de l'*Arlequin* de Cézanne coiffé de son chapeau de lune, comme pour rechercher dans son visage sans lèvres la force de refuser de céder.

— J'ai dû me promener avec Jérôme Morval deux fois. Peut-être trois. Nous avons simplement discuté. Le geste le plus osé qu'il ait tenté a consisté à me prendre la main. J'ai clarifié la situation, je ne l'ai jamais revu seul. D'ailleurs, Patricia Morval, qui est une amie d'enfance, vous le confirmera. Inspecteurs, tout cela est ridicule, vous n'avez pas de mobile…

— Votre mari n'a pas d'alibi !

C'est Laurenç Sérénac qui a répondu, cette fois. Du tac au tac, devançant les longues explications de Sylvio.

Stéphanie hésite un long moment. Depuis le début de l'entretien, Laurenç évite de croiser son regard. Elle tousse, crispe ses deux mains le long de sa jupe, puis glisse, d'une voix blanche :

— Mon mari n'a pas pu assassiner Jérôme Morval. Ce matin-là, il dormait avec moi.

Les inspecteurs Bénavides et Sérénac se figent dans la même attitude hébétée. Bénavides reste une main en l'air, celle qui tient son stylo. Sérénac garde le coude sur le bureau et la paume ouverte, supportant le poids d'un menton mal rasé et d'une tête soudain trop lourde. Un silence de musée s'abat sur le bureau 33. Stéphanie décide de pousser l'avantage plus loin encore :

— Si vous souhaitez davantage de détails, inspecteurs, Jacques et moi avons fait l'amour, ce matin-là. À mon initiative. Je veux un enfant. Nous couchions ensemble, le matin où Jérôme Morval a été assassiné. Il est matériellement impossible que mon mari soit coupable.

Sérénac s'est levé. La réponse claque :

— Stéphanie, vous m'avez dit le contraire, il y a quelques jours. Vous m'avez affirmé que votre mari était parti à la chasse, comme tous les mardis matin…

— J'ai réfléchi depuis. Je… J'étais troublée, alors. Je me suis trompée de jour…

Sylvio Bénavides se lève à son tour et prend l'initiative de soutenir son patron :

— Votre revirement ne change rien, madame

Morval. Le témoignage d'une femme en faveur de son mari ne vaut pas…

Stéphanie Dupain hausse le ton :

— Foutaises ! N'importe quel avocat…

À l'inverse, le timbre de la voix de Sérénac s'apaise.

— Sylvio, laisse-nous.

Bénavides affiche ostensiblement sa déception, mais il sait qu'il n'a pas le choix. Il tasse une liasse de papiers, la prend sous son bras et sort du bureau 33, refermant la porte derrière lui.

— Vous… vous gâchez tout ! explose aussitôt Stéphanie Dupain.

Laurenç Sérénac conserve son calme. Il s'est assis sur le fauteuil à roulettes et le laisse doucement glisser avec ses pieds tendus.

— Pourquoi faites-vous cela ?

— Quoi, cela ?

— Ce faux témoignage.

Stéphanie ne répond pas, ses yeux levés glissent de Cézanne au dos nu de la femme rousse.

— Je déteste Toulouse-Lautrec… Je déteste cette espèce de voyeurisme hypocrite…

Elle baisse les yeux. Pour la première fois, dans le bureau, son regard attrape celui de Laurenç Sérénac.

— Et vous, pourquoi faites-vous cela ?

— Quoi, cela ?

— Vous concentrer sur cette seule piste… Traquer mon mari comme un assassin. Il n'est pas coupable, je le sais. Libérez-le !

— Et les preuves ?

— Jacques n'avait aucun mobile. C'est ridicule ! Combien de fois devrai-je vous le dire, je n'ai jamais couché avec Morval. Aucun mobile, et à l'inverse, il possède un alibi… Moi…

— Je ne vous crois pas, Stéphanie…

Le temps s'est arrêté dans le bureau 33.

— Que fait-on, alors ?

Stéphanie marche dans la pièce à petits pas nerveux. Laurenç l'observe en adoptant à nouveau sa position faussement décontractée, tête oblique et menton soutenu par sa main ouverte. Stéphanie prend une profonde inspiration, comme si elle se perdait dans la spirale du chignon roux sur le dos nu du modèle peint par Toulouse-Lautrec, puis se retourne soudain.

— Inspecteur, que reste-t-il alors comme choix à une femme éplorée ? Jusqu'où peut-elle aller pour sauver son mari ? Combien de temps lui faut-il pour comprendre le message ? Vous savez, inspecteur, ces romans noirs américains, ce genre de flic capable d'accuser un pauvre type dans le seul but de lui voler sa femme…

— Non, Stéphanie…

Stéphanie Dupain s'avance vers le bureau. Doucement, elle détache les deux rubans d'argent qui retiennent ses longs cheveux châtains. Elle les décoiffe avec délicatesse tout en s'asseyant sur le bureau de l'inspecteur. Elle le domine de moins d'un mètre, mais s'il reste assis, il doit lever les yeux vers elle.

— C'est ce que vous attendiez, n'est-ce pas, inspecteur ? Vous voyez, je ne suis pas si gourde. Si je me donne à vous, tout sera terminé, c'est cela ?

— Arrêtez, Stéphanie.

— Qu'avez-vous, inspecteur ? Vous hésitez à franchir la dernière marche ? Ne vous posez pas trop de questions… Vous l'avez prise dans vos filets, la femme fatale. Vous la tenez, le mari est derrière les barreaux, elle est piégée. Elle est à vous…

Stéphanie remonte doucement ses jambes afin que sa jupe descende le long de sa peau nue. Un bouton du corsage blanc disparaît entre ses doigts. Des taches de rousseur explosent sur la naissance de sa poitrine, jusqu'au coton du haut d'un soutien-gorge dévoilé.

— Stéph…

— À moins que ce ne soit elle, la femme fatale, qui tire les ficelles depuis le début. Pourquoi pas, après tout ?

Les yeux de Stéphanie se fendent en amande. Laurenç Sérénac se surprend à y déceler le mystère oriental d'un lever de soleil indigo. Il doit se reprendre. Il n'a pas le temps de raisonner davantage, l'institutrice continue :

— Ou bien eux. Le mari et la femme, complices. Les diaboliques. Le couple infernal. Vous ne seriez que leur jouet, inspecteur…

Stéphanie, toujours assise, a posé ses deux pieds sur le bureau, la jupe de toile beige glisse en chiffon autour de sa taille. Un second bouton du corsage saute. Les aréoles des seins de l'institutrice se devinent sous la dentelle fine des sous-vêtements. Des gouttes de sueur coulent dans le creux de sa poitrine.

Des gouttes de peur ? D'excitation ?

— Arrêtez, Stéphanie. Cessez ce jeu ridicule. Je vais la prendre, votre déposition.

Il se lève et saisit une feuille de papier. Lentement, Stéphanie Dupain reboutonne son corsage, défroisse sa jupe retombée le long de ses jambes, les croise.

— Je vous préviens, inspecteur, je ne vais pas changer d'avis. Je ne vais pas modifier une ligne à ce que je vous ai affirmé. Ce matin-là, le matin où Jérôme Morval a été assassiné, Jacques est resté au lit avec moi…

L'inspecteur écrit, lentement.

— J'en prends note, Stéphanie. Même si je ne vous crois pas…

— Vous voulez d'autres détails, inspecteur ? Vous souhaitez tester la crédibilité de mes affirmations ? Si nous avons fait l'amour ? Dans quelle position ? Ai-je joui ?

— Le juge d'instruction vous le demandera certainement…

— Notez alors. Notez, Laurenç. Non, je n'ai pas joui. Nous avons fait cela rapidement. J'étais sur lui. Je veux un enfant… À genoux sur l'homme, c'est la meilleure des positions, paraît-il, pour avoir un enfant…

L'inspecteur continue de baisser les yeux, note en silence.

— Vous faut-il encore d'autres détails, inspecteur ? Je suis désolée, je n'ai aucune photographie, aucune preuve, mais je peux décrire…

Laurenç Sérénac se lève lentement.

— Vous trichez, Stéphanie.

L'inspecteur contourne le bureau, ouvre le premier tiroir et en sort un livre cartonné. *Aurélien*.

— Je suis persuadé que vous trichez.

Il ouvre le livre à une page cornée.

— Rappelez-vous, c'est vous qui m'avez demandé de lire ce livre d'Aragon, à cause de cette étrange phrase retrouvée dans la poche de Jérôme Morval. « Le crime de rêver » et la suite… Je vous rafraîchis la mémoire, Stéphanie ? Chapitre 64. Aurélien croise

Bérénice dans les jardins de Monet, elle fuit dans un chemin creux de Giverny, comme si elle voulait échapper à son destin. Aurélien la poursuit, la retrouve, haletante, adossée au talus… Vous me pardonnez, je crains de ne pas me souvenir du texte intégral, je vais vous lire la scène…

Cette fois-ci, presque pour la première fois, Laurenç Sérénac soutient le regard pourpre de Stéphanie.

— « Aurélien avançait vers elle, il voyait sa poitrine soulevée, la tête renversée avec les cheveux blonds qui retombaient tout d'un côté. Des paupières battues, le cerne qui faisait plus troublants les yeux, et cette bouche tremblante, et les dents serrées étaient félines, si blanches… »

L'inspecteur avance. Il se tient maintenant debout devant Stéphanie. Elle ne peut se reculer, coincée sur le bureau. Laurenç progresse encore, le genou de l'institutrice touche à présent la toile du jean. Elle sent le bassin de l'inspecteur, exactement à la hauteur du bas de son ventre. Il suffirait qu'elle décroise les jambes…

Sérénac continue de lire :

— « Aurélien s'arrêta. Il était devant elle, très près, il la dominait. Il ne l'avait jamais vue ainsi… »

Il délaisse un instant le livre.

— C'est vous qui gâchez tout, Stéphanie.

Il pose une main sur son genou dénudé. La chair frissonne, Stéphanie n'y peut rien. Elle ne parvient pas à empêcher le tremblement de ses deux jambes entortillées comme une glycine à un tuteur. Sa voix n'est pas plus assurée :

— Vous êtes un drôle d'homme, inspecteur. Un flic. Amateur de peinture… Amateur de poésie…

Sérénac ne répond pas. Quelques pages tournent dans ses mains.

— Toujours le fameux chapitre 64, quelques lignes plus loin, vous vous souvenez ? « Je vous emmènerai quelque part où personne ne vous connaisse, pas même les motards… Où vous serez libre de choisir… Où nous déciderons de notre vie… »

Le livre tombe avec son bras, le long de sa taille, comme s'il pesait une tonne. Il laisse son autre main sur la peau lisse du bas de la cuisse qui tremble encore, longtemps, comme pour calmer le cœur affolé d'un nourrisson…

Ils demeurent là, silencieux.

Sérénac, le premier, rompt le charme. Il se recule. Sa main se referme sur la feuille où il a consigné la déposition de l'institutrice.

— Je suis désolé, Stéphanie. C'est vous qui m'avez demandé de lire ce roman…

Stéphanie Dupain passe la main devant ses yeux, entre larmes, émotion et lassitude.

— Ne confondez pas tout… J'ai lu Aragon, moi aussi. J'ai compris, je suis libre de choisir. Rassurez-vous, je déciderai de ma vie… Si vous voulez savoir, Laurenç, je vous l'ai déjà dit. Non, je n'aime pas mon mari. Je vais même vous offrir un autre scoop : je crois que je vais le quitter. Cela a fait son chemin en moi, comme un long fleuve, comme si les remous, ces derniers jours, ne pouvaient qu'annoncer une cascade. Vous voyez ce que je veux dire ? Mais tout cela ne change rien au fait qu'il soit innocent… Une femme ne quitte pas un homme en prison. Une femme ne quitte qu'un homme libre. Vous comprenez, Laurenç ? Je ne retire rien à ma déposition. Je faisais l'amour à mon mari, ce matin-là. Mon mari n'a pas tué Jérôme Morval…

Sans un mot, Laurenç Sérénac tend à l'institutrice la feuille et un stylo. Elle signe sans relire. Elle quitte le bureau. Sérénac détourne les yeux, vers les dernières lignes du chapitre 64 d'*Aurélien*.

« Il la regarda s'enfuir. Elle courbait les épaules, elle faisait celle qui ne marche pas vite... Il était immobilisé par cet incroyable aveu. Elle mentait, voyons ! Non. Elle ne mentait pas. »

Combien de temps s'écoule avant que Sylvio Bénavides ne cogne à la porte ? De longues minutes ? Une heure ?

— Entre, Sylvio.

— Alors ?

— Elle maintient sa version. Elle couvre son mari…

Sylvio Bénavides se mord les lèvres.

— Cela vaut peut-être mieux, après tout…

Il glisse une liasse de feuilles sur le bureau.

— Ça vient de tomber. Pellissier, le graphologue de Rouen, il modifie sa déposition. Après avoir approfondi son expertise, il conclut que le message gravé dans la boîte de peinture trouvée dans le ruisseau ne peut pas avoir été écrit par Dupain.

Le temps d'un suspense exaspérant, puis :

— Tenez-vous bien, patron, selon lui, le message a été gravé par un enfant ! Un enfant d'une dizaine d'années ! Il est formel…

— Putain, murmure Sérénac. C'est quoi encore, ce bordel ?

Son cerveau semble refuser de réfléchir. Bénavides n'a pourtant pas terminé :

— Il n'y a pas que ça, patron, on a aussi reçu les premières analyses du sang retrouvé sur la boîte de peinture. D'après elles, une chose est sûre, il ne s'agit du sang ni de Jérôme Morval ni de Jacques Dupain. Ils continuent de chercher…

Sérénac se lève, titube.

— Un autre meurtre, c'est ça que tu essaies de me dire ?

— On n'en sait rien, patron. À vrai dire, on ne comprend plus rien à rien.

Laurenç Sérénac tourne en rond dans la pièce.

— OK, OK. J'ai compris le message, Sylvio. Je n'ai pas d'autre choix que de relâcher Jacques Dupain. Le juge d'instruction va gueuler, une détention de moins de cinq heures…

— Il préférera cela à une erreur judiciaire…

— Non, Sylvio. Non. Je vois bien ce que tu penses, que je me suis planté dans les grandes largeurs, toute cette mise en scène précipitée en bas du sentier de l'Astragale pour coffrer un type et, finalement, toutes les preuves nous glissent entre les doigts quelques heures plus tard… Il faut le relâcher. Mais ça ne change rien à ma conviction. Rien ! Jacques Dupain est coupable !

Sylvio Bénavides ne répond pas. Il a maintenant compris que sur le terrain miné des intuitions de son patron il n'y a aucune discussion raisonnable à avoir. Bénavides repense pourtant à la somme des éléments contradictoires qui s'accumulent dans les colonnes de la feuille pliée qui ne quitte plus sa poche. Il ne peut pas y avoir une réponse simple à tous ces indices délirants, contradictoires, c'est impossible. Plus l'enquête avance, et plus Sylvio a l'impression que quelqu'un se joue d'eux, tire les ficelles, s'amuse à multiplier à leur intention les fausses directions, afin de poursuivre en toute impunité son plan parfaitement orchestré.

— Entrez.

Laurenç Sérénac lève les yeux, surpris que l'on frappe à son bureau à cette heure tardive. Il se croyait seul, ou presque, dans le commissariat. La porte de son bureau n'est pas fermée. Sylvio se tient dans l'encadrement, un étrange regard dans les yeux. Ce n'est pas seulement de la fatigue, il y a quelque chose d'autre.

— T'es encore là, Sylvio…

Il consulte l'horloge sur son bureau.

— Il est plus de 18 heures ! Putain, tu devrais être à la maternité, à tenir la main de ta Béatrice. Et dormir, aussi…

— J'ai trouvé, patron !

— Quoi ?

Sérénac a presque l'impression que même les personnages des tableaux aux murs se sont retournés, l'Arlequin de Cézanne, la femme rousse de Toulouse-Lautrec…

— J'ai trouvé, patron. Nom de Dieu, j'ai trouvé.

– 59 –

Le soleil vient de se dissimuler derrière le dernier rideau de peupliers. La pénombre qui s'installe signifierait pour n'importe quel peintre qu'il est l'heure de replier son chevalet, de le prendre sous le bras et de rentrer chez lui. Paul s'avance sur le pont et regarde

Fanette peindre avec frénésie, comme si toute sa vie dépendait de ces dernières minutes de luminosité.

— Je savais que je te trouverais là…

Fanette le salue d'une main, sans cesser de peindre.

— Je peux regarder ?

— Vas-y, je me dépêche. Entre la sortie de l'école, ma mère qui me casse les pieds et le jour qui tombe trop tôt, je ne vais jamais venir à bout de mon tableau. Je dois le rendre après-demain…

Paul tente de se faire le plus discret possible, comme si même l'air qu'il respirait pouvait perturber l'équilibre de la composition. Il aurait pourtant une tonne de questions à poser à Fanette.

Sans se retourner vers le garçon, Fanette anticipe ses interrogations.

— Je sais bien, Paul, qu'il n'y a pas de nymphéas dans le ruisseau… Mais je me fiche de la réalité, j'ai peint les « Nymphéas » l'autre jour, dans les jardins de Monet. Pour le reste, impossible, je n'arrivais à rien avec cette eau plate. Il fallait que je pose mes nénuphars sur une rivière, de l'eau vive, quelque chose qui danse. Une vraie ligne de fuite, tu vois. Un truc qui bouge.

Paul est fasciné.

— Comment fais-tu, Fanette ? Réussir comme cela à donner l'impression que ton tableau est vivant, que l'eau coule, et même que le vent remue les feuilles ? Comme ça, rien qu'avec de la peinture sur une toile…

J'aime bien quand Paul me fait des compliments…

— Je n'y peux rien, tu sais. Comme disait Monet, ce n'est pas moi, c'est juste mon œil. Je me contente de reproduire sur la toile ce qu'il voit…

— Tu es incr…

— Tais-toi, idiot ! Je vais te dire, à mon âge, Claude Monet était déjà un peintre connu dans la ville du Havre, à cause des caricatures des passants qu'il dessinait… Et puis, je ne suis pas assez… Tiens, regarde l'arbre, en face, le peuplier. Sais-tu ce que Monet demanda un jour à un paysan ?

— Non…

— Il avait commencé à peindre un arbre en hiver, un vieux chêne. Mais quand il est revenu, trois mois plus tard, son arbre était couvert de feuilles. Alors, il a payé le propriétaire de l'arbre, un paysan, pour enlever toutes les feuilles de l'arbre, une à une…

— Tu me racontes des histoires…

— Non ! Il a fallu deux hommes, pendant une journée, pour déshabiller son modèle ! Et Monet a écrit à sa femme qu'il était tout fier de pouvoir peindre un paysage d'hiver en plein mois de mai !

Paul se contente de fixer les feuilles qui dansent dans le vent.

— Je le ferais pour toi, Fanette. Changer la couleur des arbres. Si tu me le demandais, je le ferais pour toi.

Je le sais, Paul, je le sais.

Fanette peint encore de longues minutes. Paul reste derrière elle, silencieux. La clarté baisse encore. La fillette finit par renoncer.

— Ça ne sert plus à rien… Je terminerai demain. J'espère…

Paul avance vers la berge et observe le ruisseau qui coule à ses pieds.

— Toujours aucune nouvelle de James ?

La voix de Fanette semble se fissurer. Paul a l'impression que peindre avait permis à Fanette d'oublier et que la réalité la rattrape, maintenant. Il se dit qu'il est stupide, qu'il n'aurait pas dû poser la question.

— Non, murmure Fanette. Aucune nouvelle. C'est comme si James n'avait jamais existé ! Je crois que je deviens folle, Paul. Même Vincent me dit qu'il ne se souvient pas de lui. Il l'a vu pourtant, il nous espionnait, tous les soirs. Je ne l'ai pas rêvé !

— Vincent est bizarre…

Paul cherche le sourire le plus rassurant qu'il ait en stock.

— Je te rassure, si entre vous deux il y en a un qui ne tourne pas rond, c'est pas toi ! Tu as essayé de parler de James à la maîtresse ?

Fanette se rapproche de sa toile pour vérifier si elle est sèche.

— Non, pas encore. Ce n'est pas facile, tu comprends… Je vais essayer demain…

— Et pourquoi tu n'en parles pas à d'autres peintres du village ?

— Je ne sais pas, je n'ose pas. James était toujours seul. J'ai l'impression qu'à part moi il n'aimait pas grand monde…

Tu sais, Paul, j'ai un peu honte. Très honte, même. Parfois, je me dis que je devrais oublier James, faire comme s'il n'avait jamais existé.

Fanette attrape fermement sa toile, presque plus grande qu'elle, et la pose sur une large feuille de papier marron qu'elle utilise pour la protéger. Ses yeux se tournent vers le moulin des Chennevières. La tour du moulin se détache dans un ciel qui vire au rouge orangé. La vision est aussi belle qu'effrayante. Fanette regrette dans l'instant d'avoir rangé son matériel.

— Paul, tu sais ce que je crois, parfois ?

La fillette est penchée sur sa feuille marron qu'elle plie avec délicatesse.

— Non ?

— Je crois que j'ai inventé James. Qu'il n'existait pas, en vrai. Qu'il est, comment dire, une sorte de personnage d'un tableau. Que je l'ai imaginé. Tiens, James, en vrai, c'est le père Trognon du tableau de Theodore Robinson. Il est descendu de son cheval pour me rencontrer, me parler de Monet, me donner envie de peindre, me dire que j'étais douée, puis il est retourné d'où il venait, dans son tableau, sur son cheval, dans le ruisseau, au pied du moulin…

Tu me trouves dingue, hein ?

Paul se penche à son tour et aide Fanette à porter sa toile.

— Faut pas te mettre des idées comme ça dans la tête, Fanette. Faut pas. Faut surtout pas. On le porte où, ton chef-d'œuvre ?

— Attends, je vais te montrer ma cachette secrète. Je ne le rapporte pas chez moi, ma mère me prend pour une folle à cause de James et ne veut plus entendre parler de peinture ; et encore moins de ce concours… Ça fait un drame à chaque fois !

Fanette escalade le pont et saute derrière le lavoir.

— Il faut juste faire attention de ne pas glisser sur les marches et tomber dans l'eau… Passe-moi le tableau.

La toile file de main en main.

— Regarde, c'est ma planque, là, sous le lavoir. Il y a un vide, juste l'espace, comme si on l'avait inventé pour y cacher un tableau !

Fanette scrute les environs avec un air de conspiratrice : la prairie qui s'étend devant elle, la silhouette du moulin dans le ciel qui s'éteint.

— Tu es le seul à savoir, Paul. Le seul avec moi.

Paul sourit, il adore cette complicité, la confiance que lui témoigne Fanette. Soudain, les deux enfants sursautent. On marche, on court près d'eux. En un bond, Fanette repasse sur le pont. Une ombre s'avance, indistincte.

Un instant, j'ai cru que c'était James...

— Idiot, crie Fanette, tu nous as fait peur !

Neptune vient se frotter contre ses jambes. Le berger allemand ronronne comme un gros chat.

— Je rectifie, Paul. Vous êtes seulement deux à savoir, pour ma cachette. Neptune et toi !

– 60 –

Sérénac dresse un regard étonné vers son adjoint. Sylvio a les yeux brillants de fatigue, comme un chien qui aurait traversé le pays pour retrouver ses maîtres.

— Qu'est-ce que tu as trouvé, bordel ?

Sylvio s'avance, tire une chaise à roulettes et s'effondre dessus. Il pose une feuille de papier sous le nez de son patron.

— Regardez, ce sont les nombres au dos des photos des maîtresses de Morval.

Sérénac baisse la tête et lit.

23-02. Fabienne Goncalves au cabinet ophtalmologique de Morval.

15-03. Aline Malétras au club Zed, rue des Anglais.

21-02. Alysson Murer sur la plage de Sercq.

17-03. L'inconnue en blouse bleue dans la cuisine de Morval.

03-01. Stéphanie Dupain sur le chemin de l'Astragale au-dessus de Giverny.

— Ça m'est venu tout d'un coup, en mettant mes notes au clair. Vous vous rappelez ce que Stéphanie Dupain nous a dit, tout à l'heure, à propos de Morval ?

— Elle a dit pas mal de choses.

Sérénac se mord la langue, son adjoint brandit une feuille, sur laquelle sans aucun doute il a déjà consigné mot pour mot les paroles de Stéphanie.

— Je vous lis ses propos exacts : « J'ai dû me promener avec Jérôme Morval deux fois. Peut-être trois. Nous avons simplement discuté. Le geste le plus osé qu'il ait tenté a consisté à me prendre la main. J'ai clarifié la situation, je ne l'ai jamais revu seul »...

— Et alors ?

— OK, maintenant, patron, vous vous souvenez de ce que je vous ai dit avant-hier soir, lorsque je vous ai téléphoné de l'hôpital ? Aline Malétras, la fille de Boston ?

— À propos de quoi ?

— À propos de Morval !

— Qu'elle était enceinte.

— Et avant ?

— Qu'elle était sortie avec Morval, elle avait vingt-deux ans et des arguments, Morval dix de plus et du fric...

Sylvio Bénavides braque sur Sérénac des yeux de somnambule réveillé en sursaut :

— Oui, exact, mais elle a aussi précisé qu'elle était sortie avec Morval une quinzaine de fois !

Sérénac fixe les lignes qui se troublent sur son bureau.

15-03. Aline Malétras au club Zed, rue des Anglais.
03-01. Stéphanie Dupain sur le chemin de l'Astragale au-dessus de Giverny.

Son adjoint ne lui laisse pas le temps de souffler.
— Vous avez compris, maintenant. Stéphanie Dupain, 03 ; Aline Malétras, 15. C'était le code le plus stupide qui soit : c'est le nombre de fois où le couple adultère s'est rencontré qui est noté au dos de chaque photographie. Le détective privé, ou le paparazzi, a dû choisir le cliché le plus représentatif de la liaison parmi tous ceux dont il disposait.
Laurenç Sérénac observe son adjoint avec une admiration non feinte.
— Et je suppose que si tu es venu me voir, c'est que tu as déjà vérifié pour les autres filles…
— Exact, répond Bénavides. Vous commencez à me connaître. Je viens d'avoir Fabienne Goncalves au téléphone, elle est incapable de me donner le nombre de fois où elle est sortie avec son patron, mais à force de lui tirer les vers du nez elle a fini par me donner une fourchette, entre vingt et trente fois.
Sérénac siffle.
— Et Alysson Murer ?
— Notre brave petite Anglaise note tout sur un petit agenda, et elle garde tous ses petits agendas des années précédentes dans un tiroir. Elle a compté avec moi au téléphone car elle ne s'était jamais posé la question.
— Résultat des courses ?

— Le jackpot, elle a compté très précisément vingt et un rendez-vous !

— Génial ! J'adore les gens méticuleux qui notent tout.

Sérénac lance un clin d'œil complice vers son adjoint. Sylvio ne relève pas l'allusion et continue :

— Nous avons donc affaire à un détective privé particulièrement méticuleux, lui aussi. Pour être ainsi capable de comptabiliser chaque rendez-vous…

— Plus ou moins. À l'exception d'Alysson Murer, rien ne dit qu'il s'agisse du nombre exact. C'est un ordre de grandeur. Je suppose que c'est ce qu'on demanderait à un détective privé enquêtant sur les infidélités d'un mari : une fourchette approximative du nombre d'incartades hors du lit conjugal. Pour résumer, Sylvio, la bonne nouvelle, c'est qu'on ne va plus perdre de temps avec ce code. La mauvaise, c'est qu'il ne nous apprend strictement rien.

— Sauf qu'il reste les seconds chiffres : 01. 02. 03.

Sérénac plisse le front.

— Tu as une idée là-dessus ?

Bénavides la joue modeste.

— Quand on tire un fil, le reste vient avec. On sait que le premier chiffre n'est pas une date, mais qu'il concerne la nature de la relation entre Morval et ses maîtresses. Une information que le photographe donne à son commanditaire. À part le nombre de rencontres entre les amoureux, quel autre détail pourrait être utile à fournir ?

— Putain ! explose Sérénac. Bien entendu ! La nature de cette relation… Est-ce que Morval couchait avec ces filles ! Sylvio, t'es un…

Sylvio Bénavides coupe son patron pour avoir le privilège d'achever sa démonstration :

— Aline Malétras est tombée enceinte de Morval. Le photographe a inscrit 15-03. On peut donc supposer sans grand risque que 03 signifie que la fille en question couchait avec Jérôme Morval.

Un grand sourire s'affiche sur la figure de Laurenç Sérénac :

— Et que t'ont répondu tout à l'heure Fabienne Goncalves et Alysson Murer ? Parce que tu leur as demandé, bien entendu. Elles portent le dossard « 02 », toutes les deux…

Sylvio Bénavides rougit légèrement.

— J'ai fait comme j'ai pu, patron, c'est pas trop mon truc d'insister sur ces choses-là auprès d'une fille. Enfin, notre petite Anglaise, Alysson Murer, m'a juré sur la tête de la reine d'Angleterre qu'elle n'avait jamais couché avec son bel ami ophtalmo. La pauvre devait croire au mariage à Notre-Dame ou Canterbury… Quant à Fabienne Goncalves, elle a failli me raccrocher au nez, surtout que j'entendais ses gosses crier derrière elle, mais pour avoir la paix elle a fini par me confirmer qu'elle aussi avait toujours refusé de coucher. Juste des bisous et des caresses avec son boss, d'après elle, dit Sylvio en agitant la feuille de papier devant son nez en guise d'éventail. Si je résume, le deuxième chiffre du code, c'est donc en quelque sorte l'échelle de Richter des relations sexuelles de Morval. 03, le max, il couche ; 02, il flirte. 01… On peut en déduire qu'il ne se passe rien… On conte fleurette, mais le détective privé a beau épier avec son zoom, rien ! Pas d'adultère.

— OK, Sylvio, on est d'accord. On est face à un

type qui était chargé d'espionner Morval et de rendre des comptes sur ses aventures extraconjugales. Fréquence des relations, nature des relations et photos en guise de preuves. On peut d'ailleurs penser que ces nombres au dos des photos ne sont pas réellement un code destiné à nous piéger, qu'ils sont juste une sorte d'abréviation utilisée par un pro. Mais je te repose la question, ça nous avance à quoi ?

La feuille de papier se tord dans les doigts de Sylvio.

— J'ai réfléchi à tout ça, patron. Pour moi, ce code, à condition de lui faire confiance, bien entendu, nous donne deux informations importantes. La première c'est que Stéphanie Dupain ne nous ment pas, elle n'était pas la maîtresse de Jérôme Morval... Et celui qui a commandé ces photos à un détective privé le savait !

— Patricia Morval ?

— Peut-être. Ou Jacques Dupain, pourquoi pas ?

— J'ai compris, Sylvio, j'ai compris, je commence à connaître le refrain. Pas de mobile ! Et si Jacques Dupain n'a pas de mobile, il n'a pas besoin d'alibi...

— Sauf qu'un alibi, coupe Sylvio, il en a un.

Sérénac soupire.

— Faites chier, à la fin. J'ai pigé. J'ai téléphoné au juge d'instruction il y a deux heures pour qu'on le libère de la prison d'Évreux. Jacques Dupain dormira chez lui à Giverny dès ce soir.

Avant que Sérénac ne s'aventure sur le terrain de ses convictions intimes, Sylvio Bénavides s'empresse de continuer :

— Mais le code nous donne une seconde information importante, patron. D'après ce code, sur les cinq filles en photo, seules deux ont couché avec Morval :

Aline Malétras et la fameuse fille non identifiée, celle en blouse bleue dans le salon. 17-03.

— On est d'accord, confirme Sérénac. Dix-sept rencontres, et Morval se tapait cette fille à genoux devant lui. Où tu veux en venir ?

— Si on part de l'hypothèse que Jérôme Morval aurait eu un gosse, disons, il y a une dizaine d'années, eh bien, cette fille est la seule parmi ses maîtresses à pouvoir être la mère.

– 61 –

La terrasse du restaurant l'Esquisse normande, dans un écrin de valérianes, de campanules et de pivoines, offre une jolie vue sur le village de Giverny. Lorsque la nuit tombe, les réverbères positionnés avec harmonie entres les plantes fleuries renforcent encore l'effet d'oasis impressionniste.

Jacques n'a pas touché à son entrée. Un carpaccio de foie gras frais à la fleur de sel. Stéphanie a commandé la même chose et goûte avec parcimonie, calant son appétit sur celui de son mari. Jacques est rentré il y a une heure environ, il devait être un peu plus de 21 heures, encadré par deux gendarmes, ils l'ont laissé là, dans la rue Blanche-Hoschedé-Monet, entre l'école et la maison.

Jacques n'a rien dit, pas un mot. Il a signé leur bout de papier sans le regarder, a pris la main de Stéphanie, l'a serrée fort. Il ne l'a pas lâchée depuis, ou presque. Juste pour dîner. Seule sur la nappe, sa main semble orpheline, occupée à agacer les miettes.

« Ça va aller », l'a rassuré Stéphanie.

Elle avait réservé une table à l'Esquisse normande, elle n'a pas laissé le choix à son mari. Était-ce une bonne idée ? se demande-t-elle. Y a-t-il encore de bonnes ou de mauvaises idées ? Non, rien d'autre que la sensation que c'est ainsi qu'il faut faire les choses, ainsi et à ce moment-là. La sensation qu'à l'Esquisse normande, ce serait mieux que chez eux. Que le cadre l'aiderait. Qu'il fallait une sorte de protocole. L'espoir qu'en terrasse, en public, Jacques ne ferait pas de scandale, ne s'effondrerait pas, resterait digne, comprendrait…

— C'est terminé, monsieur ?

Le serveur emporte le carpaccio. Jacques n'a pas dit un mot. Stéphanie fait la conversation pour deux, parle des enfants de l'école, de sa classe, du concours Theodore Robinson, des tableaux à rendre dans deux jours. Jacques écoute avec ce regard doux, comme toujours. Stéphanie se sent comprise. Elle s'est toujours sentie comprise par Jacques. Elle a toujours eu cette impression qu'il la connaissait par cœur. Par cœur, c'est le mot. Il a toujours aimé qu'elle parle des enfants de l'école. Comme si c'était une évasion qu'il tolérait… Les geôliers doivent sans doute aimer que les prisonniers leur parlent des oiseaux dans le ciel.

Le serveur dépose devant eux deux émincés de magret de canard aux cinq poivres. Jacques se fend d'un sourire et goûte. Il pose quelques questions évasives sur l'école. Il s'intéresse aux élèves, à leurs caractères, à leurs goûts. À l'exception de cette ridicule arrestation, Stéphanie est bien obligée de reconnaître que la vie est simple avec Jacques. Si calme. Si rassurante.

Cela ne change rien.

Sa décision est prise.

Même si Jacques la comprend mieux que quiconque, même si Jacques la protège, même si Jacques est incapable de lui faire du mal, même si Jacques l'aime à s'en crever les yeux, même si pas une seconde dans sa vie Stéphanie n'a douté de cet amour…

Sa décision est prise.

Elle doit partir.

Jacques sert du vin à sa femme puis s'en verse un demi-verre. Un bourgogne, pense Stéphanie. Elle a lu le nom sur l'étiquette, un meursault. Elle n'y connaît pas grand-chose en vin ; Jacques non plus n'a jamais bu, ou quasiment pas. Il est presque le seul, parmi ses amis chasseurs. Il mange, maintenant. Curieusement, cela rassure un peu Stéphanie. Elle a l'impression de s'inquiéter pour son mari comme on s'inquiète de la santé d'un proche. Par affection. Jacques se déride un peu, parle d'une maison qu'il a repérée dans les environs, une bonne affaire d'après lui. Elle le sait, Jacques travaille beaucoup, beaucoup trop, même, il tient son agence à bout de bras, il n'a pas eu de chance pour l'instant, il n'a décroché aucune grosse transaction, mais la chance peut tourner, la chance tournera forcément un jour, Jacques est obstiné. Jacques le mérite. Au fond, ça lui est si indifférent, tout cela. Changer de maison. Vivre avec un homme plus riche.

La main de Jacques rampe sur le coton blanc brodé, recherche à nouveau les doigts de Stéphanie.

L'institutrice hésite. Il serait tellement plus facile de tout lui faire comprendre sans rien dire, par une simple accumulation de gestes anodins, une main qu'on ne prend pas, une caresse qu'on ne rend pas, un regard qu'on détourne. Mais Jacques ne comprendrait pas. Ou plutôt si, il comprendrait, mais cela ne changerait rien. Il l'aimerait tout de même. Davantage encore, même.

Les doigts de Stéphanie fuient, se perdent dans ses cheveux, crissent au toucher d'un ruban d'argent. Tout le corps de l'institutrice en frissonne. Elle se sent ridicule.

Pourquoi ?

Pourquoi éprouve-t-elle ce besoin si insupportable de tout quitter ?

Stéphanie vide son verre de vin et sourit pour elle-même. Jacques continue de parler de cette maison sur les bords de l'Eure, des brocanteurs de la vallée qu'il faudrait aller visiter pour la meubler… Stéphanie écoute distraitement. Pourquoi fuir… La réponse à ses questions est si banale. Vieille comme le monde. La maladie des jeunes filles qui se rêvent autrement : cette soif d'amour de la Bérénice d'Aragon. L'ennui insupportable de la femme qui n'a pourtant rien à reprocher à l'homme à côté duquel elle vit… Aucune excuse, aucun alibi. Juste l'ennui, cette certitude que la vie est ailleurs. Qu'une complicité parfaite existe autre part. Que oui, ces lubies ne sont pas des détails mais l'essentiel… Que rien d'autre ne compte que de pouvoir partager le même émoi devant un tableau de Monet, ou des vers d'Aragon.

Le serveur escamote avec une discrétion professionnelle leurs assiettes.

— Non, glisse Jacques, nous ne souhaitons pas recommander du vin. Juste les desserts.

La main de Stéphanie finit par se poser sur la table, aussitôt happée par celle de Jacques. Les jeunes filles, pense l'institutrice, se résignent toujours, restent, vivent tout de même, heureuses sans doute, ou pas ; elles deviennent progressivement incapables de faire la différence. Au final, c'est plus simple ainsi, bien évidemment. Renoncer.

Et pourtant… Et pourtant… Cette sensation en Stéphanie s'incruste, tellement tenace, tellement insistante : ce qu'elle ressent est unique. Inédit. Différent.

Deux coupes de glaces et sorbets, décorées de feuilles de menthe, atterrissent devant eux. Jacques, à nouveau, ne dit plus rien. Stéphanie a décidé qu'elle parlerait après le dessert. À la réflexion, ce n'était pas une bonne idée, de dîner à l'Esquisse normande. Cette sinistre attente semble étirée dans une longueur infinie, comme filmée au ralenti. Jacques doit penser à autre chose, à l'arrestation, à la prison, à l'inspecteur Sérénac. Ruminer sa honte. Il y a de quoi.

Se doute-t-il ? Oui, sans doute. Jacques la connaît tellement.

Stéphanie dévore le sorbet pomme rhubarbe. Elle a besoin de force. De tant de force. Est-elle un tel monstre qu'elle ne peut attendre un autre soir ?

Jacques sort de prison, éprouvé, humilié comme jamais.

Pourquoi lui annoncer ce soir ?

Pour s'engouffrer dans la faille ; se faufiler, un peu honteuse, sur le champ de bataille, parmi les cadavres ; profiter que la maison brûle pour sauver sa peau. Est-elle la plus sadique des épouses ?

Elle a besoin de force.

Ses pensées se tournent vers Laurenç, bien entendu.

La complicité parfaite tant espérée. Est-ce un leurre, cette certitude quasi instantanée que celui qui se tient devant vous, vous deviez le rencontrer, que vous ne serez heureuse qu'avec lui et avec personne d'autre, que seuls ses bras peuvent vous protéger, que seule sa voix peut vous faire vibrer, que seul son rire pourra vous faire tout oublier, que seul son sexe pourra vous faire autant jouir ?

Cette certitude est-elle encore un de ces pièges de la vie ?

Non.

Elle sait que non.

Elle se lance.

Le plongeon dans le vide.

L'inconnu.

La chute sans fin, comme dans *Alice*, de Lewis Carroll. Fermer les yeux et croire au pays des merveilles.

— Jacques, je vais te quitter.

– DOUZIÈME JOUR –

24 mai 2010

(Musée de Vernon)

Égarement

– 62 –

Les richesses du musée de Vernon sont largement sous-estimées, sans aucun doute à cause de l'ombre étouffante de celles de Giverny. L'ouverture du musée des Impressionnistes, en 2009, n'a rien arrangé. Pour ma part, au tumulte des musées de la rue Claude-Monet, je préfère de loin le calme de cette somptueuse bâtisse normande sur les quais de la Seine à Vernon. Question d'âge, vous allez me dire. Je souffle dans le hall, j'ai péniblement traversé la cour pavée, atteint l'entrée en m'arc-boutant sur la canne.

Je lève les yeux. Le fameux tondo de Claude Monet trône dans le hall d'accueil, ils l'ont placé ainsi en évidence, à l'occasion de l'opération « Normandie impressionniste » : un « Nymphéas », une peinture ronde de près d'un mètre de diamètre. Dans son cercle d'or un peu vieillot, on dirait un miroir de grand-mère. C'est, paraît-il, l'un des trois tondos de Monet exposés dans le monde ! Il a été offert au musée de Vernon par Claude Monet lui-même, en 1925, un an avant sa mort…

La très grande classe, non ?

Vous imaginez ! C'est la fierté, à Vernon. C'est le seul musée du département de l'Eure à posséder des toiles de Monet, et pas n'importe lesquelles. Même si le cadre d'or du tondo est un peu kitch, je défie quiconque de ne pas être attiré par ses teintes claires de lait, de craie, comme un hublot sur un Éden pastel. Quand je pense à ces touristes qui s'extasient comme des moutons dans le village d'à côté et se pavanent devant des reproductions…

Enfin, je ne vais pas me plaindre, si cela devenait la transhumance ici aussi, à Vernon, je serais la première à encore grogner. Je progresse de quelques pas sur les dalles de terre cuite du hall. Pascal Poussin passe devant moi en coup de vent : j'ai tout de suite reconnu le directeur du musée, on raconte qu'il est l'un des plus grands spécialistes de Monet et des « Nymphéas » en France, avec l'éternel Achille Guillotin, le type du musée de Rouen. J'ai lu quelque part qu'il est l'un des piliers de l'opération « Normandie impressionniste ». Une huile… c'est le cas de le dire. Enfin, vous n'êtes pas obligés de sourire.

Poussin me salue sans ralentir son allure, il se rappelle sans doute vaguement mon visage ; s'il se concentrait, il ferait le lien entre cette vieille femme qu'il croise et celle qui vint jadis discuter « Nymphéas » avec lui…

C'était il y a longtemps.

— Qu'on ne me dérange pas ! lance Pascal Poussin à la secrétaire dans l'entrée. J'ai rendez-vous avec deux policiers du commissariat de Vernon… Je n'en aurai pas pour très longtemps.

Le directeur s'arrête et inspecte machinalement le hall de son musée. Au sol, des coccinelles peintes indiquent le cheminement entre les pièces. Au bas de l'escalier, des sculptures informes sont entassées, faute de place ailleurs. Pascal Poussin fronce un sourcil agacé, puis referme derrière lui la porte de son bureau. Par la vitre de la porte d'entrée, j'observe devant le musée la Tiger Triumph T100 de l'inspecteur Sérénac. La moto est garée sur les pavés de la cour intérieure… Décidément, le monde des « Nymphéas » est petit, aussi petit qu'un étang.

Je soupire. Je vais faire comme les autres, je vais donc suivre les coccinelles au sol. L'archéologie locale, à laquelle est consacré tout le rez-de-chaussée, m'emmerde. Je regarde l'escalier qui mène aux étages, là où sont exposées les collections des paysagistes et des artistes contemporains. L'escalier monumental est une autre fierté de ce musée, il faut dire que rien ne manque. Des sculptures de marbre du genre chevaux qui ruent et archers qui bandent sont posées en vrac, une marche sur quatre, sous d'immenses tableaux d'archiducs, de connétables et de princes oubliés dont plus personne ne voudrait chez soi. Je m'inquiète. Ils en sont si fiers, de leur escalier, qu'il n'est même pas sûr que leur ascenseur fonctionne, dans ce musée de l'oubli…

– 63 –

Pendant que Pascal Poussin examine avec attention chaque angle de la boîte de peinture Winsor & Newton,

Sérénac et Bénavides guettent le moindre de ses gestes. Au point mort où ils en sont dans l'enquête, ils mobilisent tous les experts possibles. On leur a présenté Pascal Poussin comme l'autre spécialiste incontournable de tout ce qui touche à la peinture impressionniste, en particulier en Normandie. Le directeur du musée leur a fait le coup du type débordé, mais a tout de même accepté de consacrer à la police quelques minutes. Le personnage devant eux correspond tout à fait au profil que Bénavides avait imaginé au téléphone : grand, mince, costume gris et cravate pastel ; le genre de VRP de l'art à finir directeur du Louvre… ou rien !

— C'est un bel objet, messieurs. Une pièce bien conservée mais qui date d'une bonne centaine d'années. Elle ne vaut pas une fortune, loin de là, mais elle pourrait intéresser des collectionneurs. Elle correspond au modèle que devaient utiliser les peintres américains au début du siècle, mais depuis, Winsor & Newton, la marque au dragon, est devenu la référence mondiale. N'importe quel peintre un peu snob ou nostalgique rêverait d'y ranger ses pinceaux.

Bénavides et Sérénac sont installés dans deux fauteuils d'époque en velours rouge moins confortables que leur lustre ne pourrait le laisser croire. Les pieds de bois laqués noirs menacent de se rompre au moindre faux mouvement.

— Monsieur Poussin, demande Laurenç Sérénac, pensez-vous qu'il puisse encore exister sur le marché des toiles de Monet ? Des « Nymphéas » en particulier…

Le directeur du musée a reposé la boîte.

— Que voulez-vous dire exactement, inspecteur ?

— Eh bien, par exemple, est-ce qu'on peut imaginer qu'un habitant de la région de Vernon ait pu bénéficier d'un tableau offert par Monet ? Pourquoi pas un des deux cent soixante-douze « Nymphéas » ?

La réponse fuse :

— Claude Monet, lorsqu'il s'est installé à Giverny, était un peintre reconnu. Chacune de ses œuvres appartenait déjà au patrimoine national. Monet donnait très rarement des tableaux, qui valaient une petite fortune.

Il précise, de toutes ses dents blanches :

— Il a accepté une très rare entorse à ce principe pour le musée de Vernon. C'est d'ailleurs ce qui fait la valeur exceptionnelle de notre tondo.

La réponse semble satisfaire Sérénac. Pas Sylvio Bénavides, qui repense aux commentaires exaltés du conservateur du musée des Beaux-Arts de Rouen :

— Excusez-moi encore, mais Monet a dû en permanence négocier avec ses voisins, les habitants de Giverny, pour aménager son étang, pour conserver les paysages tels qu'il voulait les peindre... Est-il inenvisageable qu'il ait pu acheter l'accord des voisins... contre la promesse d'une toile ?

Poussin ne cache pas son agacement. Il consulte ostensiblement sa montre.

— Écoutez, inspecteur. La période des impressionnistes, ce n'est pas la préhistoire ! Au début du siècle, il existait des journaux, des actes notariés, des comptes rendus de conseils municipaux... Toutes ces pièces ont été examinées par des dizaines d'historiens de l'art. Aucun, absolument aucun troc de ce type n'a jamais été mis au jour... Après cela, on peut toujours raconter ce qu'on veut !

Le directeur fait mine de se lever. Cet empressement à écourter leur conversation finirait presque par intriguer Bénavides. Il attend vainement un secours de la part de Laurenç Sérénac.

— Et un vol ? lance Sylvio.

Pascal Poussin soupire.

— Je ne vois pas où vous voulez en venir. Claude Monet fut un homme organisé et lucide jusqu'à la fin de sa vie. Ses tableaux étaient recensés, classés, notés. À sa mort, son fils Michel n'a jamais signalé la moindre toile manquante…

Les doigts du directeur du musée dansent une gigue énervée sur la boîte de peinture.

— Inspecteur, si vous n'êtes pas capable de résoudre un crime qui s'est déroulé il y a une semaine, je doute que vous puissiez trouver la clé d'un hypothétique vol qui se serait produit avant 1926…

Crochet du droit… Bénavides encaisse. Sérénac monte à son tour sur le ring :

— Monsieur Poussin… Je suppose que vous avez entendu parler de la fondation Theodore Robinson ?

Le directeur du musée semble un instant décontenancé par l'arrivée de ce renfort. Il tortille son nœud de cravate.

— Bien entendu… Elle fait partie des trois ou quatre principales fondations de promotion de l'art dans le monde.

— Et qu'en pensez-vous ?

— Comment ça, ce que j'en pense ?

— Vous avez déjà eu affaire à cette fondation ?

— Évidemment ! Quelle question ! La fondation Robinson est incontournable pour tout ce qui touche à l'impressionnisme. Les trois « pro », comme le précise leur slogan : prospection, protection, promotion…

Bénavides opine de la tête, Poussin poursuit :

— Un bon tiers des toiles exposées un jour dans le monde doivent passer par elle. Une telle fondation se fiche bien du musée de Vernon, vous vous en doutez, mais pour des opérations de plus grande envergure… Tenez, il y a encore quinze jours, j'étais à Tokyo pour l'exposition internationale « Montagnes et sentiers sacrés », et qui en était le principal sponsor ?

— La fondation Robinson ! fait Sérénac comme s'il répondait à la question d'un jeu télévisé. C'est un peu la pieuvre, cette fondation, non ?

Le directeur du musée s'étrangle dans sa cravate.

— Comment ça, « la pieuvre » ?

C'est Bénavides qui enchaîne :

— Eh bien, pour quelqu'un qui n'y connaît pas grand-chose en peinture, on pourrait avoir l'impression que cette fondation, qui brasse des millions, s'intéresse davantage aux affaires juteuses qu'à la défense noble et désintéressée de l'art…

Bénavides se redresse, en souriant d'un air faussement naïf. Il constate avec plaisir que le tandem qu'il forme avec Sérénac s'améliore, comme un double au tennis qui gagne en expérience. Jouer l'intox. Pascal Poussin commence à perdre ses nerfs. Il jette un œil à sa montre et répond avec agacement :

— Eh bien, pour quelqu'un comme moi qui y connaît quelque chose en peinture, la fondation Theodore Robinson est une vieille et respectable institution, qui a non seulement su remarquablement s'adapter au marché de l'art international, mais a par ailleurs toujours conservé son ambition initiale, c'est-à-dire la prospection de nouveaux talents, et ce dès leur plus jeune âge…

— Vous voulez parler du concours « Peintres en herbe » ? coupe Sérénac.

— Entre autres… Vous n'imaginez pas le nombre de talents aujourd'hui reconnus dans le monde que la fondation a su détecter !

— Ainsi, la boucle est bouclée, conclut Sérénac, en résumé, la fondation Robinson maîtrise à la fois ses placements et ses investissements…

— Exactement, inspecteur ! Y a-t-il le moindre mal à cela ?

Sérénac et Bénavides hochent la tête de concert en un duo parfaitement synchrone. Poussin consulte à nouveau sa montre et se lève.

— Bien, fait-il en tendant la boîte de peinture. Comme je vous l'avais dit, inspecteurs, je n'ai pas pu vous apprendre grand-chose que vous ne sachiez déjà.

C'est le moment ! Sylvio Bénavides tente de décocher son ultime flèche :

— Une dernière question. Monsieur Poussin, pouvez-vous nous parler des « Nymphéas en noir » ? Ce dernier tableau que Monet aurait peint, quelques jours avant de mourir. Selon le reflet des couleurs de sa propre mort…

Pascal Poussin le toise d'un air désolé, comme on écoute un enfant qui raconte qu'il a croisé des elfes dans le jardin.

— Inspecteur, l'art n'est pas une affaire de contes et de légendes. L'art est devenu une affaire, tout simplement. Cette rumeur d'autoportrait funèbre n'a pas le moindre fondement, il n'existe pas le plus petit indice pour attester sa réalité, si ce n'est l'imagination d'illuminés, qui croient également qu'un fantôme hante les couloirs du Louvre ou que la véritable Joconde se cache dans l'Aiguille creuse d'Étretat !

Uppercut ! Bénavides est sonné. Sérénac hésite un instant à rester sagement derrière les cordes. Tant pis, il s'élance dans l'arène :

— Je suppose, monsieur Poussin, que la présence dans les ateliers et la maison de Monet de plusieurs dizaines de toiles de maîtres, qui dormiraient dans la poussière des greniers ou des placards, c'est également une légende villageoise…

L'œil de Pascal Poussin brille étrangement, comme si Sérénac avait profané un dangereux secret.

— Qui vous a raconté ça ?

— Vous n'avez pas répondu à ma question, monsieur Poussin.

— Non, c'est vrai. La maison et les ateliers de Monet sont des endroits privés. Même si j'ai souvent visité ces lieux en tant qu'expert, vous comprendrez aisément qu'une réponse à votre question relève du secret professionnel. Par contre, permettez-moi également d'insister. Qui a bien pu vous raconter cela ?

Sérénac sourit de toutes ses dents.

— Monsieur Poussin, vous comprendrez aisément que cela aussi relève du secret professionnel !

Pendant quelques secondes, un pesant silence s'abat sur la pièce. Les deux inspecteurs finissent par se lever et les chaises d'époque en grincent de soulagement. Le directeur du musée les raccompagne avec une attention pressée puis referme la porte derrière eux.

— Pas bavard, le directeur, commente Bénavides dans le hall, tout en levant les yeux vers le tondo de « Nymphéas ».

— Plutôt pressé, j'ajouterais. Dis donc, Sylvio, tu m'as l'air d'avoir progressé, en termes de connaissances artistiques… On dirait que tes centres d'intérêt ne se limitent plus aux seuls barbecues…

Bénavides choisit de prendre la remarque comme un compliment.

— Je me documente, patron… J'essaye de croiser mes informations, puisées aux meilleures sources. Mais ce n'est pas pour autant que j'y vois plus clair. Au contraire !

Ils sortent et marchent dans la cour pavée du musée. Devant eux, quelques péniches remontent la Seine. Sur la rive droite, l'étrange maison du Vieux Pont, en équilibre depuis des siècles au-dessus du fleuve entre deux piles abandonnées, semble sur le point de s'effondrer dans l'eau grise.

— Tu as encore ta feuille et tes trois colonnes ? demande Sérénac.

Sylvio rougit en tirant de sa poche une feuille de papier.

— Euh, patron, hier soir, j'ai tenté autre chose, une autre façon d'agencer tous les indices. C'est juste un brouillon, mais…

— Montre-moi ça ! fait Sérénac.

L'inspecteur laisse à peine le temps à son adjoint de déplier la feuille avant de la lui arracher des mains. Il baisse les yeux, découvre un triangle griffonné dans lequel différents noms ont été inscrits. Il se passe la main dans les cheveux, perplexe.

— C'est quoi encore, Sylvio, cette foutue pyramide ?

— Je… j'en sais rien, bredouille Bénavides, juste une autre façon de penser cette affaire peut-être. On est depuis le début de cette histoire face à trois séries d'indices qui partent dans trois directions différentes, les « Nymphéas », les amantes de Morval et les gosses. C'est, disons, une méthode différente pour tout formaliser. Pourquoi ne pas imaginer que plus on se rapproche du centre du triangle, plus l'indice de culpabilité est fort…

Sérénac s'appuie au socle de la statue qui commande l'entrée du musée. Un cheval de bronze.

— Tout formaliser. C'est dingue. Tu crois vraiment résoudre cette enquête avec cette putain de méthode cartésienne ?

Il pose une main moite sur la croupe de bronze.

— Si je te suis, donc, au centre, tu placerais la fondation Theodore Robinson et cette fille de Boston, Aline Malétras… Mouais… Le seul problème, c'est que le directeur du musée vient de refroidir sérieusement la piste d'une affaire dans le monde de l'art autour des « Nymphéas » ou d'un quelconque tableau de Monet, même peint *ante mortem*.

— Je sais… Malgré tout, je trouve assez louche son histoire de secret professionnel…

— Moi aussi. Mais j'ai encore plus de mal à croire à cette histoire surréaliste de dizaines de tableaux impressionnistes oubliés depuis la mort de Monet dans les greniers de la maison rose.

— Je vous suis. En tout cas, les Dupain n'ont *a priori*

rien à voir avec les gosses et le trafic d'art, surtout le mari. Je les positionne dans un angle mort. Tout comme Amadou Kandy…

Sérénac continue d'observer le croquis avec étonnement. Sylvio Bénavides souffle discrètement de soulagement. Dans une version antérieure de son triangle, il avait inscrit le nom de Laurenç Sérénac, à mi-chemin entre le sommet « Amantes » et le sommet « Nymphéas ». Sérénac relève soudain la tête et le dévisage étrangement. Sylvio pose un doigt sur son triangle.

— Reste la fille en blouse bleue, celle qu'on n'a pas identifiée, dans mon triangle, je la situe quelque part entre les amantes et les gosses…

— Cela devient une obsession, ton histoire de môme. Tu as de la suite dans les idées, Sylvio. On ne peut pas dire…

— Qu'est-ce qu'il vous faut de plus, patron ! Une carte d'anniversaire destinée à un enfant de onze ans avec une étrange citation d'Aragon… Et maintenant, une écriture de gosse sur la boîte de peinture… Un môme de onze ans tué selon le même rituel que Morval, en 1937… Des maîtresses de Morval, dont une non identifiée, qui pourrait, pourquoi pas, avoir eu avec lui un enfant d'une dizaine d'années, non reconnu par Morval…

— Mouais… En tous les cas, ce n'est pas un gosse de onze ans qui a pu porter la pierre de vingt kilos qui a fracassé le crâne de Morval. Et avec toute cette salade d'indices, tu fais quoi ?

— Je ne sais pas. Je n'arrive pas à me sortir de l'idée qu'un môme de Giverny est en danger. J'ai bien conscience que c'est ridicule, on ne va pas mettre tous les enfants de Giverny sous cloche. Mais…

Laurenç Sérénac lui tape affectueusement dans le dos.

— On en a déjà parlé, c'est le syndrome de l'homme « papa-ou-presque ». Au fait, toujours rien, côté maternité ?

— Calme plat. On arrive au terme. Je tente d'y passer le plus souvent possible, avec une pile de magazines que Béatrice me balance invariablement sur la figure. « Tout va bien, faut attendre, le col n'est pas ouvert, il est trop tôt pour une césarienne, c'est le bébé qui décide, qu'est-ce que vous voulez que je vous dise d'autre… » : c'est ce que répètent à longueur de journée les sages-femmes.

— Tu y retournes, là ?

— Ben oui…

— Je m'en doute, Sylvio… Tous les autres hommes brûleraient leurs dernières nuits de célibat dans l'alcool, le shit ou le poker ! Mais pas toi ! Salue Béatrice de ma part, c'est une fille bien, tu la mérites !

Il passe sa main sur son épaule.

— Je te rassure, tu es le dernier des sages sur cette planète ! Moi, je retourne en enfer…

Laurenç Sérénac regarde sa montre. 16 h 25.

Il enfile son casque et enfourche sa Triumph.

— Chacun sa ligne de fuite…

Sylvio Bénavides regarde son supérieur s'éloigner. À l'instant où la Triumph disparaît dans l'angle des maisons des quais de Seine, il se demande si, au final, il a eu raison de rayer le nom de Laurenç Sérénac sur la liste des suspects.

– 64 –

Au premier étage du musée de Vernon, la fenêtre de la salle 6 ressemble à un tableau supplémentaire. Le coteau de la rive droite de la Seine, qui se devine par la vitre, prolonge admirablement les paysages encadrés de Pourville, le coucher de soleil sur Veules-les-Roses, le château Gaillard, la place du Petit-Andelys, la Seine à Rolleboise…

Lorsque la Tiger Triumph de l'inspecteur Sérénac traverse le tableau, je vous l'accorde, cela détonne un peu dans le décor impressionniste. Je vois sa moto passer d'une rive à l'autre par le pont de Vernon, tourner à droite, longer la Seine vers Giverny, juste là où le méandre échappe à la vue.

Bien entendu, ce stupide inspecteur vole vers sa belle.

Imprudent. Inconscient.

Je passe dans l'autre pièce, la salle aux boiseries, le cabinet des dessins. Je vous l'avoue, c'est ma favorite ! Avec le temps, j'ai presque fini par préférer les dessins de Steinlen aux tableaux des grands maîtres. J'adore ces caricatures, ces portraits d'ouvriers ou de mendiants brossés d'un caniveau, ces scènes de vies banales d'anonymes capturées au pastel en quelques instants. Je prends mon temps, je m'attarde longuement sur chaque esquisse, je déguste chaque trait de crayon comme un bonbon qu'on laisse fondre sous sa langue. Puisque c'est la dernière fois, mon ultime visite, mon adieu à Steinlen, autant savourer chaque détail.

Après que mon regard s'est arrêté avec émotion sur chaque dessin exposé, selon un rituel de vieille toquée, ce que je suis depuis plus de cinquante ans à chaque fois que je me rends à l'étage du musée de Vernon, je m'arrête devant *Le Baiser*.

Je ne vous parle pas de cette étreinte en paillettes de Klimt, bien entendu, cette espèce d'affiche pour parfum capiteux. Non. Je vous parle du *Baiser* de Steinlen.

C'est un simple croquis au fusain, juste quelques traits : un homme, de dos, habillé près du corps, les muscles saillants, serre contre son torse une femme abandonnée. Elle se hisse sur la pointe des pieds, le visage renversé contre l'épaule de l'homme, son bras timide n'osant enlacer la taille épaisse.

Il la veut. Elle chavire, incapable de lui résister.

Les amants sont indifférents aux ombres décuplées en arrière-plan, comme autant de menaces.

C'est le plus beau dessin de Steinlen. Croyez-moi. C'est le véritable chef-d'œuvre du musée de Vernon.

– 65 –

Dans la rue Claude-Monet, à l'heure de la sortie des écoles, la Tiger Triumph fait sensation auprès des enfants. Les gosses qui courent ralentissent en croisant la moto et tournent la tête, impressionnés. Ils ont entre cinq et douze ans. C'est ce que dirait Laurenç Sérénac. Il ne peut s'empêcher de penser aux hypothèses de Sylvio Bénavides, cette histoire d'enfant en danger. Les visages défilent devant lui. Une dizaine, une vingtaine peut-être. Hilares. Insouciants. Lequel d'entre eux faudrait-il interroger ? Lequel de ces garçons, laquelle de ces filles ? Pour leur demander quoi ? Percer un secret de famille bien gardé ? Traquer une ressemblance, un point commun avec Jérôme Morval ? Par quoi commencer ?

L'inspecteur Sérénac gare sa Tiger Triumph T100 sous le tilleul le plus à l'ombre. Neptune dort au pied de l'arbre, comme s'il le surveillait. Il se lève avec paresse pour quémander quelques caresses que l'inspecteur ne lui refuse pas.

Lorsque Laurenç Sérénac entre dans la classe, Stéphanie lui tourne le dos. Elle est occupée à ranger des feuilles dans des caisses de bois, légèrement courbée. Sérénac ne dit rien. Il hésite. Sa respiration s'accélère. L'a-t-elle entendu ? Joue-t-elle l'indifférence ? Il avance encore et pose ses mains sur les hanches de l'institutrice.

Stéphanie frissonne. Garde le silence. Ni son cou ni son visage ne pivotent. Elle n'en a pas besoin, elle l'a reconnu.

Le bruit d'un moteur ?

Une simple odeur ?

Elle se contente de poser ses mains à plat sur le pupitre de bois devant elle. Les mains de l'inspecteur serrent plus fermement la taille mince de l'institutrice. Son corps se rapproche encore, il sent le souffle de la jeune femme. Son regard ne peut se détacher des fines gouttes de sueur qui perlent entre son oreille et son cou.

Ses mains remontent, l'une glisse le long du dos courbé, pendant que l'autre s'aventure à plat sur le ventre de Stéphanie, accompagnant sa respiration courte. Les deux mains montent encore. Elles se rejoignent presque lorsqu'elles se posent sur les seins de la jeune femme. Les doigts agacent de longues secondes les formes plongeantes, comme s'ils cherchaient à mémoriser leur galbe, avant de se refermer sur elles.

Le visage de Laurenç se colle au profil moite de l'institutrice. Une oreille, une nuque humides. Ils ne forment plus qu'un. Le jean de l'inspecteur s'est collé à la robe de lin de Stéphanie. Désir tendu. Elle suffoque.

Ils demeurent ainsi longtemps. Seules vivent les mains, qui sans même avoir pris le temps de s'introduire entre le tissu et la peau, pétrissent la poitrine.

Stéphanie incline la tête, juste un peu, juste assez pour que celle de Laurenç glisse jusqu'à sa bouche. Elle murmure, souffle plus qu'elle ne prononce :

— Je suis libre, Laurenç. Je suis libre. Emmène-moi.

Les mains de l'inspecteur, lentement, redescendent, s'ouvrent, se déploient comme pour ne pas oublier un millimètre de peau. Elles parviennent à la taille, ne s'y arrêtent pas, descendent encore.

Un instant, un instant seulement, le corps courbé de Laurenç se détache de celui de Stéphanie. Juste le temps que les deux mains avides agrippent le pan de la robe et le troussent jusqu'à la taille, avant que son bassin n'écrase à nouveau les reins de l'institutrice, piégeant le tissu froissé entre elle et lui, laissant tout loisir aux mains de Laurenç de caresser les cuisses nues, de doucement les écarter.

— Emmène-moi, Laurenç, murmure encore la voix tremblante de Stéphanie. Je suis libre. Emmène-moi.

— Alors ? demande Paul à Fanette. Qu'est-ce qu'elle t'a dit ?

Fanette referme derrière elle la porte de la classe de l'école. Son visage est livide. Paul se doute que ça ne présage rien de bon.

— Dis donc, ça n'a pas été long. Qu'est-ce qu'elle t'a dit, la maîtresse ? Elle t'a crue, pour James ? Elle ne t'a pas disputée, tout de même ?

Aucune réponse.

Jamais, auparavant, Paul n'avait vu sur le visage de Fanette une telle détresse. Soudain, sans même lui parler, Fanette s'enfuit en courant. Neptune se lève brusquement de sous son tilleul et galope à ses côtés.

Paul hésite à faire de même. Il crie, avant que Fanette ne disparaisse :

— Tu lui as parlé ?

— Noooon…

Le seul mot prononcé par la fillette, dans un torrent de larmes qui suffirait à inonder la pente de la rue Blanche-Hoschedé-Monet.

– 66 –

L'autocar du conseil général dépose le commissaire Laurentin sur la place centrale de Lyons-la-Forêt. Pendant tout le trajet, le pare-brise du véhicule a offert au commissaire une vue panoramique de l'envoûtante hêtraie qui entoure la commune, puis de l'enfilade de maisons normandes à colombages qui parfume le lieu d'une nostalgie de siècle dernier, comme si le village n'avait été conservé en l'état que pour y tourner des adaptations des nouvelles de Maupassant ou des romans de Flaubert.

Le regard du commissaire Laurentin s'arrête un instant sur la fontaine de la place centrale, juste à côté des halles imposantes. La jolie fontaine de pierre ne fait pas son âge… Et pour cause. Elle a été entièrement construite il y a une vingtaine d'années, pour les besoins du film de Chabrol sur Emma Bovary.

Du faux ! Du toc !

Le commissaire ne peut cependant éviter de faire le rapprochement entre le destin tragique d'Emma Bovary, ce sentiment d'ennui ordinaire, cette impression d'une autre vie possible qui vous serait refusée, et toutes les informations qu'il a recueillies depuis quelques jours sur Stéphanie Dupain. Tout en quittant la place centrale du village, le commissaire Laurentin se raisonne. Un tel parallèle est ridicule, il a passé l'âge des amalgames romantiques. Le commissaire Laurentin progresse d'un bon pas. La maison de retraite Les Jardins se situe un peu au-dessus de Lyons, on y accède par une pente raide, en bordure de forêt.

Le linoléum bleu pastel du hall d'entrée brille comme si on le brossait toutes les heures. La plupart des pensionnaires occupent leur fin d'après-midi, et sans doute le reste du temps, dans une grande salle sur sa gauche. Un immense écran plasma semble allumé en permanence devant une trentaine de résidents immobiles. Endormis. Perdus dans leurs pensées. Les plus actifs mâchent mollement les biscuits d'un goûter servi il y a une heure, en attendant le repas du soir.

Éloge de la lenteur.

Une infirmière un peu forte traverse la pièce avec la souplesse d'un gérant de magasin de porcelaine et s'avance vers lui.

— Monsieur ?

— Commissaire Laurentin. J'ai appelé ce matin. Je souhaiterais rencontrer Louise Rosalba.

L'infirmière sourit. Une petite broche dorée indique son prénom, Sophie.

— Oui, je me souviens. Louise Rosalba est prévenue. Elle vous attend. Louise a beaucoup de mal à s'exprimer depuis quelques années, mais ne vous y fiez pas, elle a encore toute sa tête, elle comprend parfaitement ce qu'on lui demande. Chambre 117. Ne soyez pas trop brusque, commissaire... Louise a cent deux ans, et cela fait bien longtemps qu'elle n'a pas reçu de visite.

Le commissaire pousse la porte de la chambre 117. Louise Rosalba est orientée de trois quarts et observe le parking, juste au-dessous de sa fenêtre. Fixement. Une Audi 80 se gare, un couple sort de la voiture. La femme porte un bouquet de fleurs, deux jeunes enfants chahutent en refermant la portière. Laurentin a l'impression que le flux des visites pour les autres pensionnaires rythme le quotidien de la centenaire.

— Louise Rosalba ?

La vieille femme tourne son visage ridé. Laurentin sourit.

— Je suis le commissaire Laurentin. Sophie, l'infirmière, a dû vous parler de ma visite, ce matin. Je... je suis désolé, je suis venu faire appel à vos souvenirs. De très vieux souvenirs, des souvenirs sans doute pas très agréables. Je suis venu vous parler de la mort de votre fils, votre fils unique, Albert. C'était… en 1937…

Les mains de dentelle tremblent entre les plis de la couverture posée sur ses genoux. Les yeux clairs se mouillent. Louise ouvre la bouche mais aucun son ne sort.

Aux murs, aucun crucifix n'est accroché, aucune photographie d'enfants, de petits-enfants, d'arrière-petits-enfants en robe de baptême ou en aube de communiant ; aucune procession de mariage. Les murs nus sont simplement décorés de la jolie reproduction d'une toile de Monet, *La Demoiselle à l'ombrelle* : une élégante mère de famille y promène son enfant dans un champ où explose le rouge d'une pluie de coquelicots, quelque part dans les environs d'Argenteuil.

— J'ai… continue le commissaire Laurentin. J'ai des questions précises à vous poser. Ne bougez pas, je… je vais aider votre mémoire.

Le commissaire se penche et sort de son sac une photographie de classe en noir et blanc : « École de Giverny – 1936-1937 ».

Il pose le cliché sur les genoux de Louise. Les yeux de la centenaire semblent fascinés par la reproduction.

— C'était Albert ? demande le commissaire en désignant le garçon assis au deuxième rang. C'était bien lui ?

Louise hoche la tête en signe de confirmation. Quelques larmes coulent sur la photographie, comme s'il s'était mis à pleuvoir sur la cour d'école, mais que les enfants, dociles, n'osaient pas bouger un cil, patients devant l'objectif d'un photographe méticuleux.

— Vous n'avez jamais cru qu'il s'agissait d'un accident ? C'est bien cela ?

— N… non, articule Louise.

Elle déglutit longuement.

— Il n'était… pas seul. Pas seul… Près de la… de la riv… rivière…

Le commissaire tente de contrôler son agitation intérieure. Il repense aux conseils de l'infirmière. Ne pas brusquer Louise.

— Savez-vous qui était avec votre fils ?

Louise acquiesce, doucement. La voix du commissaire devient plus hésitante. Une tension extrême semble remplir l'air de la minuscule chambre, comme si ouvrir le coffre de ces vieux souvenirs libérait un gaz inflammable à même de faire exploser la pièce à la première maladresse.

— C'est… c'est cette personne, celle qui était avec Albert près du ruisseau, qui a tué votre fils ?

Louise se concentre sur les mots prononcés par le commissaire et acquiesce encore. Un lent mouvement de cou, sans équivoque.

— Pourquoi n'avoir rien dit ? Pourquoi, à l'époque, ne pas l'avoir accusée ?

Il tombe maintenant une averse sur la cour d'école de Giverny. Le papier se gondole. Les enfants de la classe, toujours sages comme des images, ne bronchent pas.

— Pers… personne… ne… me… me… croyait… même… même mon… ma… mari…

La centenaire semble avoir fourni un effort démesuré pour prononcer ces quelques mots. La peau flasque qui pend sous son cou tremble comme le fanon d'un volatile de basse-cour. Le commissaire Laurentin comprend qu'il doit la ménager, poser les questions et suggérer les réponses, pour que Louise n'ait qu'à confirmer ou infirmer les hypothèses qu'il lui soumet d'un geste ou d'une syllabe.

— Par la suite, vous avez déménagé ? Il n'était pas possible de rester… Puis votre mari est décédé… Vous êtes restée seule ?

Louise hoche lentement le cou en signe d'accord. Le commissaire se penche vers la centenaire, sort un mouchoir de sa poche et essuie avec délicatesse la photographie de classe.

— Et ensuite ? continue Laurentin d'une voix qui peine à masquer son émotion. Cette personne, cette personne qui était avec votre fils au bord de la rivière… Ensuite, cette personne a commis un nouveau crime, c'est cela ? Plusieurs, peut-être ? Cette personne a recommencé ? Cette personne recommencera ?

Louise Rosalba respire mieux tout d'un coup, comme si le commissaire venait de lui enlever un poids qui lui pesait sur la poitrine depuis une éternité.

Elle acquiesce de la tête.

Mon Dieu...

Des frissons parcourent les bras du commissaire Laurentin. Pour lui non plus, ces brusques accélérations cardiaques ne sont pas recommandées, mais dans l'immédiat il se fiche des conseils de son cardiologue, seules comptent ces stupéfiantes révélations, enfouies dans la mémoire d'une femme depuis près de soixante-quinze ans. Il avance la photographie plus près des doigts de Louise.

— Cette… cette personne dont nous parlons, elle aussi est assise sur les bancs de l'école, n'est-ce pas ? Pou… pouvez-vous me la montrer ?

Les doigts de Louise tremblent plus encore. Laurentin place avec douceur sa paume sur le poignet de la centenaire, tout en se gardant bien d'accentuer la pression, de le diriger dans un sens ou dans un autre. Les doigts fripés se déplacent au-dessus de la photo de classe, puis, lentement, l'index de Louise se pose sur un visage.

Le commissaire sent son cœur s'emballer.

Mon Dieu, mon Dieu...

Une immense bouffée de chaleur l'enveloppe. Il serre plus fort encore la main de Louise. Son cœur s'échappe, il faut qu'il se calme.

— Merci. Merci…

Il souffle doucement, l'excitation retombe un peu. Le commissaire Laurentin se laisse envahir par ce sentiment étrange : la contradiction entre la dimension irrationnelle de cette révélation, de ce témoignage, de cette accusation, et sa logique pourtant implacable. Désormais, il sait qui a assassiné le petit Albert Rosalba. En conséquence, il sait également qui a assassiné Jérôme Morval. Qui et pourquoi.

Son cœur reprend petit à petit un battement normal, mais il ne parvient pas à repousser cette dérisoire satisfaction, cet inutile orgueil d'avoir enfin la preuve qu'il ne s'est pas trompé, qu'il ne s'est pas laissé abuser.

D'avoir raison, avant les autres.

Son regard se perd par la fenêtre, au-delà du parking, vers la hêtraie sombre dont on devine l'orée.

Que faire, maintenant ?

Retourner à Giverny ?

Retourner à Giverny et retrouver Stéphanie Dupain ? Avant qu'il ne soit trop tard ?

À cette seule dernière pensée, son cœur bat à nouveau à se rompre. Son cardiologue serait furieux.

– 67 –

22 h 53. Je regarde la lune.

Vue de la fenêtre du donjon du moulin des Chennevières, elle paraît immense, presque à portée de main.

Rassurez-vous, je ne suis pas dingue. Ce n'est pas une illusion d'optique. Ils en ont parlé à France Bleu Haute-Normandie et même à la télévision régionale, ils ont expliqué qu'aujourd'hui la pleine lune est la plus grande de l'année. À son périgée, comme ils ont dit, c'est-à-dire que cette nuit, d'après ce que j'ai compris, la Lune se rapproche au plus près de la Terre… J'ai retenu de ce qu'ils ont expliqué que la Lune ne suit pas un cercle autour de la Terre, mais une ellipse… Il y a donc un jour où la pleine lune est la plus éloignée de la Terre et un jour où elle est la plus proche…

C'est ce soir ! D'après eux, à l'œil nu, vue de la Terre, la Lune devient plus grosse. C'est ce qu'ils ont affirmé juste après la météo, au moment de l'éphéméride. Le périgée. Une fois par an…

La clarté nocturne baigne les toits de Giverny dans une atmosphère étrange. Un artiste motivé pourrait presque sortir son chevalet et peindre toute la nuit, sans lumière artificielle. Combien sommes-nous, en ce même instant, à regarder le même clair de lune ? À avoir écouté la radio, regardé la télévision, et à avoir obéi. Un spectacle à ne pas rater, à ce qu'ils ont dit ! Des milliers, des dizaines de milliers, sûrement.

Décidément, je suis bien nostalgique aujourd'hui… Après mon pèlerinage au musée de Vernon, voilà que je passe ma nuit sous ma fenêtre. Je ne vais pas tenir longtemps ainsi, à ce rythme.

Cela dit, je n'en ai pas l'intention. Croyez-moi, c'est un véritable privilège que de pouvoir connaître la date de la fin et de pouvoir ainsi savourer les dernières heures, la dernière nuit, la dernière lune.

Demain, tout sera terminé !

C'est décidé. Il me reste juste à choisir le moyen.

Poison ? Arme blanche ? Arme à feu ? Noyade ? Asphyxie ?

Ce ne sont pas les possibilités qui me manquent.

Ni le courage. Ni la détermination. Ni la motivation.

J'observe encore le village qui s'endort. Les réverbères et les dernières fenêtres éclairées du village, dans la nuit pâle, me rappellent les fleurs jaunes de mes « Nymphéas » noirs, comme autant de phares fragiles perdus dans un océan de ténèbres.

Les flics ont échoué, ils n'auront rien compris. Tant pis pour eux.

Demain soir, tout se terminera par un dernier cadavre, comme une parenthèse définitivement refermée.

Point final.

C'est la première fois que Fanette contemple une lune aussi grosse. On dirait une planète ou une sorte de soucoupe volante qui va se poser là-bas, dans les arbres, sur le coteau. Sa maîtresse a bien eu raison de leur dire de veiller tard. Elle leur a expliqué, l'ellipse, le périgée, elle a dessiné des schémas compliqués au tableau, avec des flèches et des chiffres.

Fanette n'a pas l'heure, mais il lui semble qu'il doit

être au moins 23 heures. Vincent est rentré chez lui, depuis, disons, une heure, elle dirait.

J'ai cru qu'il allait passer la nuit sous ma fenêtre, à m'écouter, à ne pas vouloir me lâcher la main.

Enfin, il est parti.

Ouf !

Fanette voulait être seule, seule avec cette lune géante, comme une grande sœur. Une grande sœur qui habite loin, qui va l'inviter chez elle.

Ce soir, Fanette a terminé son tableau. D'habitude, elle n'aime pas jouer les vaniteuses, elle n'y croit pas beaucoup, au fond, quand tout le monde lui dit que ce qu'elle dessine est génial, mais là... Oui, oui, elle peut bien le dire à la lune, elle est fière des couleurs qu'elle a posées sur la toile, de ce mouvement de l'eau du ruisseau qui traverse son tableau, de ces lignes de fuite qui partent dans tous les sens. Elle avait tout dans la tête, depuis longtemps, mais jamais elle n'aurait cru pouvoir mettre ça en peinture... Elle a caché le tableau sous le lavoir, Paul ira le chercher demain, le donnera à la maîtresse.

Paul, je peux lui faire confiance. Seulement à Paul. Surtout pas aux autres, Camille le prétentieux, Mary la rapporteuse, Vincent... Vincent... Le petit chien collant.

Surtout pas à maman non plus, maman me surveille ces temps-ci, elle m'emmène à l'école le matin et me dépose devant la grille avant de monter jusqu'à la villa des Parisiens. Pareil à midi. Comme si elle m'espionnait ! Je trouve ça bizarre, des fois. Comme si maman avait peur que je raconte à tout le monde mon histoire.

James. Disparu. Mort.

Tué, dans le champ.

Comme si elle avait peur qu'on prenne sa fille pour une folle.

James...

Fanette tend la main. Elle a l'impression qu'en se penchant un peu plus, sur le rebord de sa fenêtre, elle pourrait toucher les cratères de la lune, passer ses doigts sur les crevasses.

James...

Est-ce que je l'ai inventé ?

Est-ce que je n'ai pas juste trouvé dans le champ quelques pinceaux oubliés par un peintre, quelques gouttes de peinture sur la berge... Mon imagination a fait le reste. Maman me le dit toujours, je vis dans un monde imaginaire, j'invente les choses, je déforme la réalité. Comme je voudrais qu'elle soit.

Maintenant, plus j'y pense, plus il me semble que James n'a jamais existé. Je l'ai inventé, parce que j'avais besoin de lui, j'avais besoin de quelqu'un pour me dire que j'étais douée en peinture, que je devais continuer, que j'avais du génie, que je devais penser à moi et travailler, travailler, travailler encore mes tableaux.

Être égoïste.

Maman ne me dit jamais ça. James m'a dit tout ce qu'un papa aurait dû me dire, tout ce que j'avais envie que mon papa me dise...

Un papa artiste. Un papa peintre. Un papa fier de moi. Un papa qui un jour, au bout du monde, lira mon nom dans le coin d'un tableau exposé dans la plus extraordinaire des galeries, et qui se dira, tout simplement : Je la reconnais, c'est ma fille. Ma petite fille. La plus douée de toutes.

Fanette observe les façades des maisons sombres.

Non ! Non ! Non ! Mon papa n'est pas un type du village chez qui ma mère fait des ménages. Un gros, moche, vieux, qui pue et qui sue. C'est impossible.

Et puis je m'en fiche.

Je n'ai pas de papa. J'ai inventé James à la place... Grâce à lui, j'ai peint mon tableau, mes « Nymphéas ». Demain, ils partent pour le concours. C'est ma bouteille à ma mer...

Demain.

Fanette sourit.

Avec cette lune immense, c'est peut-être un autre bon présage.

Demain, c'est mon anniversaire !

Sous la lune, la cour de l'école de Giverny prend une teinte argentée. Une lune démesurée. Stéphanie a essayé d'expliquer ce phénomène de périgée de l'ellipse de la Lune aux enfants de sa classe à l'aide de quelques schémas simples. Elle leur a recommandé de veiller un peu plus tard que d'habitude, de profiter du spectacle : elle a tout écrit au tableau, une lune quatorze pour cent plus grosse et trente pour cent plus lumineuse.

La lune a la même forme circulaire que la lucarne de leur chambre mansardée, comme si un morceau de fenêtre s'était détaché et envolé dans le ciel. La rue Blanche-Hoschedé-Monet est déserte. Les feuilles des tilleuls de la place de la mairie dansent doucement sous le vent. Une pluie d'argent semble être tombée sur le village.

Jacques est allongé à côté, dans le lit. Sans même avoir besoin de se retourner, Stéphanie devine qu'il ne dort pas. Elle devine qu'il la regarde, qu'il ne dira rien, qu'il respecte son silence. L'intimité entre elle et Jacques lui est devenue de plus en plus insupportable. Jacques n'a modifié aucune de ses habitudes. Ils continuent de dormir ensemble, nus, presque l'un contre l'autre, même si Jacques n'a pas cherché à la toucher, n'a pas cherché à la reconquérir. Physiquement, du moins.

Ils ont discuté, des heures, hier.

Calmement.

Jacques dit qu'il a compris, qu'il va essayer de changer.

Changer quoi ?

Stéphanie ne lui reproche rien. Ou simplement peut-être de ne pas être un autre.

Jacques dit qu'il deviendra un autre.

On ne devient pas un autre. Ces discussions ne mènent à rien, Stéphanie le sait bien. Sa décision est prise. Elle le quitte. Elle part.

Jacques est un homme équilibré. Il pense sûrement que patienter est la bonne méthode pour faire douter Stéphanie. Laisser passer l'orage. Attendre, rester là, un parapluie à la main. Au cas où… Prêt à tendre ce grand parapluie, pour deux, dès que Stéphanie reviendra.

Il se trompe.

Stéphanie observe, longtemps, la cour de cette école où elle enseigne depuis des années, ces marelles tracées dans le goudron, cette cage à écureuil… Dans sa tête bourdonnent les cris des enfants à la récréation.

Stéphanie a donné rendez-vous à Laurenç demain

après-midi. Pas au village bien entendu, pas devant l'école, pas au ruisseau… Plus loin, dans un lieu plus discret. C'est elle qui a eu l'idée : l'île aux Orties, le fameux champ à la confluence de l'Epte et de la Seine que Claude Monet avait acheté, où il posait ses toiles, où il amarrait son atelier-bateau… C'est un joli lieu isolé, à un peu plus d'un kilomètre de Giverny. Plus elle y pense et plus elle est persuadée que c'est la bonne idée, l'île aux Orties. Laurenç saura apprécier. Laurenç a un instinct étonnant pour tout ce qui concerne l'art. Dans la maison de Monet, n'a-t-il pas tout de suite senti que le tableau de Renoir, *La Jeune Fille au chapeau blanc*, n'était pas une reproduction ? Même si sa raison le poussait à ne pas l'admettre, Laurenç pressentait qu'il s'agissait d'un authentique chef-d'œuvre… Comme les dizaines d'autres oubliés dans la maison de Monet. Renoir, Pissarro, Sisley, Boudin… des « Nymphéas » inconnus, aussi. Mon Dieu, s'ils avaient le temps, s'ils étaient libres, Stéphanie aimerait tant les montrer à Laurenç. Partager avec lui une telle émotion…

Jacques a éteint la lumière et s'est tourné sur le côté, comme s'il dormait. L'éclat de lune donne à la chambre des allures de grotte féerique. Les yeux de Stéphanie se posent sur la table de chevet, sur le livre posé.

Il n'a pas bougé.

Aurélien.

Louis Aragon.

Immanquablement, cette phrase revient la hanter. *Le crime de rêver je consens qu'on l'instaure.* Ce message découvert sur la carte d'anniversaire trouvée dans la poche de Jérôme Morval.

Le crime de rêver...

Comme si cette phrase avait été écrite pour elle...

Le crime de rêver...

Tous ceux qui n'ont pas lu les vers suivants, tous ceux qui ne connaissent pas la suite de ce long poème d'Aragon, « Nymphée », se trompent. Non, bien entendu, Aragon ne condamne pas les rêves.

Quel contresens !

C'est l'inverse, c'est bien évidemment l'idée inverse qu'exprime le poète.

Elle récite du bout des lèvres ces vers qu'elle fait apprendre tous les ans aux enfants du village.

Le crime de rêver je consens qu'on l'instaure
Si je rêve c'est bien de ce qu'on m'interdit
Je plaiderai coupable Il me plaît d'avoir tort
Aux yeux de la raison le rêve est un bandit

Stéphanie répète en silence les quatre vers de la strophe, avec la ferveur d'une indécente prière profane.

Si je rêve c'est bien de ce qu'on m'interdit...

Oui, le rêve est hors la loi.

Oui, il plaît à Stéphanie d'être une femme cruelle.

Non, elle n'a aucun remords.

Oui, aux yeux de la raison, son rêve est criminel.

Que demain Laurenç Sérénac la prenne dans ses bras, qu'ils fassent l'amour dans l'île aux Orties, et qu'il l'emmène, qu'il l'emmène...

Demain...

– TREIZIÈME JOUR –

25 mai 2010

(Chemin de l'île aux Orties)

Dénouement

– 68 –

Je marche lentement dans le chemin de terre qui, juste derrière le moulin des Chennevières, part en ligne droite à travers les champs de la prairie : un chemin défoncé dont les roues des tracteurs creusent, année après année, les ornières.

Avec sa Tiger Triumph, l'inspecteur Sérénac n'a pas dû s'amuser, tout à l'heure. Je ne vous fais pas un dessin, je ne suis pas sûre que son antiquité soit très adaptée au motocross. Je l'ai vu passer il y a quelques minutes, tourner derrière le moulin puis s'enfoncer dans les champs, au milieu d'un nuage de terre sèche.

Il y a plusieurs sentiers pour sortir de Giverny et pénétrer dans la prairie, mais tous finissent par se rejoindre en un même cul-de-sac : l'île aux Orties… Devant, droit devant, il n'y a rien d'autre que l'Epte et la Seine. Le chemin y mène tout droit, s'arrête même quelques mètres avant la confluence, sur les bords de l'Epte, au pied d'un bosquet de peupliers que Monet a connu ; ceux-là sont aussi protégés, par les Khmers de l'impressionnisme, que les pyramides d'Égypte…

Si l'on veut rejoindre la Seine, il faut continuer à pied.

Neptune galope devant moi. Il connaît par cœur le chemin, il ne m'attend plus, maintenant. Il a compris que ce petit kilomètre qui sépare le moulin des Chennevières de l'île aux Orties, je le parcours de moins en moins rapidement. Ces ornières sont infernales. Même à l'aide de ma canne, je manque de tomber au moins une fois tous les trois mètres.

Heureusement que c'est la dernière fois que je m'y rends, à cette maudite île aux Orties. Ce n'est plus de mon âge, ce genre de randonnée dans les chemins de ferme. Pour couronner le tout, une chaleur à crever nous étouffe, cet après-midi. C'est la plus belle journée de mai et il n'y a pas un point d'ombre de mon moulin à l'Epte, à part, à la rigueur, à mi-chemin, contre les murs de tôle du captage d'eau. Au moins, mon foulard me protège du soleil. À découvert dans la plaine jaunie, j'ai l'impression de marcher comme une femme arabe dans le désert.

Mon Dieu, vous ne pouvez pas imaginer, je vais mettre une éternité à rejoindre cette confluence de l'Epte et de la Seine, cette fichue île aux Orties.

Quand je pense que Neptune doit déjà y être arrivé !

– 69 –

16 h 17. La Tiger Triumph T100 de Laurenç Sérénac est appuyée au pied d'un peuplier. L'inspecteur est arrivé un peu en avance à l'île aux Orties, il sait

que Stéphanie ne termine pas sa classe avant 16 h 30. Elle a un bon kilomètre ensuite à parcourir à pied pour le rejoindre.

Laurenç avance sous les arbres. Le paysage est étrange : l'Epte, entourée de ces arbres droits alignés comme un régiment au garde-à-vous, ressemble davantage à un canal qu'à une rivière naturelle. La confluence entre l'Epte et la Seine renforce encore cette impression : l'immense lit du fleuve s'écoule avec calme, en se fichant éperdument du ridicule débit que lui apporte ce bras d'eau. Alors que les rives de l'Epte apparaissent figées dans une éternité immuable, à l'inverse on devine vers la Seine la vie qui grouille, la ville, les usines, les péniches, la voie de chemin de fer, les commerces… Comme si la Seine était une autoroute bruyante traversant la campagne… et l'Epte un itinéraire bis par une départementale oubliée qui s'y égare.

On marche derrière lui.

Stéphanie, déjà ?

Il se retourne, il sourit.

C'est Neptune ! Le berger allemand reconnaît l'inspecteur et vient se frotter à lui.

— Neptune ! C'est gentil de venir me tenir compagnie… Mais tu sais, mon gros, il s'agit d'un rendez-vous galant, une rencontre discrète, tu vois… Il va falloir nous laisser…

Une branche craque derrière lui. Des feuilles qu'on froisse.

Neptune n'est pas seul !

Laurenç Sérénac perçoit le danger instantanément, sans même réfléchir. L'instinct du flic.

Il lève les yeux.

Le canon du fusil est braqué sur lui.

Un instant, il pense que tout va se terminer ainsi, sans autre explication. Qu'il va mourir, abattu comme un vulgaire gibier ; qu'une cartouche va lui exploser le cœur et que son cadavre flottera dans l'Epte, puis dans la Seine, pour s'échouer bien plus loin, en aval.

Les doigts ne pressent pas la détente.

Un sursis ? Sérénac s'engouffre dans la brèche, avec une apparente assurance :

— Qu'est-ce que vous faites ici ?

Jacques Dupain baisse ostensiblement son arme.

— Ce serait plutôt à moi de vous poser la question… Vous ne trouvez pas ?

La colère croissante donne une contenance nouvelle à Laurenç Sérénac.

— Comment saviez-vous ?

Neptune s'est assis à quelques mètres d'eux, dans un rayon de soleil qui traverse les peupliers, et semble se désintéresser de leur conversation. Le fusil de Jacques Dupain est maintenant dirigé vers le sol. Dupain grimace un rictus de mépris.

— Vous êtes décidément stupide, Sérénac. Dès que je vous ai vu débarquer dans le village, avec votre gueule de providence, votre blouson de cuir et votre moto, j'ai su. Vous êtes tellement prévisible, Sérénac…

— Personne ne pouvait être au courant. Personne, à part Stéphanie. Elle n'a rien pu vous dire. Vous m'avez suivi, c'est cela ?

Dupain se retourne vers la prairie. On devine le village de Giverny au loin, dans une brume de chaleur qui déforme l'horizon. Dupain rit, avant de répondre :

— Vous ne pouvez pas comprendre. Il y a des choses qui vous dépassent. Je suis né ici, Sérénac. Tout comme Stéphanie. Dans ce village. Le même jour, ou presque. À une rue d'écart. Personne ne connaît Stéphanie mieux que moi. Dès que vous avez commencé à lui tourner la tête, je l'ai perçu. Le moindre détail, un livre qui manque dans une bibliothèque, un regard de Stéphanie vers le ciel, un silence... J'ai appris à interpréter tous les signes. Un pli sur un corsage, une jupe froissée, un sous-vêtement qu'elle ne porte pas d'habitude, une infime nuance dans sa façon de se maquiller, une simple expression de son visage qui change. Si Stéphanie vous fixait un rendez-vous, je le savais, Sérénac. Je savais quand elle le fixait, je savais où elle le fixait...

Laurenç Sérénac affiche une sorte de lassitude agacée et se tourne vers l'Epte. Le long monologue de Dupain l'a rassuré, au final. Il a affaire à un mari jaloux. Après tout, il fallait s'y attendre. C'est le prix à payer. Le prix de la liberté de Stéphanie. Le prix de leur amour.

— Bien, fait l'inspecteur. Quelle est la suite du programme ? On attend tous les deux que Stéphanie arrive et on discute tous les trois ?

Une nouvelle grimace de dédain déforme le visage de Jacques Dupain. Comme si une certitude l'habitait.

— Je ne crois pas, non... Vous avez eu raison d'arriver en avance, Sérénac. Voilà ce que vous allez faire. Vous allez écrire une courte lettre, un mot d'adieu, vous saurez tourner ça avec les formes, vous devez être assez doué pour cela. Sinon, je vous soufflerai. Vous déposerez cette lettre au pied d'un arbre, bien en vue, vous remonterez sur votre moto et vous disparaîtrez...

— Vous plaisantez ?

— Inspecteur… vous avez eu ce que vous souhaitiez. Stéphanie s'est donnée à vous hier, dans la classe de Giverny. Vous avez atteint votre but. Chapeau bas. Beaucoup en rêvaient, vous êtes le premier. On en reste là ! Vous disparaissez de notre vie. Je ne provoque aucun scandale, je ne vais pas rencontrer un avocat pour raconter que l'inspecteur chargé de l'affaire Morval couche avec la femme d'un suspect, d'un suspect qu'il a même pris le soin de coller en taule la veille. En clair, je ne fous pas votre carrière en l'air. Nous sommes quittes. Je suis beau joueur, vous ne trouvez pas, pour un type qu'on présente à Giverny pour un fou de jalousie ?

Sérénac éclate de rire. Le vent agite en cadence les feuilles de peupliers, noisetiers et marronniers.

— Je crois que vous n'avez rien compris, Dupain. Il ne s'agit ni de moi ni de ma carrière. Il ne s'agit pas non plus de vous et de votre orgueil de mari cocu. Il s'agit de Stéphanie. Elle est libre. Avez-vous compris cela ? Ni vous ni moi n'avons rien à discuter… Nous n'avons rien à décider pour elle. Vous saisissez. Elle est libre… Elle décide.

Dupain crispe ses deux mains sur le fusil.

— Je ne suis pas venu pour faire la conversation, Sérénac. Vous perdez un temps précieux. Les mots d'adieu que vous choisirez peuvent être importants pour Stéphanie, elle devra vivre avec ensuite…

Laurenç perçoit un profond énervement monter en lui. La situation lui déplaît. Ce type le dégoûte. Derrière lui, des champs d'orties s'étendent jusqu'à la confluence. Ce lieu est désert. Personne ne viendra, personne à part Stéphanie. Il faut en finir.

— Écoutez, Dupain, ne me forcez pas à être cruel avec vous.

— Vous perdez encore du temps, je vous...

— Vous êtes un médiocre, Dupain, coupe Laurenç Sérénac. Ouvrez les yeux ! Vous ne méritez pas Stéphanie. Elle mérite tellement mieux qu'un quotidien partagé à vos côtés. Elle partira, Dupain, un jour ou l'autre. Avec moi ou avec un autre...

Jacques Dupain se contente de hausser les épaules. La salve de Laurenç Sérénac semble glisser sur lui comme des gouttes sur un toit d'ardoise.

— Inspecteur, est-ce avec ce genre de clichés grotesques que vous avez tourné la tête de Stéphanie ?

Sérénac avance d'un pas. Il est plus grand que Jacques Dupain, vingt centimètres au moins. Il hausse soudain le ton :

— On va cesser ce petit jeu, Dupain. Immédiatement. Je vais être clair, je ne vais pas écrire votre mot. Je me fiche de votre chantage mesquin, de ce que vous pourrez dire à votre avocat concernant ma prétendue carrière...

Jacques Dupain hésite pour la première fois, il regarde Sérénac avec une attention nouvelle. L'inspecteur détourne les yeux et aperçoit au loin le clocher de l'église Sainte-Radegonde, le toit des maisons de Giverny tout autour, comme le village idéalisé d'une maquette de train miniature.

— Mea culpa, inspecteur, continue Dupain. Ainsi, je vous aurais sous-estimé ? À votre façon, vous seriez sincère ?

Son visage se crispe en crevasses ridées.

— Vous ne me laissez pas le choix, je vais devoir avoir recours à des arguments plus convaincants...

Lentement, Dupain monte le canon du fusil vers le front de l'inspecteur. Laurenç Sérénac demeure immobile, le regard fixe. La sueur ruisselle le long de ses cheveux. L'inspecteur siffle, d'une voix de serpent :

— Nous y voilà, Dupain. Le masque tombe. Le vrai visage se dévoile. Celui de l'assassin de Morval…

Le canon du fusil descend à hauteur des yeux. Impossible de ne pas loucher sur l'orifice sombre du tube de métal.

— Hors sujet, inspecteur ! crie Dupain. Ne mélangez pas tout, pour une fois ! Nous sommes ici pour régler une affaire entre nous trois, Stéphanie, vous et moi. Morval n'a rien à voir dans tout ceci…

Sous l'excitation, l'axe du canon s'est légèrement décalé vers l'oreille du policier. Sérénac sait qu'il faut parlementer, gagner du temps, trouver la faille.

— Qu'allez-vous faire, alors ? M'abattre, c'est cela ? M'abattre ici, sous les peupliers ? Il ne sera pas difficile de retrouver le tireur… Un fusil de chasse… L'amant de votre femme descendu à bout portant… Un rendez-vous à l'île aux Orties… Tout le monde m'a vu traverser le village en Tiger Triumph… Finir votre vie en prison, même en m'ayant éliminé, ne sera pas le meilleur moyen de conserver Stéphanie à vos côtés…

Le fusil se rapproche encore, le canon se baisse à hauteur de la bouche. Sérénac hésite à tenter quelque chose. Il serait plus simple d'intervenir maintenant, d'arracher cette arme, d'en finir. Il est plus fort, plus vif que Dupain. C'est le bon moment. L'inspecteur attend, pourtant.

— Vous êtes un malin, répond Dupain dans un rictus. Vous avez raison sur ce point, Sérénac. Ce seul point. Ce ne serait pas très intelligent de ma part de vous abattre froidement, ici. Le crime serait signé. Mais le temps presse, alors accélérons maintenant, écrivez-moi cette lettre d'adieu.

Le fusil descend jusqu'au cou de l'inspecteur. Sérénac remonte avec une infinie lenteur sa main droite le long de sa taille, puis, soudain, la détend.

Sa main se referme dans le vide.

Jacques Dupain, aux aguets, s'est reculé d'un mètre, le fusil toujours fermement braqué.

— Ne jouez pas les cow-boys, inspecteur… Vous gaspillez votre temps. Combien de fois devrai-je vous le répéter ? Rédigez-moi une jolie lettre de rupture.

Sérénac hausse les épaules dans une attitude de mépris.

— N'y comptez pas, Dupain. Ce vaudeville a assez duré, maintenant…

— Qu'est-ce que vous venez de dire ?

— Que ce vaudeville avait assez duré !

— Ce vaudeville ?

Dupain dévisage Sérénac, les yeux exorbités. Tout cynisme, tout dédain a disparu de son expression faciale.

— Ce vaudeville ? C'est bien ce que vous avez dit ? Vaudeville… Vous n'avez donc rien compris, Sérénac ? Vous ne voulez donc pas voir la réalité en face ? Il y a un… un détail dont vous n'avez aucune idée, Sérénac…

Le canon froid de l'arme de chasse se pose sur le cœur de l'inspecteur. Pour la première fois, Laurenç Sérénac ne parvient pas à articuler de réponse.

— Vous ne pouvez même pas imaginer, Sérénac, à quel point je suis attaché à Stéphanie. À quel point je suis capable de tout pour elle. Peut-être, Sérénac, que vous aimez Stéphanie ; peut-être même sincèrement… mais je crois que vous ne vous rendez pas compte à quel point votre ridicule affection pour elle ne fait pas le poids face à ma…

Sérénac déglutit avec dégoût. Dupain poursuit :

— Ma… Appelez cela comme vous voulez, Sérénac… Folie… Obsession… Amour absolu…

Le doigt se plie sur la détente.

— Mais vous allez me rédiger ce mot de rupture, inspecteur, et disparaître à jamais !

– 70 –

Stéphanie Dupain ne peut s'empêcher de jeter un regard sur la pendule au-dessus du tableau.

16 h 20.

Encore dix minutes ! Dans dix minutes, elle lâche les enfants dans Giverny et pourra se précipiter pour retrouver Laurenç. L'île aux Orties. Elle se sent excitée comme une adolescente que son amoureux boutonneux attend à la sortie du collège, sous l'abribus.

Un peu ridicule, aussi. Oui, bien entendu. Mais depuis combien de temps n'a-t-elle pas eu le courage d'écouter ce cœur qui bat la chamade, de lever les yeux vers ce ciel bleu qui ne lui fait penser à rien d'autre qu'à un bonheur sans nuages, de laisser monter en elle cette envie de planter là les enfants, tout de suite, de leur coller à chacun un gros baiser sur les deux joues et de leur dire qu'elle part, faire le tour du monde, qu'ils seront tous grands quand elle les reverra.

De rire aux éclats devant la mine effarée de leurs parents.

Ridicule, oui. Délicieusement ridicule. D'ailleurs, elle n'est pas d'humeur à faire classe, elle glousse comme une sotte à chaque bêtise d'un gosse… Elle ne les a même pas assommés de leçons de morale, lorsque aucun enfant ne lui a rendu de toile pour le concours de la fondation Robinson. Même pas les plus doués… Un autre jour, elle leur aurait sorti le grand sermon, la chance qu'il ne faut pas laisser passer, les jeunes pousses de talent qu'il faut cultiver, les désirs qu'il ne faut pas laisser mourir, les cendres qu'il ne faut pas laisser s'éteindre, tous ces conseils qu'elle leur rabâche à longueur d'année et qui, en fait, ne s'adressaient qu'à elle.

Elle les a écoutés, ses conseils !

Dans neuf minutes maintenant, elle s'enfuit !

Les enfants sont censés résoudre un problème de maths. Ça les change un peu d'Aragon et de la peinture. Certains parents prétendent qu'elle n'enseigne pas assez à leur progéniture de problèmes, de mathématiques, de sciences…

Le crime de rêver...

Le regard Nymphéas de Stéphanie s'envole par la vitre de la classe, loin au-dessus des peupliers de Monet.

— T'as pas donné ton tableau ? murmure Paul en se tournant vers Fanette.

Fanette n'entend rien. La maîtresse regarde ailleurs.

J'y vais !

Elle se faufile jusqu'au bureau de Paul.

— Quoi ?

— Ton tableau, pour le concours ?

Vincent les observe bizarrement. Mary semble avoir la main qui la démange, comme pour lever un doigt et appeler l'institutrice aussitôt qu'elle tournera la tête.

— J'ai pas pu, ce matin, c'est ma mère qui m'emmène à l'école, en ce moment. Elle aurait encore piqué une crise ! Elle me reprend tout à l'heure à la sortie.

Fanette vérifie du coin de l'œil que la maîtresse ne regarde pas dans sa direction. Surveille Mary de l'autre. Justement, Mary fait mine de se lever. Au même instant, comme s'il l'avait anticipé, Camille se penche vers le cahier de Mary pour lui expliquer son exercice.

Le gros Camille est sympa avec moi sur ce coup-là, comme s'il avait tout compris. Mary, elle est vraiment pas douée pour les maths. Pas vraiment douée pour quoi que ce soit. Camille c'est l'inverse, faire son crâneur, c'est sa façon de draguer. Avec Mary, à la longue, ça peut finir par marcher...

Fanette se tient accroupie devant le bureau de Paul.

— Paul, souffle la fillette, tu pourras aller me chercher mon tableau ? Tu sais, à notre cachette. Et tu le rapportes à la maîtresse, juste après l'école ?

— Compte sur moi... Juste le temps de faire l'aller-retour, j'en ai pour moins de cinq minutes en sprintant.

Fanette slalome à nouveau entre les bureaux pour retourner s'asseoir à sa place. Discrète. Sauf que cet abruti de Pierre a encore laissé traîner son cartable. Fanette bute sur le sac et le cogne au pied de la chaise. Un truc bizarre en fer à l'intérieur résonne, comme une cloche, dans la classe.

Quelle conne !

Stéphanie Dupain se retourne vers ses élèves.

— Fanette, dit l'institutrice. Qu'est-ce que tu fais debout ? Tu retournes immédiatement t'asseoir à ta place !

– 71 –

Le canon du fusil braqué par Jacques Dupain est toujours appuyé contre le blouson de cuir de l'inspecteur Laurenç Sérénac. Juste sur son cœur. La clairière ressemble à un temple antique dont les peupliers alignés seraient les piliers. Silencieuse et sacrée. On devine, derrière le rideau d'arbres, l'effervescence du couloir de la Seine, comme un écho lointain.

Sérénac essaye de réfléchir rapidement. Avec méthode. Qui est cet individu en face de lui ? Ce type qui le braque. Jacques Dupain est-il l'assassin de Jérôme Morval ? Si c'est le cas, il s'agit alors d'un criminel méticuleux, organisé, calculateur. Un tel type ne tirera pas sur un flic, ainsi, en plein jour. Il bluffe.

Le visage de Jacques Dupain ne lui dévoile aucun indice. Il adopte la même expression que s'il tenait en joue un lapin ou une perdrix sur le coteau de l'Astragale : concentré, les sourcils froncés, les mains légèrement tremblantes et humides. La position d'un chasseur lambda, qui tient juste au bout de son fusil un gibier un peu plus gros que d'habitude. Sérénac s'oblige à inverser son raisonnement. Peut-être, au fond, que Jacques Dupain n'est qu'un simple mari jaloux, trompé, humilié ? Dans ce cas, il n'est qu'un pauvre type qui n'abattra pas un homme de sang-froid…

C'est évident. Criminel ou non, Dupain bluffe !

Sérénac se force à prendre une voix assurée :

— Vous bluffez, Dupain. Fou ou pas fou, vous ne tirerez pas.

Jacques Dupain blanchit encore, comme si les battements de son cœur devenaient si lents qu'ils n'irriguaient plus ses artères au-dessus de son cou. Une main se crispe sur le canon d'acier, l'autre sur la détente.

— Ne jouez pas à ce jeu, Sérénac, ne jouez pas les héros. Arrêtez vos petits calculs. Vous n'avez toujours pas compris ? Vous voulez avoir un carnage sur la conscience, c'est cela ? Un carnage plutôt que de céder…

Tout commence à se mélanger dans la tête de Sérénac. L'inspecteur est conscient qu'il doit évaluer la situation en quelques secondes. Réagir d'instinct. Il aimerait pourtant disposer de davantage de temps, réfléchir, pouvoir discuter de tous les détails avec Sylvio Bénavides, ses fameuses trois colonnes, chercher le rapport entre Jérôme Morval et toutes les inconnues de cette enquête, les « Nymphéas », la peinture, les gosses, le rituel, 1937… À chaque respiration, il sent le tube glacé de l'arme se presser contre sa chair. Un demi-mètre les sépare. La longueur d'un fusil.

— Vous êtes fou, murmure Sérénac. Un fou dangereux. Je vais vous faire inculper, moi ou un autre.

Neptune s'ébroue sous le peuplier, comme réveillé par les éclats de voix des deux hommes. Il lève des yeux rêveurs, indifférent à leur folie. Il dresse l'oreille au cri de Jacques Dupain :

— Sérénac, allez-vous m'écouter, nom de Dieu ! Vous n'y pouvez rien. Je ne laisserai pas Stéphanie partir. Si les flics s'approchent, si vous tentez quoi que ce soit, si vous me coincez, je vous le jure, je la tuerai et ensuite je me tuerai. Vous prétendez que vous aimez Stéphanie, alors prouvez-le. Laissez tomber… Elle vivra heureuse, vous aussi, tout sera bien.

— Votre chantage est ridicule, Dupain.

L'autre hurle, plus fort encore :

— Ce n'est pas un chantage, Sérénac. Je ne négocie rien ! Je vous dis juste ce qui va se passer si vous ne foutez pas le camp. Je suis capable de tout faire sauter, et moi avec, si je n'ai plus rien à perdre. Avez-vous compris ? Vous pouvez appeler tous les flics du monde, vous ne pourrez pas empêcher un bain de sang.

Le canon se presse plus fort encore sur son cœur. Sérénac a conscience qu'il est maintenant trop tard pour esquisser le moindre geste. Dupain est aux aguets, son doigt sur la détente serait le plus rapide. Il ne reste plus à l'inspecteur que les mots pour convaincre son agresseur :

— Si vous tirez sur moi, vous perdrez Stéphanie. De toute façon…

Jacques Dupain le dévisage longuement. Il se recule à pas lents, sans cesser de braquer l'inspecteur.

— Allez. Nous avons assez gaspillé de temps. Je vous le demande une dernière fois, inspecteur, griffonnez trois mots sur une feuille puis disparaissez. Ce n'est pas si difficile. Oubliez tout. Ne revenez jamais. Vous seul pouvez encore éviter le carnage.

Les lèvres de Jacques Dupain se tordent soudain et laissent échapper un sifflement. Neptune accourt à ses pieds, joyeux.

— Réfléchissez, Sérénac. Vite.

Sérénac ne dit pas un mot. Sa main se pose instinctivement dans la touffe soyeuse du chien qui se frotte à lui.

— Vous connaissez Neptune, je suppose, inspecteur ? Tout le monde connaît Neptune, à Giverny. Ce chien joyeux qui court après les gosses. Qui n'adore pas Neptune ? Qui n'aimerait pas ce chien innocent ? Moi aussi je l'adore, moi le premier, il m'a accompagné cent fois à la chasse…

En un éclair, le canon du fusil se baisse, à la hauteur des genoux de l'inspecteur Sérénac, à vingt centimètres de la gueule de Neptune. Une dernière fois, le chien observe les deux adultes avec une confiance aveugle. Un bébé souriant à ses parents.

Le coup de feu déchire le silence sous les peupliers.

À bout portant.

La gueule de Neptune explose, déchiquetée.

Le chien s'effondre comme une masse foudroyée. La main de Sérénac se referme sur une boule de poils gluante de sang poisseux. Sur le poignet de sa manche et le bas de son pantalon glissent des lambeaux de peau, des viscères, les restes d'un œil et d'une oreille.

Il sent monter en lui une panique intense, annihilant toute tentative de réflexion lucide. Le canon du fusil tenu par Dupain s'est relevé en une fraction de seconde et se colle à nouveau au torse de l'inspecteur.

Il écrase un cœur qui jamais n'a battu aussi vite.

— Réfléchissez, Sérénac. Vite.

– 72 –

L’école est une prison par un tel soleil de mai.

16 h 29.

Les enfants sortent en criant de la classe. Comme au jeu de l’épervier, quelques-uns se font attraper au vol par des parents groupés sur la place de la mairie, pendant que la plupart se faufilent entre les mains tendues et les tilleuls, et dévalent la rue Blanche-Hoschedé-Monet.

Stéphanie passe la porte de la classe, quelques secondes à peine après que le dernier enfant est sorti. Pourvu qu’aucun gosse n’ait une question à lui poser… Pourvu qu’aucun parent, justement ce soir, ne la retienne.

Encore quelques minutes et elle s’abandonnera dans les bras de Laurenç. Il doit déjà être arrivé à l’île aux Orties. Seules quelques centaines de mètres les séparent. Dans le couloir, elle hésite un instant à saisir sa veste accrochée au portemanteau. Finalement, elle sort sans la prendre. Elle a enfilé ce matin la robe légère de coton qu’elle portait lorsqu’elle a rencontré Laurenç pour la première fois, il y a dix jours.

Sur la place de la mairie, un soleil coquin dévore avec délice ses bras et ses cuisses nus.

Comme s’il brillait juste pour moi…

Stéphanie se surprend à s’enivrer de ces réflexions de gamine, de ce romantisme de pacotille.

La fenêtre de la mairie lui renvoie l’image de sa silhouette. Elle s’étonne, aussi, à se trouver jolie, sexy, dans cette petite robe de rien du tout que Laurenç enverra valser dans les orties de l’île. Elle résiste à l'envie de dévaler la rue Blanche-Hoschedé-Monet en courant comme les enfants. À l'inverse, elle avance de trois pas vers la vitre pour y regarder son visage, pour décoiffer ses cheveux et les rendre moins sages, pour étirer les rubans d'argent afin qu'ils narguent le soleil. Elle se dit même qu'elle pourrait perdre quelques secondes supplémentaires, rentrer dans la classe ou chez elle, faire glisser sa robe, enlever ses sous-vêtements, enfiler à nouveau sa robe sur sa peau entièrement nue. Traverser ainsi Giverny. Jamais elle n'a même imaginé cela… Pourquoi pas ? Elle hésite.

Le désir de retrouver Laurenç au plus vite l'emporte. Elle cligne ses grands yeux mauves dans le reflet flou de la fenêtre. Elle a pimenté ses paupières ce matin d'un soupçon de maquillage. Juste ce qu'il faut. Oui, si elle le demande à Laurenç avec des yeux qui pétillent ainsi, qui à la fois implorent, rient et déshabillent… Oui, elle sera sauvée.

Laurenç l'emmènera.

Non, plus jamais sa vie ne sera la même.

Stéphanie accélère, trottine presque en descendant la rue Blanche-Hoschedé-Monet. Lorsqu'elle parvient au chemin du Roy, elle décide de ne pas contourner le moulin des Chennevières en suivant le sentier, elle préfère couper tout droit, à travers le champ de maïs devant elle, comme le font les enfants.

Pour les enfants, un champ de maïs, avec toutes ces allées entre les épis, c'est comme un immense labyrinthe. Elle s'en fiche, elle n'a pas peur de se perdre dans le dédale. Elle coupera au plus court. Elle va tout droit. Toujours tout droit, maintenant.

– 73 –

Paul enjambe avec précaution le pont sur le ru de l'Epte. Sans savoir pourquoi, il se méfie. Peut-être à cause des mystères que fait Fanette, cette façon de lui dire que lui seul connaît la cachette du fabuleux tableau de « Nymphéas » qu'elle a peint. Fanette aime bien ça, les secrets, les promesses, les trucs bizarres. Il se méfie peut-être aussi à cause de cette histoire de peintre assassiné, James, cet Américain.

Fanette a-t-elle réellement vu son cadavre dans le champ ? A-t-elle tout inventé ? Et puis il y a les flics bien sûr, les flics qui interrogent tout le monde dans le village à cause de l'assassinat de l'autre type.

Tout ça lui fait peur. Il ne dit rien devant Fanette, il crâne un peu devant elle, il joue les chevaliers, mais en vrai, tout ça lui fiche la trouille, comme ce moulin à côté avec sa roue dans l'eau et sa grande tour comme celle d'un château hanté.

Il y a du bruit derrière lui.

Paul se retourne brusquement. Il ne voit rien.

Il doit faire attention. Fanette lui a confié une mission. À lui seul. Il n'y a qu'à lui qu'elle fait confiance. Bon d'accord, c'est une mission toute simple, récupérer ce tableau, sous le lavoir, le porter à la maîtresse, lui expliquer que c'est pour le concours de la fondation Robinson. C'est une mission de rien du tout, même en marchant, le lavoir est à cinq minutes de l'école. Un aller-retour en dix minutes.

Paul scrute une nouvelle fois les environs, il vérifie qu'il n'y a personne sur le pont, dans la cour du moulin, dans le champ de blé derrière, puis se penche sur les marches du lavoir, passe la main dans l'espace.

Il prend peur soudain.

Sa main tâtonne dans le noir. Il panique, il ne trouve rien. Rien que le vide. Les idées fusent dans son cerveau. Quelqu'un est venu. Quelqu'un a volé le tableau. Quelqu'un a voulu se venger, faire du mal à Fanette… Ou bien quelqu'un a deviné la vraie valeur de la première peinture de Fanette, parce que c'est sûr qu'un jour les tableaux de Fanette vaudront cher, très cher, aussi cher qu'un Monet…

C'est sûr, c'est pour ça. Sa main agrippe des toiles d'araignée, se referme sur de l'air. Ce n'est pas possible ! Où a-t-il pu passer, ce tableau ? Il a vu Fanette le glisser là, hier…

On bouge derrière lui !

C'est certain maintenant, quelqu'un marche sur le chemin. Paul se raisonne. C'est sans doute quelqu'un qui passe, il y a plein de monde qui passe sur le pont, tout le temps, ce n'est pas important. Paul ne peut pas se retourner, pas tout de suite. Ce qui est important, c'est de trouver ce tableau. Paul se contorsionne à plat ventre. Il enfonce plus loin encore son second bras dans le trou étroit sous le lavoir. Agite les mains, fouille.

Une immense chaleur l'enveloppe. Il ne va pas échouer comme ça, aussi bêtement. Il ne va pas retourner voir Fanette et lui dire, comme ça, comme un idiot, que le tableau n'était plus là. Paul se rend compte qu'il n'entend maintenant plus aucun pas sur le chemin.

Comme si quelqu'un s'était arrêté.

Il fait trop chaud. Paul a trop chaud.

Ses bras s'électrisent, soudain, comme s'il avait touché des fils dénudés. Tout au fond, dans le noir, ses doigts se sont refermés sur du papier cartonné. Paul tire. Ses mains explorent encore, suivent en aveugle le colis plat, les angles droits…

Pas de doute. C'est le tableau !

Paul sent son cœur exploser de joie. Le tableau est là, il était juste un peu trop enfoncé. Qu'il est idiot ! Il s'est fait peur tout seul. Qui aurait pu voler cette peinture ? Le garçon se met à genoux, tire encore sur le paquet. Enfin, le carton sort au grand jour.

C'est bien le tableau, Paul le reconnaît. Même format d'environ quarante centimètres sur soixante, même couleur marron du papier qui le recouvre. Il va l'ouvrir pour vérifier, il va l'ouvrir pour le voir encore une fois, pour que les couleurs en cascade lui explosent à la figure…

— Qu'est-ce que tu fais ?

La voix lui glace le sang.

Quelqu'un se tient derrière lui ! Quelqu'un s'adresse à lui. Une voix que Paul connaît bien, trop bien, même. Une voix si froide qu'on dirait qu'elle a croisé la mort.

– 74 –

L'ombre des tôles du captage d'eau me fournit un peu d'ombre. Il s'agit d'une sorte de grand réservoir. Je me maudis moi-même, je maudis mes pauvres jambes. Traverser la prairie du moulin à l'Epte devient pour moi aussi difficile que de traverser le cercle polaire. Une véritable expédition. Un kilomètre de chemin, à peine. Quelle pitié ! Quand je pense que Neptune m'attend déjà là-bas, à l'île aux Orties, à l'ombre des peupliers, depuis une demi-heure…

Allez, il faut que je me secoue.

Je me repose encore quelques instants et je repars.

Ne venez pas me faire la morale, je sais bien que je ne suis qu'une vieille tête de mule. Mais il faut que je me rende à l'île aux Orties, une dernière fois. Pour un dernier pèlerinage. C'est là-bas, nulle part ailleurs, que je choisirai l'arme.

Bien entendu, c'est exactement au moment où je vais me remettre en marche que Richard surgit, de derrière les tôles du captage d'eau. J'aurais dû reconnaître sa 4L bleue garée derrière la barrière. Richard Paternoster, le dernier agriculteur de Giverny, celui à qui appartiennent les trois quarts de la prairie, un paysan qui a une tête et un nom de curé, qui en trente ans n'a jamais oublié de me saluer de la main, même quand il m'asphyxiait du haut de son tracteur et qu'il nous envoyait dans les poumons, à Neptune et à moi, toutes sortes d'insecticides en conduisant ses engins de torture, à me rejouer la mort aux trousses à chaque fois que je traversais la prairie.

Forcément, le voilà qui m'agrippe pour me raconter sa pauvre vie et partager avec moi la misère du monde. Comme si j'allais le plaindre, avec ses cinquante hectares classés monument historique !

Impossible de l'éviter. Il m'invite du bras à rentrer, dans la cour, à profiter un peu de l'ombre des tôles.

Je n'ai pas le choix, j'avance vers lui. J'ai juste le temps d'apercevoir au loin le nuage de fumée qui se rapproche sur le chemin, comme le panache des vieux trains dans les plaines du Far West. La moto passe sans ralentir devant la ferme. Pas assez vite cependant pour que je ne puisse pas la reconnaître.

Une Tiger Triumph T100.

– 75 –

Stéphanie parvient essoufflée à l'île aux Orties. Elle a couru dans le champ de maïs, tout droit, comme une adolescente impatiente. Comme si chaque seconde qui la séparait de son rendez-vous amoureux comptait.

Laurenç l'attend, elle le sait.

Elle repousse les dernières herbes à hauteur de sa taille et pénètre dans la clairière.

Il règne sous les peupliers de l'île aux Orties un silence de cathédrale.

Laurenç n'est pas là.

Il n'est pas caché, il ne joue pas avec elle. Il n'est pas là, tout simplement. Sa Triumph serait garée, quelque part.

Elle n'a pas voulu écouter, lorsqu'elle traversait le champ, elle n'a pas voulu regarder, mais elle a distinctement entendu le bruit de ce moteur qu'elle a appris à reconnaître, celui de la Triumph de Laurenç. Elle a vu se soulever la fumée au loin. Elle voulait croire qu'elle se trompait. Elle voulait croire que Laurenç arrivait, même si le son semblait s'éloigner, que c'était le vent, rien que le vent qui était responsable de cette illusion. Il était impossible de penser que la Triumph partait, que Laurenç fuyait.

Pourquoi aurait-il fui, avant même qu'elle arrive ?

Laurenç n'est pas là.

Ses yeux ne peuvent manquer la feuille clouée devant elle sur le tronc du premier peuplier. C'est une simple feuille de papier blanc sur laquelle quelques mots sont griffonnés.

Elle s'approche. Elle sait déjà qu'elle ne va pas aimer ce qu'elle va lire, qu'il y aura dans ces mots comme un faire-part de deuil.

Elle avance, somnambule.

L'écriture est hachée, nerveuse.

Quatre lignes.

Il n'y a pas d'amour heureux...
À l'exception de ceux que notre mémoire cultive.
À jamais, pour toujours,

Laurenç

Stéphanie sent que ses jambes ne la portent plus. Ses mains s'accrochent désespérément à l'écorce du peuplier, qui se déchire entre ses doigts. Elle tombe. Les troncs verticaux dansent autour d'elle comme les géants d'une ronde satanique.

Il n'y a pas d'amour heureux...

Seul Laurenç a pu écrire ces mots, elle en est consciente. Un souvenir. Un joli souvenir, c'est donc tout ce que recherchait l'inspecteur.

Sa robe claire de coton s'accroche à un mélange de terre humide et de cailloux. Ses bras, ses jambes sont souillés. Stéphanie pleure, refuse la vérité.

Quelle sotte !

Un souvenir.

À jamais, pour toujours.

Elle devra se contenter d'un souvenir. Toute sa vie. Retourner à Giverny, en classe, chez elle. Reprendre le cours des choses, comme avant. Refermer la cage, elle-même.

Quelle idiote !

Qu'a-t-elle cru ?

Elle tremble maintenant, elle tremble de froid dans l'ombre des arbres. Sa robe est mouillée. Pourquoi mouillée ? Ses pensées se brouillent. Elle ne comprend pas, l'herbe de la prairie lui semblait grillée sous le soleil. Peu importe. Elle se sent si sale. Elle passe sa main devant ses yeux, elle cherche avec maladresse à essuyer les larmes qui coulent.

Mon Dieu !

Les pupilles révulsées de Stéphanie ne peuvent se détacher de ses deux paumes : elles sont rouges. Rouge sang !

Stéphanie se sent défaillir, elle ne comprend plus. Elle lève les bras : ils sont eux aussi couverts de sang. Elle baisse les yeux. Sa robe est maculée de taches pourpres imbibant le coton clair.

Elle baigne dans une mare de sang !

Un sang rouge. Vif. Frais.

Soudain, les feuilles des arbres vibrent derrière elle. Quelqu'un vient.

– 76 –

— Qu'est-ce que tu caches ? Qu'est-ce que tu caches dans ce paquet ?

Paul se retourne et pousse un immense soupir de

soulagement. C'est Vincent ! Il aurait dû s'en douter, il est toujours là à les espionner, celui-là. Mais bon, ce n'est que Vincent. Même si son copain a une drôle de voix et un regard bizarre.

— Rien…

— Quoi, rien ?

Fanette a raison. Vincent est une plaie !

— D'accord après tout, puisque tu veux savoir. Regarde !

Paul se penche vers le tableau enveloppé et ouvre le papier marron. Vincent s'est approché.

Attends-toi à un choc, gros curieux !

Paul écarte l'emballage. Les couleurs des « Nymphéas » peints par Fanette explosent à la lumière du soleil. Sur la toile, les fleurs de nénuphar vibrent au mouvement de l'eau, flottent comme des îles tropicales sans amarres.

Vincent ne dit rien. Il semble ne pas pouvoir détacher les yeux de la peinture.

— Allez, remue-toi, continue Paul d'une voix énergique. Aide-moi à refermer l'emballage. Je dois le porter à la maîtresse. C'est pour le concours « Peintres en herbe », tu t'en doutes.

Il fixe Vincent, les yeux emplis de fierté.

— Qu'est-ce que tu en penses, alors ? C'est un génie, hein, notre Fanette ! La plus douée de toutes… Elle n'aura que l'embarras du choix. Tokyo, New York, Madrid, toutes les écoles de peinture du monde vont se battre pour elle…

Vincent se lève. Il titube comme s'il était ivre.

Paul s'inquiète :

— Ça va, Vincent ?

— Tu… tu ne vas pas faire ça ? balbutie le garçon.

— Quoi ça ?

Paul commence à replier le papier marron sur le tableau.

— Do… donner ce tableau à la maîtresse. Pour qu'on l'envoie à l'autre bout du monde… Pour qu'ils nous prennent Fanette…

— Qu'est-ce que tu racontes ? Allez, aide-moi.

Vincent avance d'un pas. Son ombre recouvre Paul, toujours accroupi. La voix de Vincent, d'un coup, devient autoritaire, comme Paul ne l'a jamais entendue dans la bouche de son ami :

— Balance le tableau à la rivière !

Paul lève la tête et se demande, le temps d'un instant, si Vincent est sérieux ou non, puis il éclate de rire.

— Raconte pas n'importe quoi. Aide-moi, plutôt.

Vincent ne répond pas. Il se fige quelques instants puis, soudain, il avance d'un pas sur le bitume, lève le pied droit, pousse la toile posée sur les marches.

Le tableau glisse. Le ruisseau n'est qu'à quelques centimètres.

La main de Paul bloque le paquet. *In extremis*. Il le tient solidement d'une main et se relève, furieux.

— T'es dingue ! T'aurais pu le foutre à la flotte…

Paul sait que Vincent ne fait pas le poids. Il est plus fort que lui. S'il continue, Vincent, il va comprendre.

— Pousse-toi. Dégage. Je vais le porter à la maîtresse, ce tableau. Après, on réglera nos comptes, tous les deux.

Vincent se recule de deux mètres sous le saule pleureur dont les branches trempent dans le ruisseau. Il fouille dans la poche de son pantalon.

— Je te laisserai pas faire, Paul. Je te laisserai pas nous enlever Fanette.

— T'es dingue ! Dégage !

Paul avance. Vincent, en un saut, se précipite devant lui.

Il tient dans la main un couteau.

— Qu'est-ce que…

La surprise tétanise Paul.

— Tu vas me donner ce tableau, Paul. Je vais juste l'abîmer un peu. Juste ce qu'il faut…

Paul n'écoute plus les délires de Vincent. Il est concentré sur le couteau que Paul brandit. Un couteau plat et large. Le même qu'utilise Fanette quand elle peint. Le même qu'utilisent les peintres pour nettoyer leur palette.

Où Vincent a-t-il pu trouver cet outil ?

À quel peintre a-t-il pu le voler ?

— Donne-moi ce tableau, Paul, insiste Vincent. Je ne plaisante pas.

D'instinct, Paul cherche de l'aide, quelqu'un qui passe, un voisin, n'importe qui. Ses yeux se tournent vers la fenêtre du donjon du moulin des Chennevières. Personne ne bouge. Pas un chat. Pas un chien. Pas même Neptune.

La rivière semble chavirer autour de lui.

Un prénom tourbillonne dans son crâne, irréel, surréaliste.

James.

Paul fixe encore le couteau que tient Vincent. Un couteau sale. Un peintre nettoierait son couteau.

Pas Vincent.

La lame du couteau est rouge.

Rouge sang.

– 77 –

Les jambes nues de Stéphanie glissent dans la terre mêlée de sang, cherchent un appui dans la boue pourpre.

Quelqu'un vient.

Ses mains tentent d'agripper le tronc du peuplier devant elle, l'enserrent comme le corps d'un homme au pied duquel elle serait couchée. Elle se hisse péniblement. Elle a l'impression d'être couverte d'excréments, de lambeaux humains, d'avoir été jetée dans une fosse commune et de ramper parmi les cadavres pour en sortir.

Quelqu'un vient.

Stéphanie s'accroche au peuplier, se frotte à lui, se contorsionne comme pour s'essuyer à l'écorce, comme pour épouser sa force.

Quelqu'un vient.

Quelqu'un suit les berges de l'Epte. Elle entend distinctement un bruit de pas, qui froisse les fougères qui longent la confluence de la Seine, qui se rapproche. Dans le contre-jour, un corps se détache du rideau de peupliers.

Laurenç ?

Un bref instant, Stéphanie pense à son amant. Il n'existe plus de mare de sang. Plus d'immondices. Elle va déchirer cette robe souillée et se jeter dans les bras de Laurenç.

Il est revenu. Il va l'emmener.

Son cœur n'a jamais battu aussi vite..

— Je… je l'ai trouvé ainsi.

Jacques. C'est la voix de Jacques.

Glacée.

Les mains de Stéphanie griffent le bois. Les ongles de ses doigts se cassent au tronc, un à un, en autant de douleurs, comme pour exploser en éclats l'insupportable souffrance.

L'ombre avance dans le soleil.

Jacques.

Son mari.

Stéphanie n'a même plus la force de réfléchir, de se demander ce qu'il fait ici, à l'île aux Orties, de tenter de remettre en ordre les événements qui se succèdent. Elle se contente de les subir, de marcher comme une somnambule et de se cogner à cette succession d'obstacles qui se précipitent sur elle.

Les yeux de Stéphanie ne peuvent se détacher de cette forme sombre que porte Jacques dans ses bras. Un chien, un chien mort dont la gueule a été à demi arrachée et dont le sang continue de couler le long des cuisses de Jacques.

Neptune.

— Je l'ai trouvé ainsi, murmure Jacques Dupain d'une voix blanche. C'est sûrement un accident de chasse dans la plaine. Quelqu'un l'a abattu. Un coup perdu. Ou un salaud. Il… il n'a pas souffert, Stéphanie. Il est mort sur le coup…

Stéphanie se laisse doucement glisser le long du tronc. L'écorce lui lacère les bras, les jambes. Elle ne sent plus la douleur. Plus aucune douleur.

Jacques lui sourit. Jacques est fort. Jacques est calme.

Il pose avec délicatesse le cadavre de Neptune sur un lit d'herbe.

— Ça va aller, Stéphanie.

Stéphanie sent toute résistance céder en elle. Heureusement, Jacques est là. Que serait-elle sans lui ? Que ferait-elle sans lui ? Il a toujours été là. Sans se plaindre, sans la juger, sans rien lui demander. Juste là. Comme ce peuplier auquel elle s'accroche. Jacques est un arbre qu'on a planté à côté d'elle, qui ne bronche pas lorsqu'elle s'éloigne, qui sait qu'elle reviendra toujours se protéger à son ombre.

Jacques lui tend la main. Stéphanie la saisit.

Elle a confiance en lui. En lui seul. Il est le seul homme qui ne l'a jamais trahie. Elle s'effondre en larmes contre son épaule.

— Viens, Stéphanie. Viens. Je suis garé un peu plus loin. On va charger Neptune dans le coffre. Viens, Stéphanie, nous rentrons chez nous.

– 78 –

L'inspecteur Laurenç Sérénac adosse sans précaution sa Triumph au mur blanc du commissariat. Il a mis à peine quelques minutes pour parcourir les cinq kilomètres qui séparent Giverny de Vernon. Il entre en trombe. Maury tient l'accueil, il parlemente avec trois filles, dont l'une, quasi hystérique, qui martèle que son sac à main a disparu à la terrasse de la place de la gare. Les deux copines hochent la tête.

— T'as vu Sylvio ?

Maury lève la tête.

— En bas. Aux archives…

Sérénac ne ralentit pas. Il dévale l'escalier et pousse la porte rouge. Sylvio Bénavides est penché sur un bloc de papier, il griffonne des notes. Il a étalé le contenu de la boîte à archives sur la table : les photographies des maîtresses de Jérôme Morval et des scènes de crime, les listes d'enfants de l'école de Giverny, l'autopsie, les expertises graphologiques, les photocopies de « Nymphéas », les notes manuscrites…

— Patron ! Vous tombez bien. J'ai avancé, je crois…

Sérénac ne laisse pas le temps à son adjoint d'en dire davantage :

— Laisse tomber, Sylvio. On décroche…

Bénavides le regarde avec étonnement et continue :

— Donc je vous disais, j'ai du nouveau. Tout d'abord, j'ai enfin retrouvé la cinquième maîtresse, la fameuse fille en blouse bleue, à partir des bulletins de paye de la famille Morval. J'ai passé des dizaines de coups de fil. Elle s'appelle Jeanne Thibaut. Effectivement, elle couchait avec Morval, pour garder son job, m'a-t-elle dit. Mauvais calcul, Patricia l'a virée au bout de deux mois. Depuis, elle a déménagé en région parisienne. Elle vit avec un facteur. Elle a deux gosses, de trois et cinq ans. Bref, vous voyez, patron, rien de suspect, de ce côté c'est à nouveau l'impasse !

Sérénac dévisage son adjoint d'un regard morne :

— L'impasse. Nous sommes d'accord alors, c'est…

— Sauf, coupe Bénavides, de plus en plus enthousiaste, que je suis aussi allé aux archives départementales, j'y ai passé un sacré moment… et j'ai fini par dénicher des exemplaires du *Républicain de Vernon* qui remontent à 1937. Ces journaux évoquent la mort de ce gamin, Albert Rosalba. Il y a même une sorte d'interview de la mère de l'enfant noyé. Louise Rosalba. Elle ne croyait pas à un accident. Elle…

Sérénac hausse le ton :

— Tu ne m'as pas compris, Sylvio. On laisse tomber ! Ça ne rime à rien, notre enquête, tout ce délire autour des « Nymphéas » oubliés cachés dans les greniers de Giverny, de l'accident d'un gosse avant la guerre ! De ces maris cocus… On se noie dans le ridicule !

Bénavides lève enfin son stylo de sa feuille de notes.

— Excusez-moi, mais c'est moi qui ne comprends plus, là, patron. Ça veut dire quoi, exactement, « on laisse tomber » ?

D'un revers de main, Sérénac fait voler les papiers étalés sur la table et s'assoit à leur place.

— Je vais te le dire autrement, Sylvio… Tu avais raison. Sur toute la ligne. Mélanger enquête criminelle et sentiments personnels dans cette histoire était la pire des folies… Je l'ai compris un peu tard, mais je l'ai compris…

— Vous parlez de Stéphanie Dupain ?

— Si tu veux…

Sylvio Bénavides lance un sourire complice et rassemble avec patience les feuilles éparpillées.

— Jacques Dupain n'est plus l'ennemi public numéro un, alors ?

— Faut croire que non…

— Mais… les…

Sérénac hausse le ton et tape du poing :

— Écoute-moi, Sylvio. Je vais téléphoner au juge d'instruction et lui expliquer que je patauge dans cette histoire, que je suis le dernier des incompétents, et que si ça lui chante il peut confier l'enquête à un autre…

— Mais…

Sylvio Bénavides embrasse du regard les pièces à conviction sur la table, jette un œil sur ses notes.

— Je... je vous comprends, patron. C'est même sûrement la bonne décision, mais...

Ses yeux se posent sur Laurenç.

— Nom de Dieu, qu'est-ce qui vous est arrivé ?

— Quoi ?

— Vos manches, votre blouson ? Vous avez transporté un cadavre ou quoi ?

Laurenç soupire.

— Je t'expliquerai... Plus tard. Il sous-entendait quoi, ton « mais » ?

Sylvio hésite à insister. Finalement, il détourne les yeux des habits souillés de sang.

— Mais... mais plus j'essaie de remettre en ordre toutes ces pièces du puzzle, et plus je reviens à cette histoire de gosse en danger, de gosse de onze ans... Si on laisse tomber maintenant, on risque de...

Sylvio Bénavides n'a pas le temps de terminer sa phrase. L'agent Maury, qui a descendu quatre à quatre les marches de l'escalier, surgit dans la salle des archives.

— Sylvio ! On a reçu un coup de fil de la maternité. C'est ta femme ! C'est parti, mon grand... Je crois avoir compris qu'elle avait perdu les eaux, mais la sage-femme ne m'a pas donné plus de détails, juste que le papa devait rappliquer dare-dare...

Bénavides bondit de sa chaise. Laurenç Sérénac lui adresse une tape amicale dans le dos pendant qu'il attrape sa veste.

— Fonce, Sylvio... Oublie le reste...

— Bon... Ben...

— Fonce, idiot !

— Merci, Laur… Euh, patron… Euh… Laurenç, je…

Il hésite un bref instant, le temps d'enfiler maladroitement ses bras dans les manches de sa veste. Sérénac le presse :

— Quoi ? Qu'est-ce que tu attends encore ? Vas-y !

— Euh, patron, juste avant de partir… Pour cette fois-ci, je peux vous tutoyer ?

— Il était temps, connard.

Ils sourient tous les deux. L'inspecteur Bénavides jette un dernier regard vers les feuilles sur la table, en particulier vers la photographie de Stéphanie Dupain, mélangée aux autres clichés puis lance en sortant :

— Tout bien pesé, je crois que tu as bien fait de laisser tomber cette enquête !

Laurenç Sérénac écoute son adjoint courir dans l'escalier. Les pas lourds s'éloignent, une porte claque, puis plus rien. Sérénac rassemble lentement toutes les pièces du dossier dans la boîte à archives rouge. Les photos, les rapports, les notes. Il parcourt des yeux le classement alphabétique des lettres de l'étagère, puis range le carton rouge.

M... comme Morval.

Il se recule. L'affaire Morval n'est plus qu'un dossier parmi quelques centaines d'autres non élucidés. Malgré lui, il ne peut s'empêcher de repenser à la dernière remarque de Sylvio.

Un enfant en danger de mort.

Un enfant qui meurt. Un autre qui naît…

Sylvio oubliera…

Laurenç Sérénac aperçoit, presque amusé, dans un coin de la pièce, quelques bottes que leurs propriétaires givernois ne sont jamais venus récupérer, sans doute parce qu'elles étaient trop vieilles ou trop usées. Au-dessus, sur une table, l'empreinte de semelle en plâtre est toujours exposée. Décidément, cette enquête n'avait aucun sens, se force-t-il à ironiser. Ses pensées suivantes volent vers Stéphanie, vers le cadavre de Neptune.

Oui, il a pris la bonne décision. Il y a eu assez de morts…

Pour le reste, le regard mauve Nymphéas de Stéphanie, sa peau de faïence, ses lèvres de craie et les rubans d'argent dans ses cheveux…

Il oubliera.

Du moins, il l'espère.

– 79 –

— Donne-moi ce tableau, répète Vincent.

Le couteau de peintre que le garçon tient à la main lui assure une contenance nouvelle, comme s'il avait quelques années de plus, l'âge et l'expérience d'un adolescent rodé au combat de rue. Paul serre plus fermement encore le tableau de Fanette contre sa taille.

Furieux.

— Il vient d'où, Vincent, ce couteau ?

— Je l'ai trouvé ! On s'en fout. Donne le tableau… Tu sais bien que c'est moi qui ai raison. Si tu tiens vraiment à Fanette…

Les pupilles de Vincent se dilatent. Des nervures

rouges se forment au coin de son œil. Des yeux de dingue. Jamais Paul ne l'a vu ainsi.

— T'as pas répondu. Tu l'as trouvé où, ce couteau ?

— Change pas de conversation !

— Pourquoi il y a du sang sur ton couteau ?

Le bras de Vincent tremble un peu, maintenant. Les nervures rouges de ses iris s'agrandissent, se rejoignent en cercle autour de sa pupille.

— Mêle-toi de ce qui te regarde !

Paul a l'impression de voir son ami se métamorphoser sous ses yeux, se transformer en une sorte de fou hystérique capable de tout. Il pose la main sur le rebord du lavoir.

— C'est… c'est… c'est pas toi, tout de même…

— Dépêche-toi, Paul. File ce tableau. On est dans le même camp ! Si tu tiens à Fanette, on est dans le même camp.

Le couteau de peintre s'agite dans l'air en mouvements désordonnés. Paul se recule.

— Putain… Tu… tu… C'est toi qui as planté le peintre américain… *James*… Un coup de couteau dans le cœur, m'a raconté Fanette. C'est… c'est toi ?

— Ta gueule ! Qu'est-ce que t'en as à foutre, d'un peintre américain ? C'est Fanette qui compte, non ? Choisis ton camp, je te dis ! File le tableau, ou balance-le dans l'eau… Une dernière fois !

Le bras de Vincent se raidit, comme s'il tenait une épée et qu'il allait porter un assaut.

— Une dernière fois…

Paul esquisse un sourire et se baisse pour poser le paquet sur le bitume du rebord du lavoir.

— OK, Vincent. On se calme…

Puis, soudainement, Paul se redresse. Vincent,

surpris, n'a pas le temps d'esquisser le moindre geste. La main de Paul se ferme sur son poignet. Le serre, fort, tout en tordant l'avant-bras du garçon. Vincent est contraint de s'agenouiller, il éructe des injures mais la poigne de Paul accentue encore son étreinte. Vincent n'a plus le choix. Ses yeux rougis se mouillent de larmes. Douleur. Humiliation. Sa main s'ouvre. Lorsque le couteau de peintre tombe, Paul, d'un coup de pied, le fait glisser dans l'herbe, sous le saule, à trois mètres d'eux ; sa main n'abandonne pas sa torsion : d'une rotation, il force le bras de Vincent à passer dans son dos, puis lève le poignet. Le garçon hurle :

— Mon épaule, putain, tu vas m'arracher l'épaule...

Paul soulève encore le bras de Vincent. Paul est le plus fort. Il l'a toujours été.

— T'es un malade, mon gars. T'es un dingue. On va te foutre à l'asile. Qu'est-ce que tu crois ? Je vais aller voir tes parents, les flics, tout le monde. Je me doutais bien que t'étais pas net. Mais à ce point...

Vincent hurle. Paul s'est parfois battu, dans la cour, à la récré, mais jamais il n'est allé aussi loin. Combien de temps peut-il encore broyer ce poignet ? Jusqu'à quelle hauteur peut-il tordre ce bras avant que l'épaule de Vincent ne se déchire ? Il a l'impression d'entendre des cartilages rompre.

Vincent a cessé de hurler. Il pleure maintenant et son corps progressivement perd toute résistance, comme si l'ensemble de ses muscles se relâchait. Paul ouvre enfin sa main et repousse le garçon, qui roule sur un mètre telle une boule de chiffon.

Inerte. Dompté.

— Je t'ai à l'œil, menace Paul.

Il s'assure d'un regard que le couteau de peintre est

trop loin pour que le garçon puisse le ramasser. Vincent est resté prostré dans une position fœtale. Sans cesser de le surveiller, Paul se penche au bord du lavoir pour ramasser le tableau. Sa main touche le papier marron.

Peut-être détourne-t-il les yeux une demi-seconde pour assurer sa prise.

À peine.

Trop.

Vincent se lève d'un bond et court, droit devant lui, les coudes en avant. Paul esquisse un geste de côté, vers le lavoir. Une nouvelle fois, il a été plus rapide que Vincent, les coudes de Vincent atteignent son torse, mais presque sans le toucher, sans lui faire mal. Vincent s'étale lourdement dans les orties, droit devant.

Malade !

Paul n'a pas le temps de penser à autre chose, l'instant d'après, une mince pellicule de terre glisse sous son pied. Il sent qu'il perd l'équilibre sur la berge meuble. Sa jambe s'agite dans le vide, entre la berge et le ruisseau. Sa main cherche un appui, n'importe quoi, le toit du lavoir, une poutre, une branche…

Trop tard.

Il tombe à la renverse. Il se recroqueville, par instinct. Son dos heurte d'abord le mur de brique du lavoir. La douleur est brutale et intense. Paul continue de rouler, un mètre sur le côté. Pas longtemps.

Sa tempe heurte la margelle de la poutre. Ses yeux s'ouvrent vers le ciel. Un immense flash, comme un éclair.

Il glisse, il glisse encore, il voit tout, il est conscient, c'est juste son corps qui ne répond plus, qui ne veut plus obéir.

L'eau froide touche ses cheveux.

Paul comprend qu'il est en train de rouler dans le ruisseau, centimètre après centimètre. Ses yeux ne voient plus que le ciel sans nuages, au-dessus de lui, et quelques branches de saule, comme des griffures sur un écran bleu.

L'eau froide lui dévore l'oreille, le cou, la nuque.

Il s'enfonce.

Le visage de Vincent apparaît dans l'écran bleu.

Paul lui tend la main, du moins, c'est ce qu'il croit, c'est ce qu'il voudrait. Il ne sait pas si sa main se lève, il ne la sent pas, il ne la voit pas dans le tableau bleu. Vincent lui sourit. Paul se demande ce que cela veut dire. Que tout ceci, c'était pour rire ? C'était une blague ? Vincent va le sortir de là avec une tape sur l'épaule.

Ou que Vincent est réellement fou ?

Vincent s'approche.

Paul connaît la réponse, maintenant… Ce n'est pas un sourire qui déforme la bouche de Vincent, c'est une grimace sadique. Paul voit enfin une main, puis deux, surgir dans l'écran bleu, se rapprocher. Elles disparaissent mais il sent qu'elles se posent sur ses épaules.

Les poussent.

Paul aimerait se débattre, agiter les pieds, se tourner, envoyer valser ce malade, il est plus fort, plus fort que lui. Beaucoup plus fort.

Le moindre geste lui est impossible. Il est paralysé. Il a compris.

Les deux mains le poussent encore.

L'eau glacée lui dévore la bouche, les narines, les yeux.

La dernière image dont Paul a conscience, ce sont des flaques roses au-dessus de lui, à la surface, sous l'eau vive.

Ça lui fait penser au tableau de Fanette.

C'est sa dernière pensée.

– 80 –

Je continue d'avancer péniblement sur le chemin qui mène à l'île aux Orties. Richard Paternoster, le paysan de la prairie, a fini par me lâcher, non sans m'avoir distillé une litanie de conseils. « À votre âge, ma pauvre, ce n'est plus raisonnable, une telle promenade jusqu'à l'Epte. Sous un tel soleil... Qu'allez-vous faire là-bas, à la confluence ? Vous êtes sûre que vous ne voulez pas que je vous dépose ? Soyez prudente, hein, même sur le chemin de terre, il y a souvent des types qui roulent trop vite. Des touristes égarés, ou pas égarés d'ailleurs, des fans de Monet qui cherchent la fameuse île aux Orties... Regardez, tout à l'heure, cette moto, la vitesse à laquelle elle a traversé la prairie... Tiens, je ne vous mens pas, regardez, là, cette voiture... »

Un nuage de terre ocre s'est élevé du chemin.

La Ford Break bleue est passée devant la ferme.

La Ford des Dupain. Dans le halo de poussière, j'ai juste eu le temps d'apercevoir les passagers.

Jacques Dupain, au volant, le regard vide.

Stéphanie Dupain, à ses côtés, en larmes.

Tu pleures, ma chérie ?

Pleure, pleure, ma belle. Fais-moi confiance, ce n'est que le début.

Ce maudit chemin me semble interminable. Je continue à mon rythme, ma canne essaye d'anticiper les ornières ; il ne me reste plus que quelques centaines de mètres avant d'arriver à l'île aux Orties. J'aimerais pouvoir accélérer. Il me tarde de retrouver Neptune, je ne l'ai pas revu depuis que j'ai quitté le moulin. Je sais que cet idiot de chien a l'habitude des longues fugues, en compagnie des gamins du village, des passants ou des lapins de la prairie.

Mais ici…

Une stupide angoisse me monte dans la gorge.

— Neptune ?

J'arrive enfin à l'île aux Orties.

Curieusement, ce lieu coincé entre deux rivières m'a toujours fait penser à un bout du monde. Pas tout à fait comme une île, il ne faut rien exagérer, mais tout de même une péninsule. Le vent y agite les feuilles des peupliers comme s'il soufflait du grand large, comme si ce ruisseau ridicule, l'Epte, ce fossé de moins de deux mètres, était plus infranchissable qu'un océan. Pour vous le dire autrement, c'est comme si ce banal champ d'orties s'étendait en réalité sur le rebord du monde et que seul Monet l'avait compris…

— Neptune !

J'aime rester là longtemps, regarder de l'autre côté de l'eau. J'aime ce lieu. Je le regretterai.

— Neptune !

Je crie plus fort maintenant. Ce chien ne se montre toujours pas. Mon angoisse commence à se transformer en une véritable peur. Où a pu passer ce chien ? Je siffle, cette fois. Je sais encore siffler. Neptune rapplique toujours quand je siffle.

J'attends.

Seule.

Pas un bruit. Pas un signe. Aucune trace de Neptune.

Je me raisonne, je sais bien que mes craintes sont ridicules. Je me fais des idées à cause de ce lieu. Il y a bien longtemps que je ne crois plus aux malédictions, à l'histoire qui se reproduit et à ce genre de foutaises. Il n'y a pas de hasard… Juste…

Mon Dieu… Ce chien qui ne revient pas…

— Neptune !

Je crie à m'en déchirer la gorge.

Je hurle, encore et encore :

— Neptune… Neptune…

Les peupliers semblent muets pour l'éternité.

— Neptune…

Ah...

Voici mon chien qui surgit de nulle part, écartant les fourrés à ma droite, il vient se coller à ma robe. Ses yeux coquins pétillent de malice, comme pour se faire pardonner d'une fugue un peu trop longue.

— Allez, Neptune, on rentre.

TABLEAU DEUX

Exposition

– TREIZIÈME JOUR –

25 mai 2010

(Prairie de Giverny)

Renoncement

– 81 –

Je reviens de l'île aux Orties. Cette fois-ci, après la ferme de Richard Paternoster, au lieu de rentrer au moulin des Chennevières, je tourne à droite, vers les trois parkings en pétale. Neptune trotte autour de moi. Les voitures et les autocars commencent à libérer leurs places. Plusieurs fois, des connards qui reculent sans regarder dans leur rétroviseur manquent de peu de me renverser. Je balance un coup de canne sur leur pare-chocs, voire le bas de la carrosserie. Ils n'osent rien dire à une vieille comme moi. Ils s'excusent, même.

Pardonnez-moi, on s'amuse comme on peut.

— Tu viens, Neptune…

Ces cons seraient capables d'écraser mon chien.

J'arrive enfin au chemin du Roy. Je continue quelques mètres, jusqu'aux jardins de Monet. Ça se presse, entre les roses et les nymphéas. Il faut dire, c'est une belle journée de printemps, il reste une heure à peine avant que le jardin ferme. Les touristes en veulent pour leurs kilomètres et patientent sagement, en file indienne dans les allées, poussette contre poussette. C'est Giverny à dix-sept heures. Tendance RER.

Mon regard se perd dans la foule. Rapidement, je ne vois plus qu'elle.

Fanette.

Elle me tourne le dos. Elle est installée au bord du bassin aux Nymphéas, devant sa toile, posée sur les glycines. Je devine qu'elle pleure.

— Qu'est-ce que tu lui veux ?

Le gros Camille se tient à l'autre bout du bassin des Nymphéas, sur le petit pont vert au-dessus duquel pleuvent des branches de saule pleureur. Il a l'air un peu idiot. Il tortille une feuille cartonnée entre ses mains.

— Qu'est-ce que tu lui veux, à Fanette ? répète Vincent.

Camille bredouille, gêné :

— C'est… c'est… Pour la consoler… j'ai pensé… Une carte d'anniversaire, pour ses onze ans.

Vincent arrache la carte des mains de Camille, la détaille brièvement. C'est une simple carte postale, une reproduction des « Nymphéas », en mauve, la plus banale qui soit. Il est juste inscrit, au dos de la carte : BON ANNIVERSAIRE. ONZE ANS.

— OK. Je vais lui donner. Laisse-la tranquille, maintenant. Fanette a besoin qu'on la laisse tranquille.

Les deux garçons observent à l'opposé du bassin

la fillette penchée sur sa toile, occupée à manier ses pinceaux avec une fureur désordonnée.

— Elle… elle va comment ? articule Camille.

— Qu'est-ce que tu crois ? répond Vincent. Elle est comme nous tous. Elle est sonnée. La noyade de Paul. L'enterrement sous la pluie. Mais on s'en remettra, hein… Ça arrive, les accidents… Ça arrive. C'est comme ça.

Le gros Camille fond en larmes. Vincent ne se donne même pas la peine d'un geste de réconfort, il longe déjà le bassin, il ajoute simplement en s'éloignant :

— T'inquiète, je vais la lui donner, ta carte.

Le chemin qui entoure le bassin tourne sur la gauche et disparaît dans une jungle de glycines. Aussitôt hors de vue, Vincent enfonce la carte d'anniversaire dans sa poche. Il s'avance vers le pont japonais en écartant d'un revers de main les iris qui se penchent un peu trop sur son passage.

Fanette est là, lui tourne le dos, renifle. Elle trempe son pinceau, le plus large, presque un instrument de peintre en bâtiment, dans une palette où la fillette a mélangé toutes les couleurs les plus sombres qui soient.

Marron intense. Gris anthracite. Pourpre profond.

Noir.

Fanette recouvre la toile arc-en-ciel de coups de pinceau anarchiques, sans rien chercher à reproduire d'autre que les tourments de son esprit. Comme si en quelques minutes, les ténèbres tombaient sur le bassin, sur l'eau vive, sur la lumière de la toile. Fanette épargne juste quelques nymphéas, qu'elle illumine d'un point jaune vif à l'aide d'un pinceau plus fin.

Étoiles éparses dans la nuit.

Vincent parle, d'une voix douce :

— Camille voulait venir, mais je lui ai dit que tu voulais être tranquille. Il… il te souhaite un bon anniversaire.

La main du garçon se pose sur sa poche mais ne sort pas la carte qu'il y a rangée. Fanette ne répond pas. Elle vide un nouveau tube de peinture ébène sur sa palette.

— Pourquoi tu fais ça, Fanette ? C'est…

Enfin, Fanette se retourne. Ses yeux sont rougis de larmes. Sans doute à l'aide du même chiffon qui lui sert à peindre, elle a essuyé à la hâte ses joues. Noircies.

— C'est fini, tout ça, Vincent. C'est fini, les couleurs. C'est fini, la peinture.

Vincent demeure silencieux. Fanette explose :

— C'est fini, Vincent… Tu ne comprends pas ? Paul est mort à cause de moi, il a glissé sur la marche du lavoir en allant chercher ce maudit tableau. C'est moi qui l'ai envoyé, c'est moi qui lui ai dit de se dépêcher… C'est moi qui… qui… qui l'ai tué…

Vincent pose avec douceur sa main sur l'épaule de la fillette.

— Mais non, Fanette, c'était un accident, tu le sais bien. Paul a glissé, il s'est noyé dans le ruisseau, personne n'y peut rien…

Fanette renifle.

— Tu es gentil, Vincent.

Elle pose son pinceau sur la palette et penche sa tête contre l'épaule du garçon. Elle s'effondre en larmes.

— Ils m'ont tous dit que j'étais la plus douée. Que je devais être égoïste. Que la peinture me donnerait tout… Ils m'ont menti, Vincent, ils m'ont tous menti. Ils sont tous morts. James. Paul…

— Pas tous, Fanette. Pas moi. Et puis, Paul…

— Chut.

Vincent a compris que Fanette réclamait le silence. Le garçon n'ose rien dire. Il attend. Seuls les reniflements de la fillette rompent le calme effrayant des bords du bassin, ainsi que, de temps à autre, le très léger clapotement provoqué par des feuilles de saule ou de glycine qui tombent dans l'étang. Enfin, la voix tremblante de Fanette s'approche de l'oreille de Vincent.

— C'est… c'est fini aussi, tout ce jeu. C'est fini, ces surnoms de peintres impressionnistes que je vous donnais à tous pour me rendre intéressante. Ces faux prénoms. Ça n'a plus aucun sens…

— Si tu veux, Fanette…

Le bras de Vincent entoure maintenant la fillette, la presse contre lui. Elle pourrait s'endormir, là.

— Je suis là, murmure Vincent. Je serai toujours là, Fanette…

— Ça aussi, c'est fini. Je ne m'appelle plus Fanette. Plus personne ne m'appellera Fanette. Ni toi ni personne. La petite fille que tout le monde appelait Fanette, la petite fille si douée pour la peinture, le génie en herbe, elle est morte elle aussi, près du lavoir, à côté du champ de blé. Il n'y a plus de Fanette.

Le garçon hésite. Sa main remonte vers l'épaule de la fillette, caresse le haut de son bras.

— Je comprends… Je suis le seul à te comprendre, tu le sais bien, je serai toujours là… Fanet…

Vincent tousse. Sa main monte encore le long du bras de la fillette.

— Je serai toujours là, Stéphanie.

La gourmette au poignet du garçon glisse le long de son bras. Il ne peut s'empêcher de baisser les yeux vers le bijou. Il a compris que désormais Stéphanie ne l'appellerait plus jamais par ce prénom de peintre qu'elle avait choisi pour lui. *Vincent*.

Elle utilisera son véritable prénom.

Celui de son baptême, de sa communion, celui qui est gravé en argent sur sa gourmette.

Jacques.

L'eau coule sur le corps nu de Stéphanie. Elle se frotte avec hystérie sous le jet d'eau bouillante. Sa robe paille tachée de marques rouges est jetée en boule à côté, sur le carrelage. L'eau se déverse en cascade sur elle depuis de longues minutes, mais elle sent encore contre sa peau la mare du sang de Neptune dans laquelle elle a trempé. L'odeur atroce. La souillure.

Il n'y a pas d'amour heureux.

Elle ne peut s'empêcher de repenser à ces instants de folie qu'elle vient de vivre sur l'île aux Orties.

Son chien, Neptune, abattu.

Ce mot d'adieu de Laurenç.

Il n'y a pas d'amour heureux.

Jacques est assis dans la pièce d'à côté, sur le lit. Sur la table de chevet, la radio braille un tube entêtant qui passe en boucle, *Le Temps de l'amour*, de Françoise Hardy. Jacques parle fort pour que Stéphanie l'entende sous la douche :

— Plus personne ne te fera du mal, Stéphanie. Plus personne. On va rester là, tous les deux. Plus personne ne se mettra entre nous.

Il n'y a pas d'amour heureux...
À l'exception de ceux que notre mémoire cultive.

Stéphanie pleure, quelques gouttes supplémentaires sous le jet brûlant.

Jacques poursuit son monologue au bord du lit.

— Tu verras, Stéphanie. Tout va changer. Je vais te trouver une maison, une autre, une vraie, une que tu aimeras.

Jacques la connaît si bien. Jacques trouve toujours les mots.

— Pleure, ma chérie. Pleure, pleure, tu as raison. Demain, nous irons à la ferme d'Autheuil, pour adopter un nouveau chiot. C'était un accident pour Neptune, un accident stupide, cela arrive, à la campagne. Mais il n'a pas souffert. On ira demain, Stéphanie. Demain, cela ira mieux...

Le jet s'est arrêté. Stéphanie s'est enroulée dans une large serviette lavande. Elle avance dans la chambre mansardée, pieds nus, cheveux ruisselants. Belle, si belle. Si belle dans les yeux de Jacques.

Peut-on autant aimer une femme ?

Jacques se lève, enlace sa femme contre lui, se trempe à elle.

— Je suis là, Stéphanie. Tu le sais bien, je serai toujours là, avec toi, dans les coups durs...

Le corps de Stéphanie se raidit un instant, un court instant, avant de s'abandonner totalement. Jacques embrasse sa femme dans le cou puis murmure :

— Tout va recommencer, ma belle. Demain,

nous irons adopter un nouveau chiot. Cela t'aidera à oublier… Je te connais. Un nouveau chiot à baptiser !

La serviette mouillée glisse sur le sol. Jacques, d'une douce pression, allonge sa femme sur le lit conjugal. Nue. Stéphanie se laisse faire.

Elle a compris. Elle ne lutte plus. Le destin a décidé pour elle. Elle sait que les années qui vont passer ensuite ne compteront pas, qu'elle vieillira ainsi, prise au piège, aux côtés d'un homme attentionné qu'elle n'aime pas. Le souvenir de sa tentative d'évasion s'effacera, petit à petit, avec le temps.

Stéphanie se contente de fermer les yeux, seule résistance dont elle se sent désormais capable. Dans le transistor, les derniers accords de guitare du *Temps de l'amour* se fondent dans les gémissements rauques de Jacques.

Stéphanie aimerait également se boucher les oreilles.

Après un court indicatif radiophonique, la voix joviale d'un animateur présente l'éphéméride du lendemain. Il fera beau, une chaleur exceptionnelle pour la saison. Bonne fête à toutes les Diane. Le soleil se lèvera à 5 h 49, encore quelques minutes de gagnées. Demain, nous serons le 9 juin 1963.

Il n'y a pas d'amour heureux…
À l'exception de ceux que notre mémoire cultive.
À jamais, pour toujours.

Laurenç

Je me secoue. Je vais finir par griller au soleil à rester ainsi immobile, au bord du chemin du Roy, perdue dans mes pensées de vieille toquée.

Il faut que je me bouge. Il faut que je boucle la boucle. Il ne manque que le mot « fin » à faire apparaître dans le cadre de cette histoire.

C'est une jolie romance, non ? Vous appréciez le happy end, j'espère.

Ils se marièrent, du moins, ils restèrent mariés, ils n'eurent pas d'enfants.

Il vécut heureux.

Elle crut l'être. On s'habitue.

Elle eut le temps… Près de cinquante ans. De 1963 à 2010, très précisément. Le temps d'une vie, tout simplement…

Je décide de marcher encore un peu, je longe le chemin du Roy jusqu'au moulin. Je franchis le ru par le pont et je m'arrête devant le portail. Aussitôt, je remarque que ma boîte aux lettres déborde de prospectus stupides pour les promotions de l'hypermarché le plus proche, dans lequel je n'ai jamais mis les pieds. Je peste. Je jette les papiers dans la poubelle à l'entrée de la cour, que j'ai placée là exprès. Elle est loin de déborder… Je pousse soudain un juron.

Au milieu des prospectus est glissée une enveloppe qui a failli subir le même sort. Une enveloppe à mon nom, un petit format cartonné. Je la retourne et lit l'adresse de l'expéditeur. « Docteur Berger. 13 rue Bourbon-Penthièvre. Vernon. »

Le docteur Berger…

Ce charognard serait bien capable de m'envoyer

une facture pour m'extorquer quelques frais supplémentaires. J'évalue la taille de l'enveloppe. À moins qu'il ne me présente ses condoléances avec un peu de retard. Après tout, il est presque le dernier à avoir vu mon mari vivant. C'était… il y a très exactement treize jours.

Mes doigts maladroits déchirent l'enveloppe. Je découvre un petit carton gris clair assombri d'une croix noire dans le coin gauche.

Berger a griffonné quelques mots, à peine lisibles.

Chère amie,

J'ai appris avec tristesse le décès de votre mari le 15 mai 2010. Comme je vous l'avais annoncé quelques jours auparavant lors de ma dernière visite, cette issue était hélas inéluctable. Vous formiez à l'évidence un couple solide et uni. Depuis toujours. C'est rare et précieux.

Avec toutes mes condoléances,

Hervé Berger

Je tords avec énervement le carton entre mes doigts. Malgré moi, je repense à la dernière consultation. Il y a treize jours. Une éternité. Une autre vie. Une nouvelle fois, mon passé ressurgit.

C'était le 13 mai 2010, le jour où tout a basculé, le jour où un vieil homme sur son lit de mort se confessa. Juste quelques aveux, avant de mourir…

Cela dura une heure, à peine. Une heure pour écouter, puis treize jours pour se souvenir.

Je résiste à l'envie de déchirer ce carton. Avant de se perdre encore dans les dédales de ma mémoire, mes yeux se posent sur l'enveloppe.

J'y lis l'adresse. Mon adresse.

Stéphanie Dupain
Moulin des Chennevières
Chemin du Roy
27620 Giverny

– PREMIER JOUR –

13 mai 2010

(Moulin des Chennevières)

Testament

– 82 –

J'attends dans le salon du moulin des Chennevières. Le médecin est dans la pièce d'à côté, dans la chambre, avec Jacques. Je l'ai appelé en catastrophe, vers 4 heures du matin, Jacques se tordait de douleur dans les draps, comme si son cœur ralentissait, comme un moteur sans essence qui tousse avant de s'arrêter, comme si le sang allait cesser de circuler. Lorsque j'ai allumé la lampe de la chambre, ses bras étaient blancs, striés de veines bleu clair. Le docteur Berger est arrivé quelques minutes plus tard. Il peut, il a monté son cabinet à Vernon, rue Bourbon-Penthièvre, mais a acheté une des plus belles villas, sur les bords de Seine, un peu après Giverny.

Le docteur Berger est sorti de la chambre une bonne demi-heure plus tard. Je suis assise sur une chaise. À ne rien faire, juste à attendre. Le docteur Berger n'est pas du genre à prendre des pincettes. C'est un sale con qui a construit sa véranda et creusé sa piscine sur le dos de tous les vieux du canton, mais son franc-parler, au moins, c'est une qualité qu'on ne peut pas lui retirer. C'est pour cela qu'on l'a pris comme médecin de famille, depuis des années. Lui ou un autre…

— C'est la fin. Jacques a compris. Il sait qu'il lui reste… au plus, quelques jours. Je lui ai fait une intraveineuse. Il va aller mieux quelques heures. J'ai appelé l'hôpital de Vernon, ils ont réservé une chambre, ils envoient une ambulance.

Il reprend sa petite mallette en cuir, semble hésiter :

— Il… il demande à vous voir. J'ai voulu lui donner quelque chose pour le faire dormir, mais il a insisté pour vous parler…

Je dois avoir l'air étonnée. Plus étonnée que bouleversée. Berger se croit obligé d'ajouter :

— Et vous, ça va aller ? Vous allez tenir le coup ? Vous voulez que je vous prescrive quelque chose ?

— Ça va, ça va, merci.

Je n'ai qu'une hâte maintenant, qu'il sorte. Il jette un nouveau regard à travers la pièce sombre, puis pose un pied dehors. Il se retourne une dernière fois, avec une mine affectée. Il a presque l'air sincère. Peut-être que perdre un bon client, ça ne le fait pas rire.

— Je suis désolé. Bon courage, Stéphanie.

J'ai lentement marché vers la chambre de Jacques, sans une seconde imaginer ce qui m'attendait : la confession de mon mari. La vérité, après toutes ces années.

L'histoire était si simple, en fait.

Un seul tueur, un seul mobile, un seul lieu, une petite poignée de témoins.

Le tueur frappa deux fois, en 1937 et 1963. Son seul but était de conserver son bien, son trésor : la vie d'une femme, de sa naissance à sa mort.

Ma vie.

Un seul criminel. Jacques.

Jacques me donna toutes les explications. Rien ne manqua. Ces derniers jours, mes souvenirs ont sauté d'une époque à l'autre de ma vie, tel un kaléidoscope incompréhensible… Pourtant, chacun de ces détails n'était que le rouage d'un engrenage précis, d'un destin minutieusement aiguillé par un monstre.

C'était il y a treize jours.

Ce matin-là, j'ai poussé la porte de la chambre de Jacques, sans savoir que je la refermais sur les ombres de mon destin.

Définitivement.

— Approche, Stéphanie, approche-toi du lit.

Le docteur Berger a glissé deux gros oreillers sous le dos de Jacques. Il est plus assis que couché. Le sang qui afflue vers ses joues contraste avec la pâleur de ses bras.

— Approche, Stéphanie. Berger t'a dit, je suppose… On va devoir se quitter… Bientôt. C'est… c'est… Il faut que je te dise… Il faut que je te parle, pendant que j'en ai la force. J'ai demandé à Berger de me donner un truc qui me permette de tenir le coup, avant que l'ambulance arrive…

Je m'assois sur le rebord du lit. Il glisse une main ridée le long des plis du drap. Les poils de son bras sont rasés sur dix centimètres autour d'un épais pansement beige. Je prends sa main.

— Stéphanie, dans le garage, dans le cellier, il y a tout un tas d'objets auxquels on n'a pas touché depuis des années. Mes affaires de chasse par exemple, des vieilles vestes, un sac, des cartouches mouillées, mes bottes aussi. Des vieux trucs moisis. Tu vas les soulever. Tu vas tout retirer. Ensuite, tu vas écarter avec tes pieds le gravier par terre. Juste en dessous, tu vas voir, il y a une sorte de trappe, un vide sanitaire, quelque chose comme ça. On ne peut pas la voir si on ne retire pas tout ce qu'il y a dessus. Tu vas lever la trappe. Tu ne peux pas la rater. Dedans, tu trouveras un petit coffre, un coffre en aluminium, de la taille d'une boîte à chaussures. Tu vas me l'apporter, Stéphanie.

Jacques me serre la main assez fort, puis la lâche. Je ne comprends pas tout mais je me lève. Je trouve cela étrange, ce n'est pas le genre de Jacques, les mystères et les jeux de piste. Jacques est un homme simple, lisse, sans surprise. Je me demande même si le docteur Berger n'y est pas allé un peu trop fort, avec ses médicaments.

Je reviens, quelques minutes plus tard. Toutes les indications de mon mari étaient rigoureusement exactes. J'ai trouvé le petit coffre en aluminium. Les jointures sont rouillées. La tôle brillante est piquée un peu partout de taches sombres.

Je pose le coffre sur le lit.

— Il… il est fermé par un cadenas, dis-je.

— Je sais… je sais. Merci. Stéphanie, il faut que je te pose une question. Une question importante. Je ne suis pas très doué pour les discours, tu me connais, mais il faut que tu me dises. Stéphanie, toutes ces années, as-tu été heureuse à mes côtés ?

Qu'est-ce que vous voulez répondre à cela ? Que voulez-vous répondre à un homme qui n'a plus que quelques jours à vivre ? Un homme dont vous avez partagé la vie, plus de cinquante ans, soixante, peut-être ? Qu'est-ce que vous voulez répondre d'autre que « Oui… Oui, Jacques, bien entendu, Jacques, j'ai été heureuse toutes ces années… à tes côtés » ?

Ça ne semble pas lui suffire.

— Maintenant, Stéphanie, on est au bout de la route. On peut bien tout se dire. As-tu des… comment dire… des… des regrets ? Penses-tu, je ne sais pas, que ta vie aurait pu être meilleure si elle s'était passée autrement… ailleurs… av…

Il hésite, déglutit.

— Avec quelqu'un d'autre ?

J'ai l'impression étrange que Jacques a pensé et repensé dans sa tête ces questions des milliers de fois, pendant des années, qu'il a juste attendu le bon moment, le bon jour, pour les poser. Pas moi… Non pas que je ne me sois pas posé ces questions, mon Dieu, oh que non. Mais je suis une vieille femme, maintenant. Je ne me suis pas préparée à cela, en me levant, ce matin. Les brumes se dispersent lentement, désormais, dans mon esprit fatigué. Moi aussi, j'ai patiemment enfermé ce genre de questions dans un coffre et je me suis efforcée de ne jamais le rouvrir. J'ai égaré la clé. Il faudrait que je cherche… C'est si loin.

— Je ne sais pas, réponds-je. Je ne sais pas, Jacques. Je ne comprends pas ce que tu veux dire…

— Si, Stéphanie. Bien entendu que tu comprends… Stéphanie, il faut que tu me répondes, c'est important, aurais-tu préféré une autre vie ?

Jacques me sourit. Un sang rose colore maintenant l'ensemble de son visage, jusqu'au haut de ses bras. Efficaces, les pilules de Berger… Et pas que sur la circulation sanguine… Jamais, en cinquante ans, Jacques ne m'a posé ce genre de questions. Ça ne ressemble à rien. Ni à lui ni à rien. Est-ce une façon de finir sa vie ? À plus de quatre-vingts ans, demander à l'autre, celle qui reste, si toute sa vie est bonne à jeter à la poubelle ? Qui pourrait répondre « oui » à cela, qui pourrait répondre « oui » à son conjoint mourant, même s'il le pense, surtout s'il le pense. Je sens le piège, sans encore que je sache pourquoi. Je sens que toute cette mise en scène pue le piège.

— Quelle autre vie, Jacques ? De quelle autre vie parles-tu ?

— Tu n'as pas répondu, Stéphanie… Aurais-tu préféré…

L'effluve empoisonné du piège se fait plus évident encore, comme un parfum lointain qui me revient, une oppressante odeur familière évanouie depuis longtemps, mais jamais oubliée. Je n'ai pas d'autre choix que de répondre, avec une tendresse d'infirmière :

— J'ai eu la vie que j'ai choisie, Jacques, si c'est ce que tu veux entendre. Celle que je méritais. Grâce à toi, Jacques. Grâce à toi.

Jacques souffle comme si saint Pierre venait en personne de lui annoncer que son nom était sur la liste des entrants au paradis. Comme si, maintenant, il pouvait s'en aller serein. Il m'inquiète. Sa main se redresse et tâtonne sur la table de chevet, à la recherche de je ne sais quel objet. Il heurte le verre posé, qui tombe sur le sol et se brise. Un mince filet d'eau coule sur le parquet.

Je me redresse pour essuyer, ramasser les éclats de verre, lorsque sa main se lève encore.

— Attends, Stéphanie. Un simple verre brisé, ce n'est pas grave. Aide-moi, regarde dans mon portefeuille, là, sur la table de chevet…

Je m'avance. Le verre crisse sous mes pantoufles.

— Ouvre-le, continue Jacques. À côté de ma carte de Sécurité sociale, il y a ta photographie, Stéphanie, tu la vois ? Passe ton doigt sous la photo…

Il y a une éternité que je n'ai pas ouvert le portefeuille de Jacques. Mon image m'explose au visage. La photographie a dû être prise il y a au moins quarante ans. Est-ce moi ? M'appartenaient-ils, ces immenses yeux mauves ? Ce sourire en cœur ? Cette peau nacrée sous le soleil d'une belle journée à Giverny ? Ai-je oublié à quel point j'étais belle ? Faut-il attendre d'être une octogénaire ridée pour enfin oser se l'avouer ?

Mon index s'introduit sous la photographie. Il fait glisser une petite clé plate.

— Je suis rassuré, maintenant, Stéphanie. Je peux mourir en paix. Je peux te le dire désormais, j'ai douté, j'ai tant douté. J'ai fait ce que j'ai pu, Stéphanie. Tu peux ouvrir le cadenas du coffre avec la clé, cette clé qui ne m'a jamais quitté depuis toutes ces années. Tu… tu vas comprendre, je pense. Mais j'espère pouvoir tenir le coup pour t'expliquer moi-même.

Mes doigts tremblent maintenant, beaucoup plus que ceux de Jacques. Un terrible sentiment m'oppresse. Je peine à faire entrer la clé dans le cadenas, à la tourner. Il me faut de longues secondes avant que le cadenas et la clé ne tombent sur les draps du lit. Jacques pose encore doucement sa main sur mon bras, comme pour me signifier d'attendre encore un peu.

— Tu méritais un ange gardien, Stéphanie. Il s'est trouvé que c'était moi, j'ai essayé de faire mon travail du mieux possible. Ça n'a pas toujours été facile, crois-moi. J'ai parfois craint de ne pas y arriver… Mais tu vois, au bout du compte… Tu m'as rassuré. Je ne m'en suis pas si mal sorti. Tu… tu te souviens, ma Stéph…

Les yeux de Jacques se ferment une longue seconde…

— Ma Fanette… Après toutes ces années, une dernière fois, tu acceptes que je t'appelle Fanette ? Je n'ai jamais osé, depuis plus de soixante-dix ans… depuis 1937. Tu vois, je me souviens de tout, j'ai été un ange gardien obéissant, fidèle, organisé.

Je ne réponds rien. J'ai du mal à respirer. Je n'ai qu'une envie, ouvrir ce coffre d'aluminium, vérifier qu'il est vide, que tout ce monologue de Jacques n'est qu'un délire provoqué par les drogues de Berger.

— Nous sommes nés tous les deux la même année, continue Jacques sur le même ton, en 1926. Toi, Fanette, le 4 juin, six mois avant la mort de Claude Monet. Comme un hasard. Moi le 7, trois jours plus tard. Toi rue du Château-d'Eau, moi rue du Colombier, à quelques maisons d'écart. J'ai toujours su que nos destins étaient liés. Que j'étais là, sur terre, pour te protéger. Pour, comment dire, écarter les branches autour de toi, sur ton chemin…

Écarter les branches ? Mon Dieu, ces images ressemblent si peu à Jacques. C'est moi qui vais devenir folle. Je ne tiens plus, j'ouvre le coffre. Immédiatement, il me tombe des mains, comme si l'aluminium avait été chauffé à blanc. Le contenu se répand sur le lit. Mon passé m'explose à la figure.

Je regarde, effarée, trois couteaux de peinture, des Winsor & Newton, je reconnais le dragon ailé sur le manche, entre deux taches rouges séchées par le temps. Mes yeux glissent, se posent sur un recueil de poésie. *En français dans le texte*, de Louis Aragon. Mon exemplaire n'a jamais quitté la bibliothèque de ma chambre. Comment aurais-je pu imaginer que Jacques en possédait un autre ? Un autre exemplaire de ce livre que j'ai si souvent lu aux enfants de l'école de Giverny, à la page 146, celle du poème « Nymphée ». Je m'accroche au livre comme à une bible, les pages dansent, je m'arrête, page 146. La page est cornée. Mes yeux descendent au bas de la feuille. *Elle est découpée*. Avec délicatesse, quelqu'un a découpé la feuille, juste un centimètre, une seule ligne manque, le premier vers de la douzième strophe, un vers si souvent récité…

Le crime de rêver je consens qu'on l'instaure

Je ne comprends pas, je ne comprends rien. Je ne veux pas comprendre. Je refuse d'essayer de mettre tous ces éléments en ordre.

La voix blanche de Jacques me glace :

— Tu te souviens d'Albert Rosalba ? Oui, bien entendu, tu t'en souviens. Nous étions toujours ensemble tous les trois quand nous étions gamins.

Tu nous donnais des surnoms de peintres, ceux des impressionnistes que tu préférais. Lui c'était Paul et moi Vincent.

La main de Jacques s'agrippe au drap. Mes yeux hypnotisés fixent les couteaux de peinture.

— Ce fut… ce fut un accident. Il voulait porter ton tableau à la maîtresse, tes « Nymphéas », Fanette, le tableau au grenier, celui que tu n'as jamais voulu jeter. T'en souviens-tu encore ? Mais ce n'est pas l'important, Paul, enfin, Albert a glissé. On s'est battus avant, d'accord, mais c'était un accident, il a glissé près du lavoir, sa tête a heurté la pierre à côté. Je ne l'aurais pas tué, Fanette, je n'aurais pas tué Paul, même s'il avait une mauvaise influence sur toi, même s'il ne t'aimait pas vraiment. Il a glissé… Tout ça, c'est la faute de la peinture. Tu l'as bien compris, tu l'as bien compris après.

Mes doigts se referment sur le manche d'un couteau de peintre. Il possède une lame large, qu'on utilise pour gratter une palette. Jamais je n'ai retouché à un pinceau, pas une fois depuis 1937. Cela fait partie de ces souvenirs enfouis qui semblent basculer dans l'immense crevasse qui s'ouvre dans ma tête. Je serre le manche. J'ai l'impression qu'aucun son n'est capable de sortir de ma bouche :

— Et… et James…

Ma voix est aussi faible que celle d'une fillette de onze ans.

— Ce vieux fou ? Le peintre américain ? C'est bien de lui que tu parles, Fanette ?

Si je réponds un mot, il est inaudible.

— James… continue Jacques. James, c'est bien cela. Pendant des années, j'ai essayé de me souvenir de ce prénom, mais impossible, il m'échappait. J'ai même pensé te demander…

Un rire gras secoue Jacques. Son dos glisse un peu sous les oreillers.

— Je plaisante, Fanette. Je sais bien qu'il fallait que je te laisse en dehors de tout cela. Que tu ne sois pas au courant. Les anges gardiens doivent rester discrets, pas vrai ? Jusqu'au bout. C'est le premier principe à respecter… Pour James, tu n'as pas à le regretter. Tu te souviens peut-être, il te disait qu'il fallait que tu sois égoïste, que tu devais quitter ta famille. Tout le monde. Partir. Il te rendait folle, à l'époque, tu étais encore influençable, tu n'avais pas onze ans, il serait parvenu à ses fins… Je l'ai menacé d'abord, j'ai gravé un message dans sa boîte de peinture, pendant qu'il dormait, il dormait presque toute la journée, comme une grosse chenille, mais il n'a rien voulu savoir. Il continuait à te torturer. Tokyo, Londres, New York. Je n'avais plus le choix, Fanette, tu serais partie, à ce moment-là, tu n'écoutais plus personne, pas même ta mère. Je n'avais pas le choix, il fallait que je te sauve…

Mes doigts s'ouvrent. Mes souvenirs ne cessent de basculer un à un dans la monstrueuse crevasse. Ce couteau. Ce couteau sur le lit. Ce couteau rouge. C'est le couteau de James.

Jacques l'a enfoncé dans le cœur de James. Il avait onze ans…

Il continue son abominable confession :

— Je… Je n'avais pas prévu que Neptune trouverait le corps de ce fichu peintre dans le champ de blé. J'ai déplacé le cadavre avant que tu reviennes avec ta mère. Quelques mètres seulement, enfin, je crois, c'était il y a si longtemps. Tu sais, j'ai cru ne pas y arriver, jamais je n'aurais pensé que ce vieillard squelettique pesait aussi lourd. Tu ne vas pas me croire, mais avec ta mère vous êtes passées tout près de moi. Il aurait suffi que tu tournes la tête. Mais tu ne l'as pas fait. Je crois que tu ne voulais pas savoir, en réalité. Tu ne m'as pas vu, ta mère non plus. C'était un miracle, tu comprends. Un signe ! À partir de ce jour-là, j'ai compris que plus rien ne pouvait m'arriver. Que ma mission devait s'accomplir. La nuit d'après, j'ai enterré le cadavre au milieu de la prairie. Un travail de fou pour un gamin, tu peux me croire. Ensuite, j'ai brûlé tout le reste, petit à petit, les chevalets, les toiles. Je n'ai gardé que sa boîte de peinture, comme preuve, comme preuve de ce que j'étais capable de faire pour toi. Tu te rends compte, Fanette, je n'avais pas onze ans ! Il a assuré, hein, tu t'en aperçois maintenant, ton ange gardien ?

Jacques ne me laisse pas le temps de répondre. Il essaye désespérément de redresser son dos contre les oreillers, mais continue de glisser, millimètre après millimètre.

— Je plaisante, Fanette. Ce n'était pas bien difficile, en réalité, même pour un enfant. Ton James était un vieillard impotent. Un étranger. Un Américain qui avait raté Monet de dix ans. Un clochard dont tout le monde se fichait. En 1937, les gens avaient d'autres soucis. En plus, quelques jours avant, on avait retrouvé un ouvrier espagnol assassiné dans une péniche, juste en face de Giverny. Les gendarmes étaient tous sur l'affaire, ils n'ont coincé le meurtrier, un marinier de Conflans, que des semaines plus tard.

La main ridée de Jacques cherche ma main. Elle se ferme dans le vide.

— Ça me fait du bien de parler de tout ça, Fanette, tu sais. Nous avons été tranquilles ensuite tous les deux. Des années… Tu te souviens. Nous avons grandi ensemble, nous avons juste été séparés quand tu as suivi ton école normale à Évreux, puis tu es revenue comme institutrice à Giverny. Notre école ! Nous nous sommes mariés à l'église Sainte-Radegonde de Giverny, en 1953. Tout était parfait. Ton ange gardien se tournait les pouces…

Jacques éclate à nouveau de rire. Ce rire que j'entends résonner dans notre maison presque chaque jour, devant une émission de télévision ou derrière un journal. Ce rire gras. Comment ne me suis-je pas rendu compte que c'était le rire d'un monstre ?

— Mais le diable veille… Hein, Stéphanie ? Il a fallu que Jérôme Morval revienne te tourner autour. Tu te souviens ? Jérôme Morval, notre copain de classe à l'école primaire, celui que tu surnommais Camille, le gros Camille… Le premier de la classe ! Le prétentieux. En voilà un que tu n'aimais pas à l'école, Fanette, mais il avait bien changé. À la longue, il était même parvenu à attirer dans son lit cette petite rapporteuse de Patricia. Celle que tu surnommais Mary, comme Mary Cassatt… Mais bientôt, sa Patricia ne lui suffisait plus, au gros Camille. Il avait bien changé, c'est certain. Le fric vous change un homme. Il avait acheté la plus belle maison de Giverny, il était devenu arrogant, séduisant, même, aux yeux de certaines filles… D'ailleurs, il trompait sa femme sans même s'en cacher. Tout le monde était au courant dans Giverny, y compris Patricia, qui était même allée jusqu'à engager un détective privé pour l'espionner. Pauvre Patricia ! Et avec ça, Morval tenait tout un discours bien rodé sur la peinture, son pognon et ses collections d'artistes à la mode. Mais surtout, Stéphanie, écoute-moi, Jérôme Morval, le meilleur chirurgien ophtalmologue de Paris à ce qu'on disait, était revenu à Giverny pour une chose, une seule. Pas pour Monet ou les « Nymphéas », non… Il était revenu pour la belle Fanette, celle qui jamais n'avait levé les yeux sur lui pendant toutes les années de classe primaire. Maintenant que la roue avait tourné, le gros Camille voulait sa revanche…

Les mots se bloquent dans ma gorge.

— Tu… tu…

— Je sais bien, Stéphanie, que tu n'étais pas attirée par Jérôme Morval… Pas encore du moins. Il fallait que j'agisse avant. Jérôme Morval habitait dans le village, il avait tout son temps, il était rusé, il savait comment t'attirer, depuis l'école, avec les « Nymphéas », les souvenirs de Monet, les paysages…

Une nouvelle fois, ce monstre recherche ma main. Elle rampe comme une punaise sur les draps. Je résiste à l'idée de saisir le couteau de peinture et de la transpercer, comme un insecte nuisible.

— Je ne te reproche rien, Stéphanie. Je sais qu'il ne s'est rien passé entre toi et Morval. Tout juste as-tu accepté une promenade avec lui, une conversation. Mais il t'aurait séduite, Stéphanie, avec le temps, il y serait parvenu. Je ne suis pas méchant, Stéphanie. Je n'avais aucune envie de tuer Jérôme Morval, ce pauvre gros Camille. J'ai été patient, plus que patient. J'ai essayé de lui faire comprendre, le plus clairement possible, de quoi j'étais capable, quels risques il prenait s'il continuait de te tourner autour. Je lui ai d'abord envoyé cette carte postale, celle aux « Nymphéas ». Morval n'était pas stupide, il se souvenait très bien que c'était la carte qu'il m'avait confiée pour toi des années plus tôt, en 1937, dans les jardins de Monet, le jour de ton anniversaire, tes onze ans, juste après la mort d'Albert. J'ai collé sur la carte cette phrase d'Aragon découpée dans le livre, cette poésie que tu faisais réciter aux enfants de la classe, cette phrase que j'aimais bien, qui disait quelque chose comme « le rêve est un crime qu'il faut punir comme les autres ». Morval n'était pas idiot. Le message était limpide : tous ceux qui cherchent à t'approcher, à te faire du mal, se mettent en danger…

La main de Jacques cherche du bout des doigts le recueil de poésies d'Aragon posé sur le lit. Elle effleure le livre mais n'a pas la force de le saisir. Je n'esquisse pas un geste. Jacques tousse à nouveau pour s'éclaircir la voix et continue :

— Devine, Stéphanie, quelle a été la réponse de Jérôme Morval ? Il m'a ri au nez ! J'aurais pu le tuer alors, si j'avais voulu. Mais je l'aimais bien, au fond, ce gros Camille. Je lui ai laissé une autre chance. J'ai envoyé à son cabinet parisien cette boîte de peinture, celle de James, dans laquelle était toujours gravée la menace : *Elle est à moi ici, maintenant et pour toujours*. Suivie d'une croix ! Si cette fois-ci Morval n'avait pas compris… Il m'a donné rendez-vous, ce matin-là, devant le lavoir, près du moulin des Chennevières. Je pensais que c'était pour me dire qu'il laissait tomber, tu penses. C'était tout l'inverse. Il a lancé devant moi la boîte de peinture au milieu du ruisseau, dans la boue. Il te méprisait, Stéphanie, il ne t'aimait pas, tu n'étais pour lui qu'un trophée, un trophée de plus. Il t'aurait fait souffrir, Stéphanie, il t'aurait conduite à ta perte… Que pouvais-je faire ? Je devais te protéger… Il ne me prenait pas au sérieux, il m'a dit que je ne faisais pas le poids, dans mes bottes de chasse, que je n'étais pas capable de te rendre heureuse, que tu ne m'avais jamais aimé. Toujours le même baratin…

Sa main rampe à nouveau et se crispe sur le couteau :

— Je n'avais pas le choix, Stéphanie, je l'ai tué là, avec le couteau de peinture de James que j'avais pris soin d'emporter. Il est mort là, sur le bord du ruisseau, au même endroit qu'Albert, des années plus tôt. La mise en scène ensuite, la pierre sur son crâne, la tête dans l'eau du ru, je sais bien que c'était ridicule. J'ai même cru qu'à cause de cela tu allais te douter de quelque chose, surtout quand les flics ont repêché la boîte de peinture de James. Heureusement, tu n'as jamais vu cette boîte… C'était important que je te protège sans que tu saches rien, que je prenne tous les risques pour toi… Tu me faisais confiance, tu avais raison. Tu peux bien l'avouer maintenant, ma Fanette, que jamais tu ne t'es doutée à quel point je t'aimais, que jamais tu n'as soupçonné jusqu'où j'étais capable d'aller pour toi. Souviens-toi, quelques jours après la mort de Morval, tu es même allée dire à la police que nous étions ensemble au lit, ce matin-là… Sans doute que, quelque part au fond de toi, tu connaissais la vérité, mais tu ne voulais pas te l'avouer. On se doute tous que l'on a un ange gardien, hein ? Pas besoin de le remercier…

J'observe, tétanisée, les doigts ridés de Jacques qui caressent le manche du couteau. Obsession maniaque, comme si son corps de vieillard frissonnait encore du plaisir d'avoir poignardé deux hommes avec cette arme. Je ne résiste pas, je ne peux plus. Les mots explosent dans ma gorge :

— Je… je voulais te quitter, Jacques. C'est pour cela que j'ai fait un faux témoignage. Tu étais en prison. Je… je me sentais coupable.

Les doigts se tordent sur le couteau. Des doigts d'assassin, de fou. Avec une lenteur insupportable, les doigts s'ouvrent. Jacques a encore glissé, il est presque couché maintenant. Un rire gras le secoue. Ce rire dément.

— Bien entendu, Stéphanie. Tu te sentais coupable… Évidemment, tout était confus alors dans ton esprit. Pas dans le mien. Personne ne te connaît mieux que moi. Une fois Morval mort, je pensais que nous serions tranquilles. Plus personne pour nous séparer, Stéphanie, plus personne pour t'éloigner de moi. Et puis, le comble ! C'en est presque comique, quand j'y repense aujourd'hui. Voilà que le cadavre de Morval attire dans tes jupes ce flic, ce Laurenç Sérénac, le pire de tous les dangers ! J'étais coincé. Comment s'en débarrasser, de celui-là ? Comment le tuer sans que l'on m'accuse, sans qu'on m'arrête, sans qu'on me sépare de toi, définitivement ? Et qu'ensuite un autre Sérénac, ou un autre Morval, vienne te faire souffrir sans que je puisse te protéger, enfermé dans une cellule ? Dès le début, ce flic m'a soupçonné, comme s'il lisait en moi… Il suivait son intuition. C'était un bon flic, nous avons eu chaud, Stéphanie. Heureusement qu'il n'est jamais parvenu à découvrir le lien entre moi et l'accident de ce garçon de notre classe, en 1937, qu'il n'a jamais entendu parler de la disparition de ce peintre américain… Ils ont effleuré la vérité, à l'époque, en 1963, lui et son adjoint, Bénavides… Mais ils ne pouvaient pas imaginer, bien entendu. Qui aurait pu comprendre ? En attendant, ce salaud de Sérénac me soupçonnait, ce salaud de Sérénac te tournait la tête. C'était lui ou moi. J'ai retourné le problème dans tous les sens…

Discrètement, ma main glisse sur le drap. Jacques est allongé maintenant, il ne peut plus se redresser, il ne peut plus me voir, il parle au plafond. Ma main se referme à nouveau sur le couteau. J'éprouve un plaisir morbide à son contact. Comme si le sang séché sur le manche s'insinuait dans mes veines, les gonflait d'une pulsion meurtrière.

Le rire nerveux de Jacques s'achève en toux rauque. Il peine à reprendre son souffle. Il serait mieux assis, c'est certain. Jacques ne demande rien, pourtant. Sa voix faiblit un peu, mais il continue :

— J'ai bientôt terminé, Stéphanie. Sérénac était comme les autres, au final. Quelques menaces ont suffi à le faire fuir… Quelques menaces illustrées avec efficacité…

Il rit encore, ou tousse, les deux. J'approche lentement le couteau vers les plis de ma robe noire.

— Les hommes sont si faibles, Stéphanie… Tous. Sérénac a préféré sa petite carrière de flic à sa grande passion pour toi. On ne va pas se plaindre, n'est-ce pas, Stéphanie ? C'est ce qu'on voulait, non ? Sérénac a eu raison, au final. Qui sait ce qui se serait passé s'il s'était entêté… Ce fut la dernière ombre entre nous, Stéphanie, le dernier nuage, la dernière branche à écarter… Il y a plus de quarante ans maintenant…

Je referme mes bras croisés contre mes seins ; le couteau de peinture est collé sur mon cœur. J'aimerais parler, j'aimerais hurler : « Jacques, dis-moi, dis-moi, mon ange, puisque tu prétends l'être, est-il si facile de poignarder quelqu'un ? D'enfoncer un couteau dans le cœur d'un homme ? »

— À quoi ça tient, la vie, Stéphanie ? Si je n'avais pas été là au bon moment, si je n'avais pas su éliminer les obstacles, les uns après les autres. Si je n'avais pas su te protéger… Si je n'étais pas né, juste après toi, comme un jumeau. Si je n'avais pas compris ma mission… Je quitte cette terre heureux, Stéphanie, j'ai réussi, je t'ai tant aimée, tu en as la preuve, désormais.

Je me lève. Horrifiée. Je tiens le couteau entre mes bras, invisible contre ma poitrine. Jacques me regarde, il semble épuisé, comme s'il peinait maintenant à garder les yeux ouverts. Il tente de se redresser, agite les pieds. Le coffre d'aluminium, en équilibre sur le lit, tombe sur le parquet en un vacarme assourdissant. Jacques cligne à peine des paupières. À l'inverse, le bruit aigu résonne dans ma tête, comme un écho qui se diffuse en vertige. J'ai l'impression que la chambre tourne autour de moi.

J'avance péniblement. Mes jambes refusent de me porter. Je les force, je déplie mes bras. Jacques me fixe toujours. Il ne voit pas encore le couteau. Pas encore. Je le lève lentement.

Neptune hurle dehors, juste sous notre fenêtre. L'instant suivant, la sirène d'une ambulance traverse la cour du moulin. Des pneus crissent sur le gravier. Deux silhouettes irréelles, blanches et bleues dans le halo du gyrophare, passent devant la fenêtre et cognent à la porte.

Ils ont emmené Jacques, j'ai signé des tas de papiers, sans même les lire, sans même demander quoi que ce soit. Il était moins de 6 heures du matin. Ils m'ont demandé si je voulais monter dans l'ambulance, j'ai répondu non, que je prendrais le car, ou un taxi, dans quelques heures. Les infirmiers n'ont fait aucun commentaire.

Le coffre d'aluminium gît sur le parquet, ouvert. Le couteau de peinture est posé sur la table de chevet. Le livre d'Aragon est perdu dans les plis du lit. Je ne sais pas pourquoi, après le départ de l'ambulance, la première chose qui me vient à l'esprit est de monter au grenier et de fouiller les combles pour retrouver ce vieux tableau poussiéreux, mes « Nymphéas », celui que j'avais peint lorsque j'avais onze ans.

Que j'avais peint deux fois, d'abord dans d'incroyables couleurs, pour gagner le concours de la fondation Robinson, ensuite en noir, après la mort de Paul.

J'ai décroché du mur le fusil de chasse de Jacques et j'ai installé le tableau à la place, au même clou, dans un coin où personne d'autre que moi ne peut le voir.

Je sors. Il faut que je prenne l'air. J'emmène Neptune avec moi. Il est à peine 6 heures du matin. Pour quelques heures, Giverny est encore désert. Je vais aller marcher le long du ru, devant le moulin.

Et me souvenir.

– TREIZIÈME JOUR –

25 mai 2010

(Chemin du Roy)

Cheminement

– 83 –

C'était il y a treize jours, le 13 mai. Depuis, j'ai passé mes journées à revivre ces quelques heures où l'on me vola ma vie, à me repasser le film pour tenter de comprendre l'inimaginable, une dernière fois, avant d'en finir.

À force de me promener seule dans ce village, vous avez dû me prendre pour un fantôme. En réalité, c'est l'inverse.

Je suis bien réelle.

Ce sont tous les autres les fantômes, les fantômes de mes souvenirs. J'ai peuplé de mes fantômes ces endroits où j'ai toujours vécu, devant chaque lieu où je suis passée, je me suis souvenue : le moulin, la prairie, l'école, la rue Claude-Monet, la terrasse de l'hôtel Baudy, le cimetière, le musée de Vernon, l'île aux Orties…

Je les ai aussi peuplés des longues conversations que

j'ai eues avec Sylvio Bénavides, entre 1963 et 1964, après que l'enquête sur le meurtre de Jérôme Morval eut été classée sans suite. L'inspecteur Sylvio Bénavides s'est accroché, avec entêtement, mais n'a jamais découvert la moindre preuve, le moindre nouvel indice. Nous avions sympathisé. Au moins, Jacques n'était pas jaloux de mes échanges avec cet inspecteur-là. Sylvio était un mari fidèle et un père attentionné pour sa petite Carina, qui avait eu tant de mal à quitter le ventre de sa maman. Sylvio m'a raconté tous les détails de l'enquête qu'il avait menée avec Laurenç, au commissariat de Vernon, à Cocherel, aux musées de Rouen et de Vernon… Puis, au milieu des années 1970, Sylvio fut muté à La Rochelle. Il y a un peu plus de dix ans, en septembre 1999 pour être précise, vous voyez à quel point ma mémoire fonctionne encore parfaitement, j'ai reçu une lettre de Béatrice Bénavides. Une courte lettre manuscrite. Elle me racontait avec pudeur que Sylvio Bénavides venait de les quitter, elle et Carina, un matin, emporté par un infarctus. Comme tous les jours, Sylvio avait enfourché son vélo pour faire le tour de l'île d'Oléron, où ils louaient en famille un bungalow pendant l'arrière-saison. Il était parti souriant. Le temps était superbe, un peu venteux. Il s'est écroulé devant l'océan, au milieu d'un léger faux plat, entre La Brée-les-Bains et Saint-Denis-d'Oléron. Sylvio avait soixante et onze ans.

C'est cela vieillir : voir mourir les autres.

Il y a quelques jours, j'ai écrit une courte lettre à Béatrice, pour tout lui expliquer. Une sorte de devoir de mémoire en souvenir de Sylvio. La richissime fondation Robinson n'avait rien à voir dans ces meurtres, pas plus que les trafics d'Amadou Kandy, les toiles de

Monet oubliées ou les maîtresses de Morval. Laurenç Sérénac avait raison depuis le début : il s'agissait d'un crime passionnel. Seul un détail inimaginable l'avait empêché de découvrir la vérité : le criminel jaloux ne s'était pas contenté d'éliminer les amants supposés de sa femme, il avait également supprimé les amis d'une fillette de dix ans dont il était déjà amoureux. Je n'ai pas encore posté cette lettre. Je ne pense pas le faire, au final.

Cela importe si peu, maintenant.

Allez, il faut que je m'active !

Je jette avec dégoût l'enveloppe du docteur Berger à la poubelle. Elle rejoint les prospectus sordides. Je lève les yeux vers la tour du moulin.

J'hésite.

Mes jambes peinent à me porter. Cette ultime promenade à l'île aux Orties m'a épuisée. Je suis partagée entre retourner une dernière fois dans le village ou rentrer directement chez moi. J'ai longtemps réfléchi, tout à l'heure, sur les bords de l'Epte. Comment en finir, maintenant que tout est en ordre ?

J'ai tranché. J'ai renoncé à utiliser le fusil de Jacques, mon Dieu, je pense que vous comprenez pourquoi, maintenant. Pas question non plus d'avaler des médicaments pour agoniser pendant des heures, des jours, à l'hôpital de Vernon, comme Jacques, mais sans personne pour venir débrancher ma perfusion. Non, la méthode la plus efficace, pour en finir, sera d'achever tranquillement cette journée, comme les autres, de rentrer au moulin, de monter dans ma chambre, en haut du donjon, au quatrième, de prendre le temps de ranger mes affaires, puis d'ouvrir la fenêtre et de sauter.

Je me décide à retourner vers le village. Finalement, mes jambes supporteront bien un kilomètre de plus, un dernier kilomètre.

— Tu viens, Neptune !

Si quelqu'un, n'importe qui, un passant, un touriste, s'intéressait à moi, il pourrait croire que je souris. Il n'aurait pas complètement tort. Passer ces dix derniers jours en compagnie de Paul, en compagnie de Laurenç, a fini par apaiser ma colère.

Je longe à nouveau le chemin du Roy. Quelques instants plus tard, je me retrouve devant le bassin aux Nymphéas.

À la mort de Claude Monet, en 1926, les jardins furent presque laissés à l'abandon. Michel Monet, son fils, habita la maison rose de Giverny jusqu'à son mariage, en 1931, avec le mannequin Gabrielle Bonaventure, dont il avait eu une fille, Henriette. Lorsque j'avais dix ans, en 1937 avec les autres enfants du village, nous avions pris l'habitude de nous introduire dans les jardins par un trou dans le grillage, côté prairie. Moi je peignais, les garçons jouaient à cache-cache autour du bassin. Sur place, il n'y avait plus qu'un jardinier qui entretenait le domaine, monsieur Blin, et Blanche, la fille de Claude Monet. Ils nous laissaient, on ne faisait pas de mal. Monsieur Blin ne pouvait rien refuser à la petite Fanette, si jolie avec ses yeux mauves et ses rubans d'argent dans les cheveux, et si douée en peinture !

Blanche Monet est morte en 1947. Le dernier héritier, Michel Monet, continua d'ouvrir exceptionnellement les jardins et la maison pour des chefs d'État étrangers, des artistes, des anniversaires particuliers…

Et pour les enfants de l'école de Giverny ! J'avais réussi à le convaincre. Ce ne fut pas bien difficile… comment résister à la petite Fanette, devenue la belle Stéphanie, l'institutrice au regard Nymphéas, si cultivée pour tout ce qui touche à la peinture, qui essayait, année après année, de passionner les enfants du village pour l'impressionnisme, de les faire concourir au prix artistique de la fondation Robinson, avec une telle énergie, une telle sincérité, comme si sa propre vie dépendait de l'émotion qu'elle transmettait à ses élèves ? Michel Monet ouvrait les jardins pour ma classe, une fois par an, en mai, lorsque le parc est le plus beau.

Je me retourne. J'observe un instant la foule agglutinée sous la cathédrale de roses, les dizaines de visages tassés aux fenêtres de la maison du peintre. Dire que nous étions seuls dans cette maison, en juin 1963, Laurenç et moi… Dans le salon, l'escalier, la chambre. Mon plus beau souvenir, sans aucun doute. Ma seule et unique tentative d'évasion…

Michel Monet est mort dans un accident de voiture, trois ans plus tard, à Vernon. Après la lecture de son testament, début février 1966, une incroyable ruée convergea vers la maison de Giverny. Gendarmes, notaires, journalistes, artistes… J'y étais, moi aussi, comme les autres Givernois. À l'intérieur de la maison et des ateliers, les huissiers découvrirent avec stupéfaction plus de cent vingt toiles, dont quatre-vingts de Claude Monet, y compris des « Nymphéas » inédits, et quarante tableaux de ses amis, Sisley, Manet, Renoir, Boudin… Vous rendez-vous compte ? Il s'agissait là d'un trésor incroyable, une fortune inestimable, presque oubliée depuis la mort de Claude Monet. Enfin, oubliée… Beaucoup de Givernois connaissaient, avant 1966, la valeur des chefs-d'œuvre entreposés dans la maison rose, abandonnés là pendant quarante ans par Michel Monet. Tous ceux qui avaient eu l'occasion d'entrer dans la maison les avaient vus. Moi aussi, bien entendu… Depuis 1966, ces cent vingt tableaux peuvent être admirés au musée Marmottan, à Paris. C'est la plus grande collection de Monet exposée dans le monde…

Pour ma part, après 1966, plus jamais je n'ai emmené les enfants au jardin de Monet. Il n'ouvrit au public que bien plus tard, en 1980. Il était bien naturel, après tout, qu'un tel trésor soit partagé entre le plus grand nombre, que la bouleversante beauté des lieux soit offerte à chaque âme capable de la saisir.

Pas seulement à celle d'une petite fille tellement éblouie par leur éclat qu'elle y brûla ses rêves.

Je tourne à droite, je remonte vers le bourg par la rue du Château-d'Eau.

La maison de mon enfance n'existe plus.

Après la mort de ma mère, en 1975, elle était devenue un véritable taudis. Elle a été rasée. Les voisins, des Parisiens, ont racheté le terrain et ont élevé un mur de pierres blanches de plus de deux mètres. À la place de ma maison, il y a sans doute un parterre de fleurs, une balançoire, un bassin… En réalité, je n'en sais rien. Je n'en saurai jamais rien. Il faudrait pouvoir regarder par-dessus le mur.

Je parviens enfin au bout de cette rue du Château-d'Eau. Le plus difficile est fait ! Dire que je courais plus vite que Neptune dans cette rue lorsque j'avais onze ans ! Maintenant, le pauvre, c'est lui qui passe son temps à m'attendre. Je tourne rue Claude-Monet. L'autoroute à touristes ! Je n'ai même plus envie de grogner après la foule. Giverny me survivra, différent, éternel, lorsque tous les fantômes d'un autre temps auront disparu : Amadou Kandy, sa galerie d'art et ses trafics ; Patricia Morval, moi…

Je marche. Je ne résiste pas à l'envie d'effectuer un crochet de vingt mètres pour passer devant l'école. La place de la mairie n'a pas changé depuis toutes ces années, ni ses pierres blanches ni l'ombre des tilleuls. Sauf que l'école a été reconstruite, au début des années 1980, trois ans avant ma retraite ! Une affreuse école moderne, rose et blanc. Couleur guimauve. À Giverny. Une honte ! Mais il y a longtemps que je n'avais plus la force de me battre contre cette monstruosité… L'école maternelle qu'ils ont ouverte est pire encore, dans un préfabriqué, juste en face. Enfin, tout cela ne me regarde plus… Maintenant, chaque jour, les enfants passent en courant devant moi sans me jeter un regard, et je dois gronder Neptune pour qu'il les laisse tranquilles. Il n'y a plus que les vieux peintres américains pour me demander parfois un renseignement.

Je redescends la rue Blanche-Hoschedé-Monet. Mon logement de fonction, juste au-dessus de l'école, est devenu un magasin d'antiquités. Ma chambre en mansarde, avec sa lucarne ronde, sert avec les autres pièces de musée ringard pour citadins en mal d'objet ruraux prétendument authentiques. Chèque à la main. Plus jamais personne, de cette lucarne ronde, n'observera la pleine lune à son périgée. Mon Dieu, combien d'années, combien de nuits ai-je pu passer devant cette fenêtre… Dès mon enfance. Hier encore…

Devant l'antiquaire, un groupe d'adultes parle japonais, ou coréen, ou javanais. Je ne comprends plus rien à rien. Je suis un dinosaure dans un parc zoologique. Je continue à remonter la rue Claude-Monet. Seul l'hôtel Baudy n'a pas changé. Le décor Belle Époque, en terrasse, en façade et à l'intérieur, est entretenu avec minutie par les propriétaires successifs. Theodore Robinson pourrait revenir demain à l'hôtel Baudy, le temps s'y est arrêté depuis un siècle.

71 rue Claude-Monet.

Jérôme et Patricia Morval.

Je passe rapidement devant la maison. J'y suis entrée il y a quatre jours. Il fallait que je parle à Patricia. Avec moi, elle est la dernière survivante du Giverny d'antan. Je n'ai jamais beaucoup aimé Patricia, vous le comprenez maintenant. Je crois que pour moi elle restera toujours Mary la pleurnicheuse. Mary la rapporteuse.

C'est ridicule, je vous le concède. Elle a tant souffert. Au moins autant que moi. Elle avait fini par céder au gros Camille, par se marier avec lui, et par un jeu cruel de vases communicants plus le gros Camille devenait Jérôme Morval, brillant étudiant en médecine, plus Jérôme cherchait à séduire d'autres femmes et plus elle s'attachait à lui. La vie s'est arrêtée dans cette maison, au 71 de la rue Claude-Monet, en 1963. Jadis, c'était la plus belle du village. C'est une ruine, désormais. La mairie attend avec impatience que la veuve Morval meure pour se débarrasser de cette verrue.

Il fallait bien que Patricia sache. Il fallait bien que Patricia connaisse le nom de l'assassin de son mari.

Je lui devais bien cela… Cette petite rapporteuse de Patricia m'a surprise, au final. Je m'attendais à voir débarquer la police à mon moulin dès le lendemain. Elle n'avait pas hésité, en 1963, à envoyer au commissariat de Vernon des photographies anonymes des maîtresses supposées de Jérôme Morval. Moi, parmi d'autres.

Curieusement, cette fois-ci, cela n'a pas été le cas. Il faut croire que la vie vous change… J'ai appris qu'elle ne sort presque plus de chez elle, depuis qu'un de ses neveux lui a fait découvrir Internet. Elle qui n'avait pas ouvert un ordinateur avant ses soixante-dix ans ! Ce n'est pas pour autant que j'ai envie de prendre le thé avec elle, une dernière fois, pour partager notre haine commune d'un monstre. Avant le grand saut.

J'accélère le pas, enfin, pour ce qui me concerne l'expression est assez mal choisie. Neptune trottine, trente mètres devant moi. La rue Claude-Monet s'élève doucement, comme un long chemin montant vers le ciel. *Stairway to heaven*, jouait une guitare, il y a deux générations…

Je parviens enfin à l'église. Le portrait géant de Claude Monet me regarde, du haut de ses quinze mètres. On rénove l'église Sainte-Radegonde. Les travaux et l'échafaudage sont masqués par une immense affiche de toile : la photographie du maître, en noir et blanc, palette à la main. Je n'ai pas le courage de me hisser jusqu'au cimetière, pourtant, tous ceux que j'ai croisés dans ma vie, tous ceux qui ont compté sont enterrés ici. Étrangement, presque à chaque enterrement, il pleuvait, comme s'il eût été indécent que la lumière de Giverny brille un jour d'inhumation. Il pleuvait en 1937, le jour où mon Paul, mon Albert

Rosalba, fut inhumé. J'étais effondrée. Il pleuvait encore, en 1963, lorsque Jérôme Morval fut enterré. Tout le village était là, y compris l'évêque d'Évreux, la chorale, les journalistes, et même Laurenç. Plusieurs centaines de personnes ! Étrange destin. Il y a une semaine, j'étais seule à l'enterrement de Jacques.

J'ai peuplé le cimetière de mes souvenirs. Mes souvenirs pluvieux.

— Tu viens, Neptune !

En route pour la dernière ligne droite. Je redescends rue de la Dîme, droit vers le chemin du Roy. Elle débouche juste en face du moulin. J'attends longtemps avant de traverser : le flux de voitures quittant Giverny par la départementale est presque continu. Neptune patiente sagement à côté de moi. Une décapotable rouge, avec une immatriculation compliquée, le volant à gauche, finit par me laisser passer.

Je franchis le pont. Malgré moi, je m'arrête au-dessus du ru : je détaille pour la dernière fois les tuiles et les briques roses du lavoir, la peinture vert métal du pont, les murs de la cour du moulin, à ma droite, d'où dépassent l'étage le plus haut du donjon et la cime du cerisier. Le lavoir est tagué depuis des semaines de visages noirs et blancs grimaçants. Personne n'a jamais nettoyé les briques. Peut-être par négligence, peut-être pas… Après tout, s'il y a bien un endroit où ça la ficherait mal de nettoyer au Kärcher les manifestations rebelles d'artistes anonymes, c'est bien Giverny. Vous ne pensez pas ?

Le petit filet d'eau claire du ruisseau coule, comme s'il se moquait bien de l'agitation des hommes sur les berges. Ces moines qui jadis creusèrent à la main ce bief, ce peintre illuminé qui détourna la rivière pour créer un étang et qui s'enferma trente ans pour y peindre des nénuphars, ce fou qui assassina ici tous les hommes qui s'approchèrent de moi, tous les hommes que j'aurais pu aimer.

Qui cela peut-il bien intéresser, aujourd'hui ? À qui se plaindre ? Existe-t-il un bureau des vies perdues ?

J'avance encore de quelques mètres. Mon regard embrasse la prairie, sans doute pour la dernière fois. Le parking est presque vide.

Non, finalement, la prairie n'est en rien un paysage d'hypermarché. Non, bien entendu. C'est un paysage, vivant, changeant. Selon les saisons, selon les heures, selon la lumière. Bouleversant, aussi. Me fallait-il être aussi certaine de l'heure de ma mort, aussi assurée de l'observer pour la dernière fois, pour le comprendre enfin ? Pour tant le regretter, au final. Claude Monet, Theodore Robinson, James et tant d'autres ne se sont pas arrêtés ici par hasard… Bien entendu. Qu'il soit un lieu de mémoire n'enlève rien à la beauté d'un paysage. Bien au contraire.

— N'est-ce pas, Neptune ?

Mon chien remue la queue, comme s'il écoutait mes ultimes délires. En réalité, il a déjà compris l'étape suivante, il a pris l'habitude, avec le temps. Il sait qu'il est rare que je rentre dans la cour du moulin sans faire un tour dans la petite clairière juste derrière. Un saule, deux sapins. La clairière est aujourd'hui protégée des touristes par un grillage. On ne peut pas l'apercevoir du chemin. J'avance.

Neptune m'a une nouvelle fois devancée. Il m'attend, couché dans l'herbe, comme s'il avait conscience de ce que signifiait ce lieu. J'arrive enfin, je plante ma canne dans la terre meuble et je reste appuyée sur elle. Je regarde devant moi les cinq petits tumulus coiffés de cinq petites croix.

Je me souviens. Comment oublier ? J'avais douze ans. Je serrais Neptune de toutes mes forces, il était mort dans mes bras. Un an après la noyade de Paul. Mort de vieillesse, me disait maman.

« Il n'a pas souffert, Stéphanie. Il s'est juste endormi, comme un vieux chien… »

Je restais inconsolable. Impossible de me séparer de mon chien.

« On ira en chercher un autre, Stéphanie. Un petit chiot… Dès demain…

— Le même ! Je veux le même…

— D'accord, Stéphanie. Le même. On ira à la ferme à Autheuil… Co… comment voudras-tu l'appeler, ce petit chiot ?

— Neptune ! »

J'ai eu six chiens dans ma vie. Tous des bergers allemands. Je les ai tous appelés Neptune, par fidélité à un caprice de petite fille solitaire et malheureuse, qui aurait tant voulu que son chien soit éternel, que lui, au moins lui, ne meure pas !

Je lève à nouveau les yeux. Je tourne avec lenteur la tête, de droite à gauche. Sous chaque croix, sur une petite planche, est gravé le même nom. *Neptune*. Seuls varient les chiffres sous le nom.

1922-1938
1938-1955
1955-1963
1963-1980
1980-1999

Neptune se lève, vient se frotter à moi, comme s'il comprenait que pour la première fois, c'est moi qui vais partir, pas lui. Neptune sera recueilli à la ferme d'Autheuil. Ils y élèvent des chiens depuis des générations, sa mère doit encore y vivre. Il y sera bien. Je vais laisser une lettre avec des instructions précises, pour ses repas, pour qu'on laisse des enfants jouer avec lui ; pour qu'il soit enterré ici, lorsque le temps sera venu.

Je le caresse. Jamais il ne s'est serré autant contre moi. J'ai de plus en plus envie de pleurer. Il faut que je me dépêche. Si je traîne, je n'aurai pas le courage.

Je laisse ma canne là, devant les cinq tumulus, plantée. Je n'en aurai plus besoin, maintenant. Je marche jusqu'à la cour. Neptune ne me lâche pas d'un centimètre. Ce putain de sixième sens des animaux ! D'habitude, Neptune serait allé se coucher sous le grand cerisier. Là, non. Il ne me quitte pas. Il va finir par me faire tomber. Un instant, je regrette d'avoir laissé ma canne.

— Doucement, Neptune, doucement.

Neptune se pousse un peu. Il y a longtemps qu'il n'y a plus de rubans d'argent dans les feuilles du cerisier. Les oiseaux s'en donnent à cœur joie… Je caresse encore Neptune, longuement. Je lève les yeux vers le donjon du moulin des Chennevières.

Jacques a acheté le moulin en 1971. Il a tenu parole. Je l'ai cru, mon Dieu, je l'ai cru alors. Il me l'a achetée, la maison de mes rêves, ce moulin biscornu qui m'attirait tant lorsque j'avais onze ans. Avec l'arrivée des Parisiens dans le coin, son agence immobilière avait fini par être rentable. Il était à l'affût, il a attendu le bon moment, le moulin était inoccupé depuis longtemps mais les propriétaires s'étaient enfin décidés à vendre. Il fut le premier sur l'affaire. Il a tout rénové, pendant des années. La roue, le puits, le donjon.

Il croyait me rendre heureuse. C'était si dérisoire... Comme si les geôliers s'amusent à décorer les murs des prisons. Le moulin des Chennevières n'avait plus rien à voir avec la vieille maison en ruine qui me fascinait, « le moulin de la sorcière », comme on l'appelait alors. Pierres lavées. Bois verni. Arbres taillés. Balcons fleuris. Cour ratissée. Portail huilé. Clôture érigée.

Jacques était maniaque. Tellement maniaque.

Comment aurais-je pu imaginer ?

J'ai toujours refusé qu'il coupe le cerisier ! Il ne l'a pas fait. Il cédait à tous mes caprices. Oui, oui, je le croyais vraiment.

Puis, le vent des affaires de l'agence a tourné. Il est devenu difficile de rembourser. Nous avons d'abord loué une partie du moulin, puis nous l'avons vendu à un jeune couple du village. Nous n'avons gardé que le donjon. Depuis quelques années, ils ont transformé le moulin des Chennevières en gîte. Cela fonctionne bien, apparemment. Je crois qu'ils n'attendent qu'une chose, que je disparaisse, pour récupérer quelques chambres supplémentaires. Il y a maintenant des balançoires dans la cour, un grand barbecue, des parasols et des salons de jardin. Ils parlent même de transformer le champ derrière le moulin en parc animalier, ils ont commencé à installer des lamas, des kangourous et des autruches, ou des émeus, je ne sais pas.

Vous imaginez ?

Des animaux exotiques pour amuser les enfants...

On ne peut pas les rater, lorsqu'on arrive à Giverny en venant de Vernon par le chemin du Roy.

Dire que cet endroit, pendant des décennies, ce fut le moulin de la sorcière...

Il ne reste plus que la sorcière.

Moi.

Plus pour bien longtemps, rassurez-vous. La sorcière va profiter d'un lendemain de pleine lune pour disparaître... On la retrouvera au petit matin, écrasée au pied du cerisier. Celui qui la trouvera lèvera les yeux et se dira qu'elle est sans doute tombée de son balai. Normal. C'était une vieille sorcière.

Je serre une dernière fois les poils de Neptune dans ma main, fort, très fort, puis je referme la porte du donjon derrière moi. Je monte vite l'escalier avant de l'entendre gémir.

– QUATORZIÈME JOUR –

26 mai 2010

(Moulin des Chennevières)

Rubans d'argent

– 84 –

J'ai ouvert la fenêtre. Il est un peu plus de minuit. J'ai pensé que ce serait plus facile de sauter une fois la nuit venue. J'ai tout rangé dans la pièce, comme une vieille maniaque, comme si les pires des obsessions de Jacques avaient déteint sur moi, au final, avec le temps. J'ai laissé sur la table la lettre pour que l'on s'occupe bien de Neptune. Je n'ai pas eu le courage de décrocher mes « Nymphéas » noirs.

Je ne me fais aucune illusion, quelques vautours brocanteurs de la vallée de l'Eure viendront se servir. Meubles, vaisselle, bibelots. Peut-être certains objets retourneront-ils chez l'antiquaire rue Blanche-Hoschedé-Monet, dans mon ancien logement de fonction au-dessus de l'école… Mais cela m'étonnerait qu'ils se donnent la peine de s'intéresser à ces « Nymphéas », ce hideux tableau barbouillé de noir. Qui pourrait imaginer qu'une autre vie pleine de lumière se cache dessous ?

À la poubelle, la croûte !

Au trou, à côté de son gentil mari, la vieille qui s'est penchée trop près de la fenêtre.

La vieille méchante qui ne parlait plus à personne, qui ne souriait jamais, disait à peine bonjour. Qui pourrait imaginer que sous cette peau ridée se cache une petite fille qui avait du talent. Du génie, peut-être même…

Personne, jamais, ne le saura.

Fanette et Stéphanie sont mortes, depuis si longtemps… assassinées par un ange gardien trop zélé.

J'observe par la fenêtre la cour du moulin. Les gravillons gris sont éclairés par l'halogène devant le porche. Je n'ai plus peur, juste un regret. Elle aimait tant la vie, la petite Fanette.

Je ne crois pas qu'elle méritait de mourir aussi aigrie.

– 85 –

Le Picasso Citroën s'arrête presque sous ma fenêtre. C'est un taxi. J'ai l'habitude, les taxis déposent souvent des touristes, au gîte, en fin de soirée. Ils arrivent par le dernier train de Paris à la gare de Vernon, il y a des bagages plein le coffre.

Neptune se rapproche, bien entendu. Le plus souvent, les portes arrière des taxis s'ouvrent sur une nuée d'enfants excités par le voyage. Neptune adore les accueillir !

Pas de chance pour lui, ce coup-là, il n'y a pas un seul gosse dans le taxi.

Juste un homme, un vieil homme.

Pas de bagages non plus…

Étrange…

Neptune se plante devant lui. Le vieil homme se penche. Il caresse longuement mon chien, comme s'il retrouvait un vieil ami…

Mon Dieu !

Est-ce possible ?

Tout explose, mon cœur, mes yeux, ma tête.

Est-ce possible ?

Je me penche plus encore. Pas pour tomber, cette fois. Oh que non ! Une terrible bouffée de chaleur m'envahit. Je me revois à la fenêtre d'une autre maison, une maison rose, celle de Monet, c'était dans une autre vie ; un homme se tenait à côté de moi, un homme terriblement séduisant. Je lui avais dit des mots étranges à l'époque, des mots comme jamais je n'aurais pensé qu'ils puissent sortir de ma bouche.

Des mots comme un poème d'Aragon… Une récitation apprise à jamais…

« C'est uniquement de votre Tiger Triumph que je suis tombée amoureuse ! »

J'avais ri et ajouté :

« Et peut-être aussi de la façon que vous avez de vous arrêter pour caresser Neptune… »

Je m'incline encore sur le rebord de la fenêtre. La voix monte le long de la tour. Elle n'a pas changé, si peu, en presque cinquante ans :

— Neptune… Mon gros, si je pensais te trouver là, après tout ce temps… Vivant !

Je rentre dans la chambre, je me colle au mur. Mon cœur bat à se rompre. J'essaie de raisonner, de penser.

À jamais, pour toujours.

Jamais je n'ai revu Laurenç Sérénac. L'inspecteur Laurenç Sérénac était un bon, un très bon flic. Quelques mois après l'affaire Morval, fin 1963, j'ai appris par Sylvio Bénavides que Laurenç avait demandé un détachement au Québec, comme s'il devait fuir à l'autre bout du monde. Me fuir, croyais-je. Fuir la folie meurtrière de Jacques, en réalité. C'est au Canada qu'au fil des ans tout le monde prit l'habitude de l'appeler par son surnom, Laurentin. Au Québec, c'est ainsi que l'on surnomme les habitants de la vallée du Saint-Laurent, de Montréal à Ottawa. Il devait être trop tentant pour ses collègues de transformer le prénom occitan de Laurenç en un Laurentin bien québécois. J'ai appris par la presse nationale qu'il avait retrouvé son poste de commissaire à Vernon, lors de l'affaire du vol des tableaux de Monet au musée Marmottan, en 1985. À l'époque, quelques photographies de lui parurent dans la presse nationale. Comment ne pas le reconnaître ? Laurenç Sérénac, devenu pour tous le commissaire Laurentin. Amadou Kandy m'a même dit qu'ils n'ont jamais retiré les tableaux dans son bureau, au commissariat de Vernon, vingt ans après sa retraite, l'*Arlequin* de Cézanne, la *Femme rousse* de Toulouse-Lautrec…

Je tremble comme une feuille. Je n'ose pas avancer de nouveau jusqu'à la fenêtre…

Qu'est-ce que Laurenç fait là ?

C'est insensé…

Je dois mettre de l'ordre dans mes pensées. Je tourne en rond dans la salle.

Qu'est-ce que Laurenç fait là ?

Cela ne peut pas être un hasard… J'avance vers le miroir, sans que mes pieds m'en demandent l'autorisation…

On frappe à la porte, quelques étages plus bas !

Je panique comme une adolescente qu'un amoureux surprend chez elle au sortir de la douche… Mon Dieu, je dois être ridicule… L'espace d'un instant, je pense à Patricia Morval, la petite Mary, la rapporteuse, la veuve de Jérôme, effondrée dans mes bras il y a une semaine… La vie vous change. En mieux, parfois. Est-ce elle qui a appelé Laurenç ? Qui l'a mis sur la piste de la vérité, l'abominable vérité ? Je n'ai pas le temps de chercher à comprendre.

On frappe en bas.

Mon Dieu…

Je regarde dans la glace ce visage froid et ridé, mes cheveux dévorés par ce foulard noir qui ne me quitte plus, cette face de mégère acariâtre.

Impossible, impossible d'imaginer lui ouvrir.

J'entends le bruit de la porte de la tour. On la pousse. Je ne l'ai pas fermée derrière moi. Pour faciliter le travail de ceux qui auraient ramassé mon corps…

Quelle sotte !

La voix, dans le colimaçon :

— Tu restes là, mon gros Neptune. Je ne crois pas que tu aies le droit de monter.

Mon Dieu. Mon Dieu.

J'arrache mon foulard noir. Mes cheveux tombent en cascade sur mes épaules. Je cours presque, cette fois, c'est moi qui commande à mes jambes. Et elles ont intérêt à obéir, ces vieilles cannes !

J'ouvre le deuxième tiroir du buffet, j'éparpille de vieux boutons, des bobines de fil, un dé à coudre, des aiguilles. Je me fiche de me piquer.

Je sais qu'ils sont là !

Mes doigts tremblants se replient sur deux rubans d'argent. Devant mes yeux défilent à toute vitesse des images. Je revois Paul dans le cerisier de la cour du moulin, décrochant les rubans d'argent, me les offrant en m'appelant sa princesse ; je me revois l'embrasser, pour la première fois, lui promettre que je les porterais toute ma vie ; je revois Laurenç, des années plus tard, caressant les rubans dans mes cheveux de jeune femme.

Mon Dieu, je dois me concentrer.

Je cours à nouveau au miroir. Oui, je vous le jure, je cours. Avec fébrilité, je noue en un chignon improvisé les rubans d'argent à mes cheveux.

Je ris nerveusement.

Une coiffure de princesse, oui, c'est ce que disait Paul, une coiffure de princesse… Quelle folle je fais !

Les pas s'approchent.

On frappe à nouveau, à la porte de ma chambre, cette fois-ci.

C'est trop tôt ! Je ne me retourne pas, pas encore.

On frappe encore. Avec douceur.

— Stéphanie ?

Je reconnais la voix de Laurenç. Elle est presque la

même qu'autrefois. Un peu plus grave que dans mon souvenir, peut-être. C'était hier, il voulait m'emmener. Mon Dieu, tout mon corps frissonne. Est-ce possible ? Est-ce encore possible ?

J'approche mon visage du miroir en or écaillé.

Est-ce que je sais encore sourire ? C'était il y a si longtemps…

J'essaye.

Je traverse le miroir.

Ce n'est plus une vieille femme que je vois dans la glace.

C'est le sourire joyeux de Fanette.

Ce sont les yeux Nymphéas de Stéphanie.

Vivants, tellement vivants.

POCKET N° 15367

MICHEL
BUSSI

UN
AVION
SANS
ELLE

POCKET

« Une intrigue magistrale, laissant le lecteur complètement scotché au livre, jusqu'aux dernières pages. Du très grand art ! »

RTL

Michel BUSSI
UN AVION
SANS ELLE

23 décembre 1980. Un crash d'avion. Une petite libellule de 3 mois tombe du ciel, orpheline. Deux familles que tout oppose se la disputent. La justice tranche : elle sera Émilie Vitral.
À 18 ans, des questions plein la tête, la jeune femme tente de dénouer les fils de sa propre histoire. Jusqu'à ce que les masquent tombent...

Cet ouvrage a reçu le prix Maison de la Presse

Retrouvez toute l'actualité de Pocket sur :
www.pocket.fr

POCKET N° 15758

« Un auteur machiavélique tissant jusqu'à la dernière page des intrigues remarquablement bien ficelées. »

Philippe Blanchet
Le Figaro magazine

Michel BUSSI
NE LÂCHE PAS MA MAIN

Un couple d'amoureux dans les eaux turquoise de l'île de La Réunion. Farniente, palmiers, soleil. Un cocktail parfait.
Pourtant, le rêve tourne court. Quand Liane disparaît de l'hôtel, son mari, Martial, devient le coupable idéal. Désemparé, ne sachant comment prouver son innocence, il prend la fuite avec leur fille de six ans. Pour la police, cela sonne comme un aveu : la course-poursuite, au cœur de la nature luxuriante de l'île, est lancée.

Retrouvez toute l'actualité de Pocket sur :
www.pocket.fr

POCKET N°16226

GRAVÉ DANS LE SABLE

POCKET

« Nouvelle édition, revue et corrigée, de son premier roman déjà aussi passionnant que les autres, et qui reste gravé dans notre mémoire. Un must ! »

Nadine Monfils

Michel BUSSI
GRAVÉ DANS LE SABLE

Quel est le prix d'une vie ? Quand on s'appelle Lucky, qu'on a la chance du diable, alors peut-être la mort n'est-elle qu'un défi. Un jeu. Ils étaient cent quatre-vingt-huit soldats sur la péniche en ce jour de juin 1944. Et Lucky a misé sa vie contre une hypothétique fortune. Alice, sa fiancée, n'a rien à perdre lorsque, vingt ans plus tard, elle apprend l'incroyable pacte conclu par Lucky.
De la Normandie aux États-Unis, elle se lance en quête de la vérité et des témoins de l'époque... au risque de réveiller les démons du passé.

Retrouvez toute l'actualité de Pocket sur :
www.pocket.fr

POCKET N° 16577

MAMAN A TORT

POCKET

« Bussi renoue avec son style haletant tout en nous donnant du grain à moudre. »

Le Point

Michel BUSSI
MAMAN A TORT

Rien n'est plus éphémère que la mémoire d'un enfant...
Quand Malone, du haut de ses trois ans et demi, affirme que sa maman n'est pas sa vraie maman, même si cela semble impossible, Vasile, psychologue scolaire, le croit.
Il est le seul. Il doit agir vite. Découvrir la vérité cachée. Trouver de l'aide. Celle de la commandante Marianne Augresse par exemple. Car, déjà, les souvenirs de Malone s'effacent. Ils ne tiennent plus qu'à un fil. Le compte à rebours a commencé.
Qui est vraiment Malone ?

Retrouvez toute l'actualité de Pocket sur :
www.pocket.fr

Faites de nouvelles rencontres sur pocket.fr

- Toute l'actualité des auteurs : rencontres, dédicaces, conférences...
- Les dernières parutions
- Des 1ers chapitres à télécharger
- Des jeux-concours sur les différentes collections du catalogue pour gagner des livres et des places de cinéma

Cet ouvrage a été composé et mis en page
par NORD COMPO

Imprimé en France par CPI
en décembre 2016
N° d'impression : 3020114

POCKET - 12, avenue d'Italie - 75627 Paris Cedex 13

Dépôt légal : septembre 2013
Suite du premier tirage : décembre 2016
S22237/14